模具企业管理实践

MANAGEMENT PRACTICES IN
MOULD ENTERPRISES

鲍明飞　编著

化学工业出版社
·北京·

内容简介

本书凝结了作者在模具企业管理领域多年的实践经验与深度思考，紧密围绕模具行业的管理特性、核心要求及普遍存在的问题，从企业组织结构和职能运营、模具企业市场营销与物料供应链管理、模具制造过程计划与管控、模具生产车间管控与考核、模具企业关键环节的管控、管理人员的职责与企业发展等角度进行了详细论述。

本书既可作为模具企业优化内部管理、提升运营效率的实操指南，为各管理部门推进整改工作提供具体方向与依据；也可作为大中专院校模具设计与制造等相关专业的教学用书或培训教材。

图书在版编目（CIP）数据

模具企业管理实践 / 鲍明飞编著. -- 北京 : 化学工业出版社, 2026. 1. -- ISBN 978-7-122-49710-9

Ⅰ. F426.4

中国国家版本馆CIP数据核字第20261CR448号

责任编辑：赵卫娟　　文字编辑：李一凡　刘　璐
责任校对：张茜越　　装帧设计：王晓宇

出版发行：化学工业出版社
（北京市东城区青年湖南街13号　邮政编码100011）
印　　装：中煤（北京）印务有限公司
710mm×1000mm　1/16　印张15¼　字数283千字
2026年2月北京第1版第1次印刷

购书咨询：010-64518888　　售后服务：010-64518899
网　　址：http://www.cip.com.cn
凡购买本书，如有缺损质量问题，本社销售中心负责调换。

定　　价：128.00元

序言

FOREWORD

当中国制造迈入高质量发展的新阶段，模具行业作为现代工业体系的基石，正经历着从规模扩张到价值重构的深刻变革。在精密电子元器件0.01mm的公差带里、在新能源汽车轻量化构件的分子级成型中、在航天器精密组件的微重力成型技术突破时，我们清晰地触摸到模具工业支撑大国重器的强劲脉动。然而，产业升级的璀璨图景背后，管理方式与技术创新间的断层正成为制约行业发展的“阿喀琉斯之踵”。2022年度相关报告显示，德国模具企业人均产值约为200万元人民币，而中国模具行业重点企业人均产值约33.5万元。质量成本黑洞更蚕食着行业平均5.8%的净利润空间。这些数字犹如醒世钟鸣，凸显着中国模具产业管理改革的紧迫性。

本书凝结着作者长期的行业深耕经验，更熔铸了对众多模具企业深度诊断的实践智慧。书中案例皆源自企业攻坚的真实总结，那些凝结着勇气与智慧的现场改善记录，将成为读者最具共鸣性的认知坐标。

犹记2010年深秋，在“院士专家浙江行”的产业调研中，我与时任宁波市模具行业协会会长的鲍明飞先生初识于模具车间的数控加工中心。这份始于机床旁的友谊，在后续十余年的产学研合作中不断深化——我们共同组建宁波首个模具领域院士工作站，携手突破“超临界微孔发泡注塑成型”技术瓶颈，该项目不仅斩获中国“机械工业科学技术奖”二等奖，更使国产汽车轻量化部件达到国际领先水平；在“新能源乘用车碳纤维部件成型技术”攻关中，我们创新开发的梯度温控模具系统，正是学术界与产业界智慧共振的生动注脚。

今阅《模具企业管理实践》书稿，字里行间跃动着模具企业家的实践智慧。这些源自产业一线的管理哲学，既凝结着日积月累的实战心得，更闪耀着系统化、理论化的思想光芒。在微米级精度的模具时代，本书如同精密数控机床，为行业管理者刻画出管理精度的新基准——它既是打磨运营细节的放大镜，更是锻造组织韧性的淬火剂。

站在新一轮工业革命的历史隘口，模具产业的进化已超越单纯的技术竞赛，升维为制造哲学的系统革新。期待这本承载着产业智慧的著作，能成为众多模具企业破局跃升的密码本，更期盼这些源自现场的管理智慧，能熔铸成推动行业进化的星星之火，为中国从制造大国向制造强国的伟大跨越贡献一份力量。

中国科学院院士

2025 年 9 月

前言
PREFACE

作为全球制造业的核心支撑，模具产业不仅承载着“工业之母”的盛誉，更在新能源汽车、智能终端、精密医疗等战略性新兴领域扮演着关键角色。数据显示，我国模具行业年产值已突破3000亿元大关，与此同时，全球产业链重构、技术迭代加速、管理范式革新等挑战正重塑着行业竞争格局。

回顾中国制造业发展历程，早期多数企业依靠胆略、经验及吃苦精神实现突破。但如今，以客户为中心的价格竞争越来越激烈，企业终于感受到“有订单就有利润”的日子一去不复返了。微利时代、高度竞争时代已经来临！一方面，客户对模具质量、交货日期、售后服务等方面的要求持续提升；另一方面，模具企业面临着利润微薄，设备、软件更新投入力不从心，企业改造升级艰难的局面。可以预见，模具产业未来的发展必将无情“淘汰掉”一批来不及转型的企业。

笔者历经行业深度走访、调研，直面行业痛点：如何破解“大而不强”的产业困局？怎样在微利时代构建核心竞争力？数字化转型的瓶颈如何突破？如何努力将严峻的外部经济形势的影响转化为提升企业能级的动力？

为此，本书聚焦模具企业内部管理优化，以“保证质量、降低成本”为核心目标，从多维度提供解决方案：健全责任制管理，强化生产调度；精准把握物料采购、工艺消耗、物料投放、员工绩效等方面的信息；不断积累定额管理和工时统计基础数据，编制和优化企业管理标准；推进企业数字化信息管理平台建设，实现在企业管理、模具设计、生产过程中，对各个管理环节的成本监测控制。最终，助力企业改善自身条件、提升市场竞争力。

本书立足中国制造实践，独创“三维管理体系”：顶层战略维度构建产业生态思维，运营执行维度打造精益生产范式，组织发展维度培育创新人才梯队。特别注重理论与实践的结合，所有管理模型均经过了企业实战验证，充分体现理论与实践的深度融合。

笔者毕生根植于模具行业，面对行业发展态势，编著了《模具企业管理实践》一书，书中内容大多是笔者亲历的企业管理提升过程的经验和资料。全书按不同管理主题和部门职能分章撰写，贴近企业实际场景，便于读者理解和分模块学习。本书可作为企业优化管理的参考依据，也可作为各级管理人员的培训教材。

本书的出版得益于行业同仁的鼎力支持。希望本书能成为模具企业家案头常备的实战指南，助力模具产业在智能制造新时代铸就新的辉煌。

限于编者水平，书中不足之处在所难免，望广大读者予以指正，以便日后完善。

鲍明飞

2025 年 9 月

目录

CONTENTS

第一章 企业组织结构和职能运营

第一节 企业组织结构与流程管理

中国模具以其卓越的性价比优势，在全球模具制造领域占据了举足轻重的地位。目前，全球约 95% 的模具品种，中国均具备生产能力，这彰显了中国模具制造业的全面实力和不可替代性。全球模具需求向中国转移的趋势不会改变，中国模具制造正在由大转强。

面临可助力我们实现跨越发展的市场机会，模具企业要审视发展战略、找准市场定位、优化管理模式、打造独特的技术优势，以增强企业的市场竞争力。

追求企业卓越的管理是每一位企业经营者的梦想，但在企业实践中如何做到卓越的管理却又成了多数管理者的难题。还有不少模具企业面临着管理不善所致的损失与困惑。要破解这类企业发展的痛点，必须在管理战略的变革上入手，从组织结构的优化调整上开始。有效的管理方法不仅源于理论与实践的结合，更离不开果断的行动力。

下面就从模具企业的不同维度切入，聚焦当前企业普遍存在的管理问题，首先从企业组织结构和企业管理流程谈起。

一、组织结构的构建

随着对企业竞争优势的深入理解，我们愈发认识到企业组织结构及其管理的重要性。在当今竞争环境中，核心竞争力已不再局限于可被模仿或通过货币交易获取的组织资源或能力。企业的竞争优势根植于其内部运行机制，源于在特定市场领域中技能、资源和流程等方面形成的独特优势。当企业成为市场生态系统中不可或缺的组成部分时，正是凭借这些要素之间的互补关系，以及组织战略目标的协调能力和执行力，企业才得以构建起难以被模仿的关键能力，从而在竞争中确立其领先地位。

组织结构是企业资源配置和权力分配的载体，在人的能动行为驱动下，通过信息传递，支撑着模具产品制造全生命周期的各项活动，并从根本上保障并推动企业使命的落地与实现。

组织结构是基于企业管理构成要素设定的，它明确了企业组织内部各有机构成要素相互作用的方式和关联形式。通过对管理流程的梳理，界定了各部门层次之间的决策权划分，并构建了分工协作体系，这是企业流程运转、部门设置及职能规划的基本依据。

不同的组织结构决定了要素组合方式的差异，进而影响要素之间的配合与协同关系。实践告诉我们，一个企业是否优秀、生命力能否持久，除了企业领导人的能力，最关键的是看企业组织结构机制下管理体系的有效性。

二、组织结构的战略定位

组织结构作为企业运营的基础框架，其重要性不言而喻。高效的组织结构可以大幅提升企业的运营效率，为提升企业市场竞争力提供强大的支撑。在经济快速发展的今天，企业的组织结构设计直接关系着企业目标战略的实现，甚至影响企业的生死存亡。因此，企业必须重视组织结构的设计和优化。

组织结构是企业实现目标、落实战略的基础。一个合理的组织结构能使企业各项业务协调有序，有效提升企业的执行力。相反，不适宜的组织结构则可能会使企业运营陷入混乱，影响企业的发展。

企业战略决定了企业的发展方向和竞争策略，而组织结构则是企业战略实现的载体。只有组织结构与战略相匹配，才能实现企业的长期目标。因此，企业在制定战略时，必须充分考虑组织结构设置的适宜性。

一套根据企业特色合理制定的组织结构体系，能够激发员工积极向上的进取心，使平凡的员工创造出不平凡的业绩。同时，它能推动各部门高效协同，凝聚团队力量并产生放大效应，从而最大限度地释放企业资源潜力。

三、组织结构设计的基本原则与步骤

组织结构设计应遵循目标导向、简洁高效、灵活适应等原则。在设计过程中，企业需充分考虑内部资源和外部环境，确保组织结构的科学性和实用性。组织结构设计的主要步骤包括需求分析、设计规划、实施与调整等阶段。在每个阶段，企业都需要深入分析和评估，确保组织结构的合理性。

（一）需求分析是组织结构设计的起点

企业需要明确自身的战略目标和发展需求，从而确定组织结构的设计方向。在此过程中，企业需要充分考虑内部资源和外部环境，如市场需求、竞争格局、技术发展等。

（二）组织结构框架和运行机制的规划

需要详细规划组织结构的框架和运行机制。这包括明确各部门职责、岗位设置、管理流程等。在设计过程中，需要遵循简洁高效的原则，避免过度复杂的设计导致运营效率降低。

（三）组织结构框架和运行过程的调整

此阶段需及时收集实际运行效果状况，分析可能存在的结构不合理、不适宜的环节，尽快做出优化调整。

四、组织结构的管理模式

（一）直线制模式

这是一种简单的集权组织结构形式。规模以下模具厂多采用此管理方式。上下级领导关系垂直建立，没有专门设置的职能部门。在直线制结构中，厂长由于有全面的能力和相对集中的职权，能就工厂经营管理中的问题迅速作决策，直线指挥他的下属，直接向下属发布指示和命令。直线制结构简单，指挥系统一竿子插到底，决策贯彻迅速。组织成员的职权、职责清楚明确，管理成本相对较低。然而，直线制结构对管理者的能力要求极高，管理者需具备与下属工作相关的全面知识和经验。同时，部门间的协调工作也主要依赖厂长，导致厂长的工作负担过重。一旦企业的规模或复杂性超出厂长的能力范围，直线制结构的管理模式将难以维系，必然会被更高效的组织形式所取代。

（二）直线职能制模式

以直线制为基础，在厂长（经理）领导下设置相应的职能部门，实行厂长（经理）统一指挥与职能部门参谋、指导相结合的组织结构形式。图 1-1 是一定规模的模具企业典型组织结构图。

企业进行组织结构编制的时候，首先要考虑“什么样的组织关系最适合发展”“命令链、责任制、价值链怎么制定和优化”等问题，企业还应该根据自己的规模、资源、人才结构、管理流程等要素，编制适合本企业特点的组织结构。

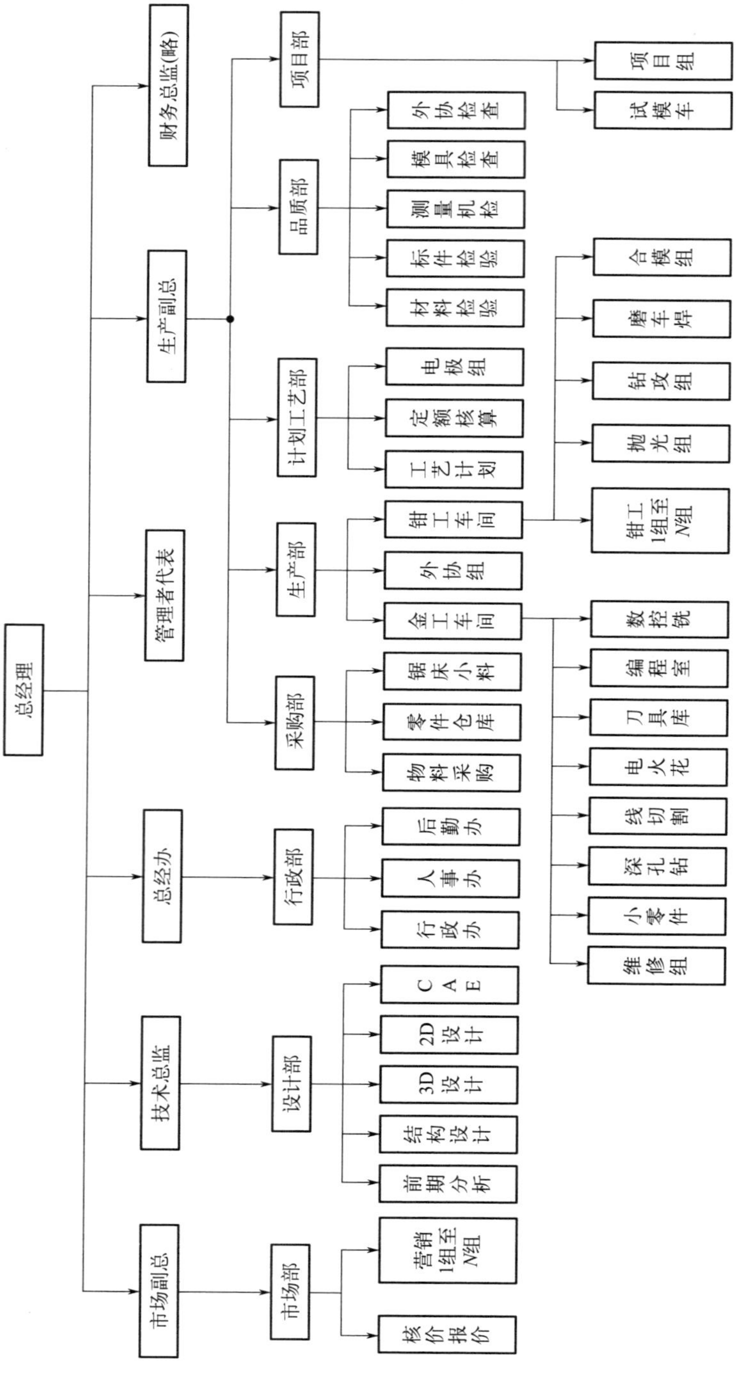

图 1-1　模具企业典型组织结构图

（三）扁平化与数字化模式

随着科技的快速发展和市场竞争的加剧，企业需要不断调整和优化组织结构以适应环境变化。因此，未来的组织结构将更加注重灵活性、适应性和创新性。

（1）扁平化管理组织结构。通过减少管理层次、精减冗余人员来建立一种紧凑的扁平化组织结构，以期提高组织效率和效能，让组织工作更灵活、反应更敏捷。扁平化组织结构的优势主要体现在信息能快速准确地传达，方便上下级直接沟通联系。决策方式、效率得到改变，创造性、灵活性得到加强，使士气和生产效率提高，公司整体运营成本降低。扁平化的组织结构能提高企业的决策效率和市场反应速度，使企业的市场竞争优势增强。

（2）企业管理的数字化。积极应用数字化管理软件来提升管理优势。数字化转型正在成为企业发展的重要趋势，而数字化对组织结构的影响也是不容忽视的。对此，企业需要关注数字化在组织中的具体应用场景和作用方式，从而更好地实现数字化转型并提升竞争力。同时，数字化也为企业带来了更多的管理挑战和机遇。

五、企业的流程管理

图 1-2是企业的业务和系统管理流程的部分截图，全图由于幅面太大只能在拆分成部门管理流程后，在部门的管理章节中分别解读。截图中首行为组织结构中各职能管理部门的依序分列，如总经理、销售副总、销售部、项目部等；截图中首列为流程中各职能管理部门的业务管理分列，如战略管理、资源管理、成本管理、市场开发（客户询价、条款审核、报价与合同签订）、任务下达、项目策划管理（项目启动、开发计划）、模具设计（设计过程、设计输出）、物料采购、工艺与计划管理（工艺规划、工艺编制、计划制订、外协管理、计划预警）、生产与过程检验、异常管理、试模与模具整改、模具验收交付、售后管理等业务项。纵横对应的区域表示具体的管理内容。

企业组织结构与企业管理流程是企业重要的顶层设计，是企业管理的灵魂，务必遵循科学合理原则并结合企业实际进行编制。组织结构变革对企业的发展至关重要，当然，变革过程中也会面临诸多挑战和困难。总之，组织结构作为企业运营的基础框架，对企业的发展起着至关重要的作用。企业需要不断关注和研究组织结构、管理流程的优化和创新，以适应市场的变化和竞争的需求。同时，在实际操作中需要充分加强管理和执行能力，确保组织结构变革的顺利进行，并为企业的发展提供有力的支持。

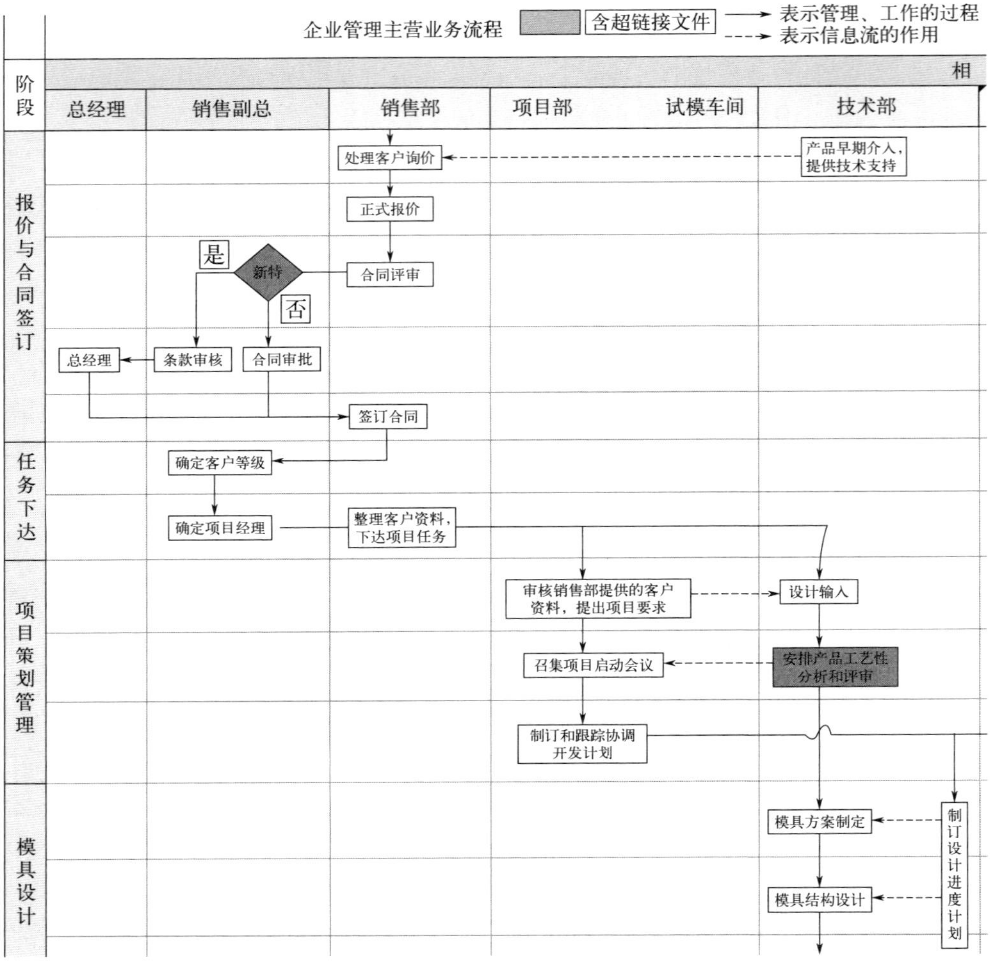

图 1-2　企业主营业务和系统管理流程

第二节　企业财务管理体系的构建

现代企业组织结构管理体系，包括企业的计划、营销、设计、生产、技术、工艺、质量、财务等子系统。而财务管理体系则是其中最为重要的核心体系。财务管理是联系企业各组成部分的桥梁和纽带，是企业管理中最具综合性的管理活动，是企业管理工作环节的中心。

根据企业制订的战略目标，财务管理系统对企业的经营活动实施全面财务管理，重点对资金活动进行计划与控制。通过明确财务管理的组织机构、活动规划、职责分工、工作程序及资源配置，确保财务管理体系的有效贯彻与落实。

财务管理体系是在企业财务实践中不断总结出来的，适用于企业财务管理实际的经验。它与企业的管理理念、管理模式、管理习惯、管理制度等相关，并以此支撑和确保财务管理目标的全面实现。

一、企业财务管理的表现形式

企业的财务管理体系是根据市场经济体制发展，随着企业规模的扩大和经营机制的转变，逐步建立起来的。在财务分析方面，建立规范的财务报表制度，形成财务分析体系。在资金管理制度方面，逐步建立和完善资本金制度，实行资本保值增值、资本保全原则。同时，企业资金由企业统筹运用、统一管理。在筹资方面，依法建立了适应市场经济体制和当前金融市场需求的筹资机制，采用了包括发行股票、债券等在内的各种筹资方式。

总之，随着我国现代企业制度的建立和金融市场的不断完善，现代企业都必须建立起适应市场经济条件的财务管理体系。

二、构建企业财务管理体系的必要性

从当前的情况来看，不少规模以上的模具企业仍在沿用传统的方式方法，以记账、算账、报账为主，甚至财务报表说明都做不到真实和准确，已经适应不了市场经济的发展和要求。由于企业财务管理体系不够健全，决策层难以获得科学、真实、准确且及时的企业财务信息，无法全面了解企业当前的财务状况及未来发展趋势。有些企业由辉煌到举步维艰，很大的原因就在于忽视了财务管理体系或者有财务管理体系但未起到相应作用。

随着市场竞争日益激烈，企业财务管理体系在经营中的重要性愈发凸显。健全的财务管理体系是企业在竞争中立足的重要支撑，其作用在于保障企业资本安全、提供精准的财务分析，并指导企业实现健康经营与利润最大化。

上规模的并已处在财务变革期的模具企业，必须把握市场形势，着眼企业未来，尽快构建符合自身条件的财务管理体系，逐步实现财务管理的转型。

三、财务管理体系的构成要素

现代财务管理体系的构成要素主要包括财务政策和制度、财务会计核算、财务预算管理、财务控制管理、监督核查管理、风险管理、投资决策管理和财会人员培训体系八个方面。

（一）财务政策和制度

建立财务管理的基本规则和政策，包括财务组织结构、岗位、职能、职责、内部考核、岗位业务流程、会计核算方法、资金管理制度等，确保这些政策和制度符合法律、法规和内部管理要求。

（二）财务会计核算

确定会计科目表、账务处理流程和财务报表格式，并选择适合企业的会计软件或系统，以确保财务交易能够被准确记录和分类。

（三）财务预算管理

预算管理是企业实现资源最优配置和价值最大化的重要方法。在效益最大化原则的指导下，通过确定实物工作量与货币资源的优化配置，制订企业目标及相应标准，从而实现生产与财务的有机结合与优化。

预算体系涵盖资本性支出预算、长期资本筹措预算、销售预算、生产预算、采购预算、成本预算、各项费用预算、现金预算和总预算。通过构建以财务预算为核心的全面预算体系，企业可以有计划、有步骤地实施预算管理，从而实现对各部门的协调、控制和考核。这不仅能够有效管理企业的基本经济活动，还能确保企业生产经营的所有活动都能通过各类财务信息得到全面反映。从一定程度上说，一个企业的预算管理水平集中代表了企业的管理水平。因此，企业必须根据自身特点和市场变化情况，建立预算编制和控制系统，制定预算编制流程和方法，设定预算目标，建立监控和控制机制，以确保预算执行符合预期。

做好财务预算管理应该注重以下几个工作重点：

（1）做好财务信息的及时收集和研判工作，发挥财务预警能力。企业要重视市场信息的收集和反馈，并根据市场信息的变化安排企业工作，一旦出现异常，尽可能做到早发现、早处理。

（2）围绕目标利润编制预算。根据企业制订的目标利润编制销售预算、生产预算、采购预算、人工预算及其他各项预算。制订合理的目标利润及编制全面预算，有助于企业开展目标经营。

（3）围绕效益实绩，考核预算结果。企业在日常经济活动中必须建立一套完整的日常工作记录和考核责任预算执行情况的信息系统，并将实际数与预算数相比较，借以评价各部门的工作实绩，发现偏差及时纠正。

（4）搞好销售预测。销售预测是全面预算的基础，同时也是企业经营决策的重要前提。只有搞好销售预测，企业才能合理地安排生产，预测目标利润，编制经营计划。

（5）系统编制全面预算。企业各部门需设立并制订各自的经营预算计划。然而，在预算编制初期，由于采用分块编制的方式，各部门之间可能出现不协调、不全面的问题。因此，我们需要从企业的战略目标出发，结合市场实际情况，全面均衡地评估和整合各类分预算，系统地编制相互协调且基本符合实际的全面预算。

（6）编制预算的方式。我们需要摒弃静态编制预算的传统做法，转而根据市场变化推行弹性预算编制方式；同时，为避免预算编制的短期行为，应结合企业长远管理的需求，采用滚动编制方式。

（四）财务控制管理

企业财务管理及控制体系渗透于企业生产经营的全过程，涉及所有部门的各个环节和各个领域的风险控制。所以，只有建立起全方位的财务管控体系，才能实时收集和掌握企业各方面的真实信息。通过分析数据，一旦发现问题，及时采取相应策略来监控，从而实现调节和控制管理目标。财务控制体系的建设应该包括以下内容：

（1）建立和完善内部会计控制体系。这主要包括货币资金、实物资产、对外投资、工程项目、采购与付款、筹资、销售与收款、成本费用、担保等经济业务的会计控制。

（2）对各项资产运行状况进行控制。财务部门要联合各个资产实物管理部门对资产运行地点和价值转移等进行监控，保持资产的流动性、安全性和时效性。

（3）对资产的耗费进行控制，确定成本核算方法和标准。收集成本数据，进行成本分析和控制，既要降低资产价值的构成成本和管理成本，还要降低资产的运行成本及使用成本。

（4）实行资金管理责任制。企业在财务收支上要实施严格的财务监控制度，强化内部约束机制，合理安排资金调度，确保重点项目资金需求，提高资金使用效益。

（5）挖掘内部资金潜力，狠抓货款回笼，调整库存结构，压缩存货资金占用，增强企业支付能力，提高企业信誉。

（6）建立自补资金积累机制，有效防止费用超支现象。通过从税后利润中提取盈余公积金，可以补充企业流动资金。同时，合理制定税后利润分配政策，能够促进企业可持续发展。

（五）监督核查管理

主要包括三个方面：财务审计，目的是保证财务报表真实性；商务审计，目的是保证内部合规性；法律审核，目的是保证外部合规性。

（1）强化对企业法人代表的管理，真正贯彻责任、权力相结合的原则，约束其行为。对主要负责人应加强任期审计和离任前审计。

（2）加大会计管理系统的建设力度，构建由会计实务系统和会计管理系统组成的完整体系。同时，设计科学的财务分析和报告体系，制定合理的财务指标与分析方法，定期编制财务报告，为企业决策提供有力支持。

（3）加强内部控制和审计，建立内部控制机制。包括财务流程的审批、核对和审计机制。监督企业已发生的经济业务是否合理合法，是否符合企业内部各项管理制度。

（4）财务管控以现金流为核心，贯穿企业经营活动的全过程。现金流直接反映了业务的现金收支状况，是企业持续运转的关键。相比于利润，现金流更为实际，是企业生存的必要条件，也是财务管控的核心所在。

（5）建立快捷的信息网络系统。企业的会计数据及资料反映了企业活动历史，这些数据和资料经过整理、计算、分析，具有相当大的借鉴价值。因此，会计资料的内容要真实、完整、准确。企业应建立起以会计数据处理为核心，与销售和财务报表分析等信息系统相连接的信息网络，及时反馈生产经营活动的信息。

（6）建立活而不乱的资金循环机制。企业必须研究资本市场和筹资渠道，加强金融风险的管理，谨慎控制财务风险，科学确定资本结构，重视资产负债的风险收益匹配管理，研究企业资本结构和资产结构的动态变化和相互关系，以保持良好的财务状况。

（7）建立资金积累机制。财务部门要监控企业资金的分流，防止其过多地分流到工资福利、非生产投资等方面。财务部门要认真实施资本金保全制度，监督管理好资本金。

（8）资金投入效果的保证机制。为了避免决策失误和实现资金投入效果的最大化，财务部门不仅要对企业内部信息进行综合分析，还要尽量收集企业外部的相关信息，了解和研究市场，积极参与企业投资项目的预算、论证，把好项目的财务预算关。要加强对实施项目的财务监督，跟踪考核项目资金的使用效益。

（六）风险管理

风险管理工作主要包括财务风险识别、风险评估和风险管理工作。企业要建立适应自身特点的财务风险识别系统。

（1）对风险信号进行监测。企业不仅要对未来的风险进行分析，还要对风险信号进行监测。如果企业财务状况出现一些不正常情况，如存货激增、销售下降、成本上升等，要密切关注这些反常情况，及时向企业有关部门反映，以便采取措施，防止严重后果的出现。

（2）在筹资决策上应慎重分析比较。选择最适合的筹资方式，以避免企业陷入债务危机。如果财务杠杆率过高、借入资金过多，一旦投资利润率下降、利息负担过重，就会威胁企业财务的安全。

（3）加强筹资活动的风险意识。筹资管理要解决的问题是如何取得企业所需要的资金。一是筹资数量要适当。不同时期企业的资金需求量是不一样的，企业财务人员应预测资金的需求量，合理确定筹资规模。这样，既能避免因筹资不足影响生产经营活动，又可以防止筹资过多造成资金闲置。二是筹资时间与用资时间相适应。这样，既能避免过早筹集资金形成资金投放前的闲置，又能防止取得资金的时间滞后，错过资金投放的最佳时机。三是采取多种形式的筹资组合，以分散筹资风险。权益资金的风险通常小于负债资金的风险，但资金成本较高。采取多种筹资方式筹集资金，可以扬长避短，分散筹资风险。

（4）加强投资活动的风险意识。投资管理须考虑投资规模，同时还须通过投资方式和投资方向的选择，来确定合理的投资结构，以提高投资效益、降低投资风险。短期投资是指影响所及不超过一年的投资，如应收账款、存货等。长期投资是指持有时间超过一年的投资，如固定资产投资、长期有价证券投资等。由于长期投资涉及的时间长、风险大，更需要规范企业投资行为。

（七）投资决策管理

现代财务管理需建立一套完备的投资决策程序，以确保投资决策和战略的有效整合。投资决策程序主要涉及 5 个方面。

（1）市场感觉评测。评测的内容包括投资项目的商业感觉是否良好、项目看起来是否有较好的回报、前景是否被看好等。市场感觉评测一般是由总裁及高层专业人士组成的团队完成的。

（2）专业投资评测。评测的内容包括：投资项目的战略制定是否符合商业规律，是否符合公司整体战略；投资项目从财务和经济分析上来看是否可行。此项评测主要由公司的投资部门进行。

（3）经营性评测。公司的各项资源（人力、资金、管理、信息）是否能支持投资项目的运营，项目的运营在多大程度上影响现有业务的运作。此评测由职能部门负责人和主要项目主管组成的团队完成。

（4）投资决策人评测。从投资者和决策者的角度看投资项目的可投性和营利性。由总裁或董事会负责完成。

（5）项目实施评测。跟踪项目的实施过程，准确掌握项目执行信息，及时反馈并调整战术或战略。项目结束后进行评估，总结经验。此项评测由投资项目执行部门和主要职能部门负责人组成的项目组进行。

（八）财会人员培训体系

财务管理工作特殊，财务人员必须具备较高的政治素养和业务素质。因此需培养财务团队，招聘具备专业财务知识和技能的人员，确保他们能够有效执行财务管理任务。

（1）加强财会队伍的建设，注重培养和选拔既有专业知识又善于管理的年轻人才。会计岗位要严格把握任职条件，会计人员必须具备必要的专业知识和专业技能。

（2）培养良好的职业道德。会计人员职业道德的规定是“敬业爱岗，熟悉法规，依法办事，客观公正，搞好服务，保守机密”。

（3）增强法治观念。会计人员应当按照法律、法规和制度的规定进行工作，保证所提供的会计信息合法、真实、准确、及时、完整，不但要为本单位的决策提供可靠的依据，还要使单位外部的投资者、债权人、社会公众以及社会监督部门能依照法定程序得到可靠的会计信息资料。

（4）严格落实会计人员的管理制度，提高会计工作质量。会计造假通常需要会计人员的参与。提高会计人员素质，保护会计人员的合法权益，是杜绝会计造假的保证。因此要加强财会人员尤其是高级财会人员和企业管理人员的财会知识培训，不断提高财会工作的管理水平。

（5）强化企业高层管理人员责任，约束企业高管人员的行为。尽管企业高管人员承诺对财务报表的真实性、完整性负责，但会计造假还是时有发生，故要求具体的操作和执行者在社会经济运作中遵纪守法，严守惯例和规则，树立企业诚实、可靠的信誉。企业诚信度的高低预示着企业的发展与衰败。

21 世纪知识经济时代的到来，对企业管理提出了集约化、体系化的新要求。作为企业生产经营管理系统的重要组成部分，财务部门面临着严峻的挑战。随着企业向市场化、经营化方向迈进，财务部门需要根据实际经营需求，构建一套与其地位、作用和职能相匹配的组织机构，并将其有机融入企业整体管理体系中，以适应信息化时代的发展潮流。

四、构建财务管理体系的基本条件

（一）高层管理者要懂财务

企业实施财务管理体系必定是“一把手工程”，体系的建立、推行、运行效果及其之后的持续改进，都与企业高层管理者的决策力、执行力密切相关。模具产业近十年的快速发展，让许多人走上了“办企业，当老板”这条路。在过去经济快速发展期间，企业只要能接到订单，就会有钱赚。然而，当前的中国经济已经进入一个新的发展阶段，企业间竞争也越演越烈。在以前的粗放式经营管理下，只要老板有胆魄、有资源、做事精明，就会有钱赚。而在经济新态势下，人工、房租、原材料等成本上升，销售压力加大，价格竞争加剧等种种因素，导致企业生存变得越来越困难。基于此，越来越多的企业不得不积极反思，将经营管理层的重心聚焦到内部的各项管理上，特别是在财务管理上，努力激活内生动力，以积极应对外部经济环境的影响。

高层管理者首先应具备财务知识。模具企业经营者，对于技术方面一般都比较精通，但对于财务方面的知识却特别欠缺。在当前经济发展的新特点下，企业的高层管理者须与时俱进地学习和掌握财务知识。财务管理是企业管理的核心，需要管理者对企业的财务管理体系的构建、推行、执行方案等作出正确、果断的决策，才能够为企业发展导航把舵。企业的战略最终是通过财务的方式来体现的，一个企业家一定要成为财务行家。企业规模越大，对财务管理的要求就越高。

（二）拥有高素质的财务团队

企业的财务总监是建立财务管理体系的第一责任者。企业财务管理体系需要高素质的财务人员，这些人员必须要有较高的思想素质和业务素质，才能够掌握和使用科学有效的现代化管理手段和方法，才能满足企业财务管理体系的要求。

财务总监应根据体系要求，组织相关成员根据企业的财务战略、财务方针、资金运动、财务管理环境、财务目标、财务管理方案等要素，全面规划，科学构建现代财务管理体系。

（三）配置财务管理软件系统

企业普遍应用的财务管理软件，主要包括总账、应收款管理、应付款管理、固定资产管理、网上报销、网上银行、UFO 报表、现金流量表、出纳管理、预算管理、成本管理、资金管理、项目管理、合并报表、结算中心、银行业务管理、会计预算、现金管理、凭证管理、财务审计和报表分析等模块。为了实现企业内部会计核算的有效控制和管理，提高管理效率，企业可根据自身需求配置相应的财务软件。

（四）建立有效的财务管理制度

企业财务管理及控制体系必须覆盖生产经营的全过程，渗透到研发、采购、生产、营销及风险控制等各个环节和领域，对企业财务活动进行约束与调节。为实现财务管理规划中的各项目标，需要依靠相应的财务制度加以落实。财务制度是规范财务行为的标尺和行动指南，因此，建立的财务制度必须切实可行且行之有效。

（五）授予财务管理相关集权

尽管企业组织结构在部门管理中采用集权与分权相结合的方式，但财务管理作为连接企业各组成部分的重要桥梁和纽带，是企业管理中最具综合性的活动，也是企业管理的核心环节。赋予财务管理一定的集权，不仅有助于提升财务权威性，还能确保财务管理制度的有效实施和财务管理活动的顺利运营。

另外，企业的会计数据和资料是对企业历史的真实记录。财务集权有助于企业整合公司与部门的财务数据，经过整理、计算和分析后，这些数据将具有重要的评估和借鉴价值。因此，为确保会计资料的真实性、完整性和准确性，需要通过财务集权管理相关部门，促使其主动、及时地提供准确的财务数据。

五、财务组织管理概念框架

企业财务组织管理框架主要包括两个体系：财务管理体系和会计核算体系（图 1-3）。

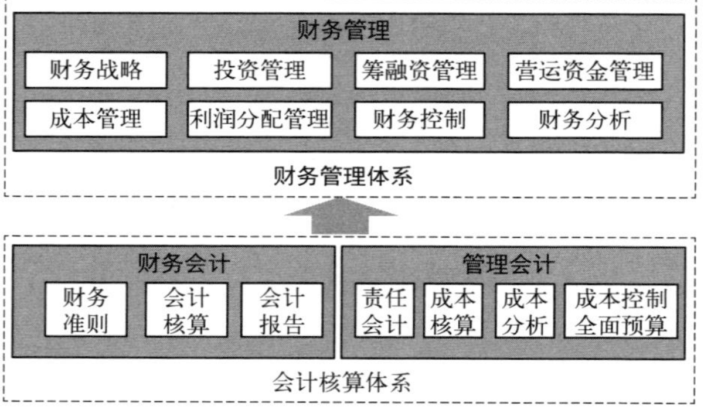

图 1-3　企业财务组织管理框架

财务管理是企业管理的一个重要组成部分，它是根据财经法规制度，按照财务管理的原则，组织企业财务活动，处理财务关系的一项经济管理工作。它的主要作用是运用包括资金、成本和利润等价值形式的指标，计划、控制和考核企业的生产经营活动，以获得投资的经济效益。简单地说，财务管理是组织企业财务活动、处理财务关系的一项经济管理工作。

会计核算体系主要包括两个组成部分：财务会计与管理会计。

财务会计是指通过对企业已经完成的资金运动进行全面系统的核算与监督，以为外部与企业有经济利害关系的投资人、债权人和政府有关部门提供企业的财务状况与盈利能力等经济信息为主要目标的经济管理活动。因其沿用传统的会计模式，也称“传统会计”；因其侧重于满足企业外部有关方面的决策需要，提供财务报告，故也称“对外报告会计”。

管理会计又称“内部报告会计”，指以企业现在和未来的资金运动为对象，以提高经济效益为目的，以为企业内部管理者提供经营管理决策的科学依据为目标的经济管理活动。

六、财务管理流程模板

（一）财务部业务流程

详见图 1-4。

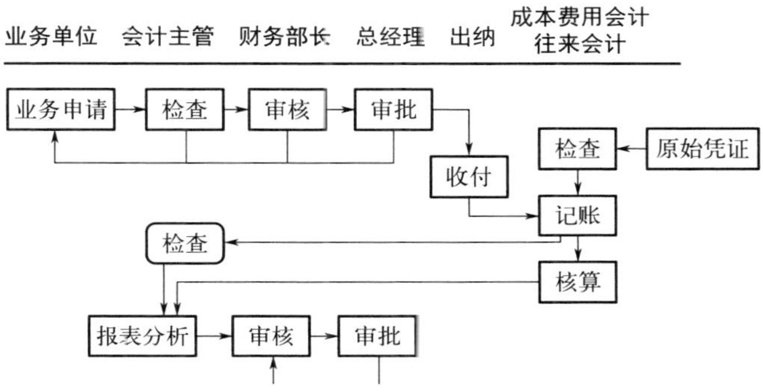

图 1-4　财务部业务流程

（二）年度预算编制流程

详见图 1-5。

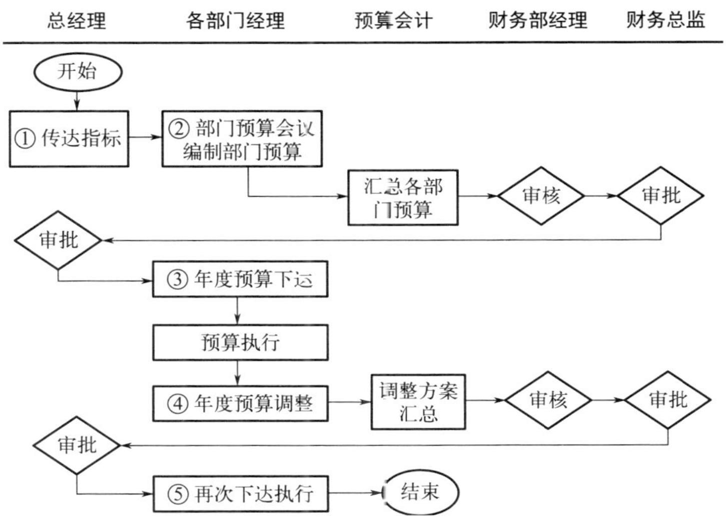

图 1-5　年度预算编制流程

（三）现金预算流程

详见图 1-6。

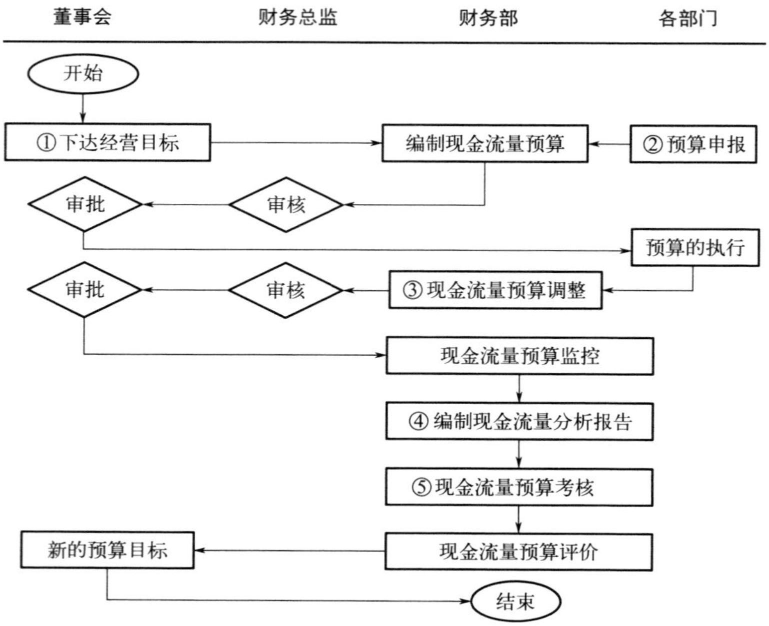

图 1-6　现金预算流程

（四）备用金收支账务处理流程

详见图 1-7。

（五）货币资金核算流程

详见表 1-1。

表 1-1　货币资金核算流程

管理及控制内容	审核
1. 制定货币资金管理制度：财务部根据国家相关法律法规，制定公司内部货币资金管理制度，并经总经理批准后执行	货币资金管理制度
2. 收付款并填制原始凭证。①办理公司日常现金收付业务。出纳人员应根据公司货币资金管理制度的要求及时填制原始凭证，作为现金收付款的书面证明和核算的依据；②办理银行存款业务。出纳人员应根据不同的结算方式，填制获取的银行印发的收款或付款结算凭证	1. 相关原始凭证 2. 相关结算凭证

续表

管理及控制内容	审核
3. 原始凭证审核：财务部门为确保会计资料真实、合理、合法，必须对原始凭证进行审核，审核包括原始凭证内容及填制是否符合要求、原始凭证是否符合公司管理的要求、原始凭证反映的经济内容是否合法等	原始凭证的审核
4. 填制记账凭证：财务人员根据审核过的原始凭证，按照公司会计核算的要求填制记账凭证	记账凭证
5. 记账并核算。①货币资金的分类核算由会计人员根据反映货币资金收付业务的记账凭证登记总账，以提供公司货币资金增减变动的总括性指标；②现金的序时核算由出纳人员依据反映货币资金收付业务的记账凭证，按照经济业务发生的先后顺序逐日逐笔登记日记账	现金总账及明细账、银行存款总账及明细账
6. 汇总报表：财务人员定期对货币资金核算产生的各类报表进行汇总	
7. 会计报表分析：财务人员按照不同部门的需求，通过对财务报表的分析形成不同的分析报告	
8. 会计凭证装订成册并存档：财务人员定期将会计凭证装订成册，妥善保管，以备查阅	

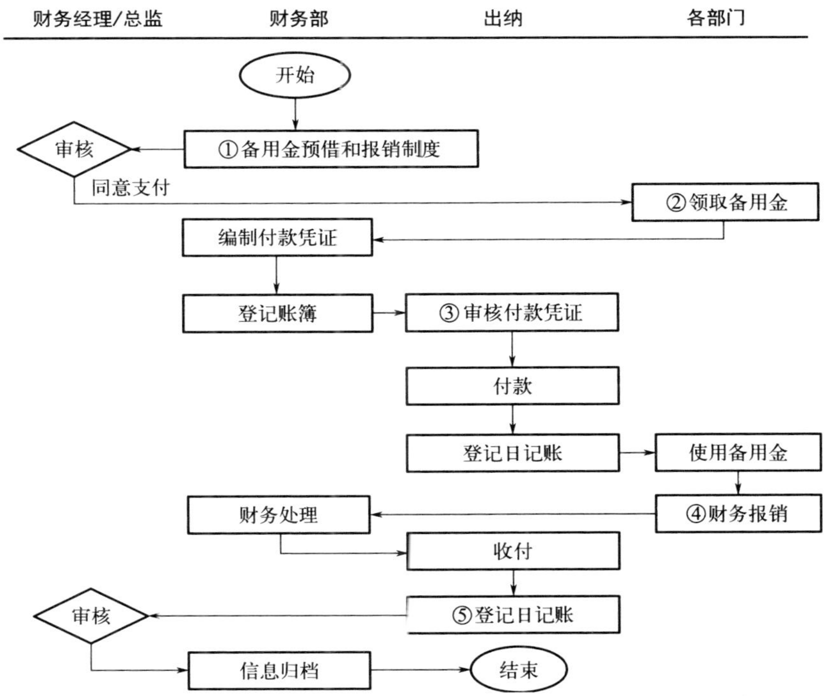

图 1-7　备用金收支账务处理流程

（六）银行借款筹资管理流程

详见图 1-8。

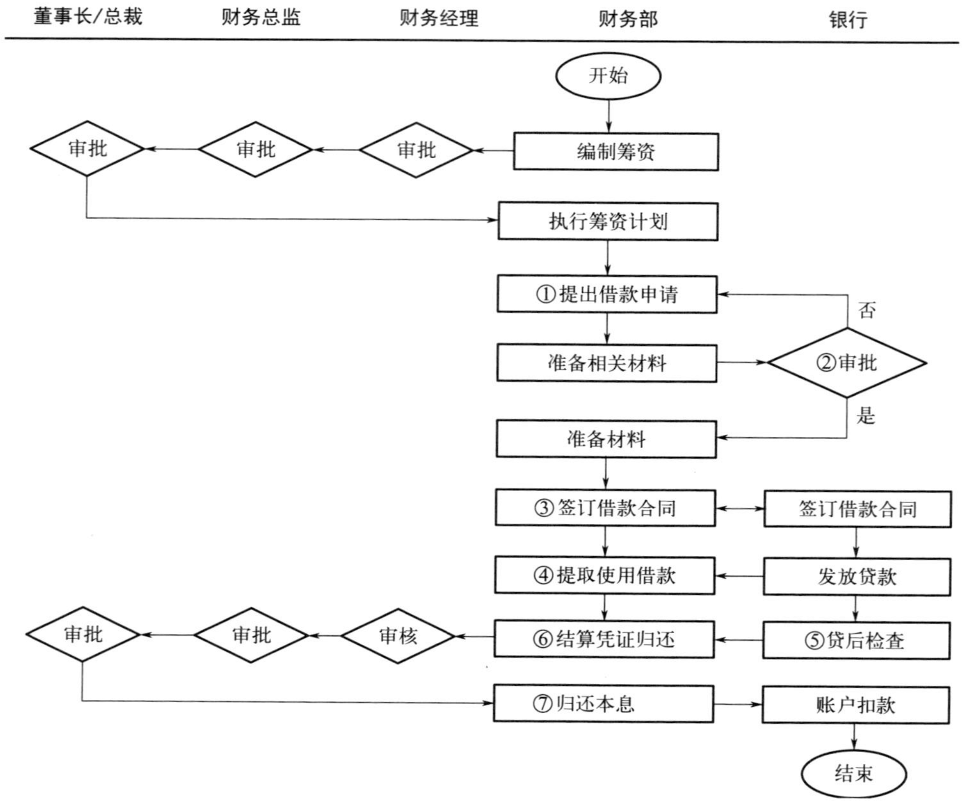

图 1-8　银行借款筹资管理流程

（七）应收账款的核算流程

详见表 1-2。

表 1-2　应收账款的核算流程

管理及控制内容	审核
1. 形成应收款项：公司在经营过程中，应向对方收取的相关款项	原始单据
2. 提供应收款项原始凭证：相关部门按《应收款项管理制度》的要求，按时将应收款项原始凭证提交给财务部门往来核算会计	应收款项管理制度
3. 原始凭证核算审核：财务部应收款项核算会计按照相关规定，对原始凭证进行审核，若发现原始凭证存在不合理现象，应及时采取相应的处理措施	原始凭证

续表

管理及控制内容	审核
4. 编制记账凭证：财务部应收款项核算会计根据审核无误的原始凭证，填制记账凭证	记账凭证
5. 复核凭证：应收款项核算会计将填制好的记账凭证交给凭证复核人员，复核人员主要审核凭证的总账科目及明细科目的选用是否正确，并复核应收款项下的往来单位名称、单证的信息是否正确、各类收入计算是否准确，并在凭证上盖章	记账凭证
6. 编制应收款项明细表：应收款项会计人员根据记账凭证编制《应收款项明细表》	应收款项明细表
7. 应收款项是否按时到账：①应收款项按时到账后，应及时进行核销；②应收款项未能及时到账的，要及时联系业务部门确认原因并催收	
8. 应收款项确认并催收：财务部会同业务部门、相关往来单位对应收款项未能及时到账的原因进行分析，同时向对方发出应收款项催缴通知书	
9. 期末账务处理：①欠债人归还款项的，应及时核销；②欠债人拒不付款的，应及时按相关会计政策足额计提坏账准备，并计入当期损益	

（八）坏账处理流程

详见图 1-9。

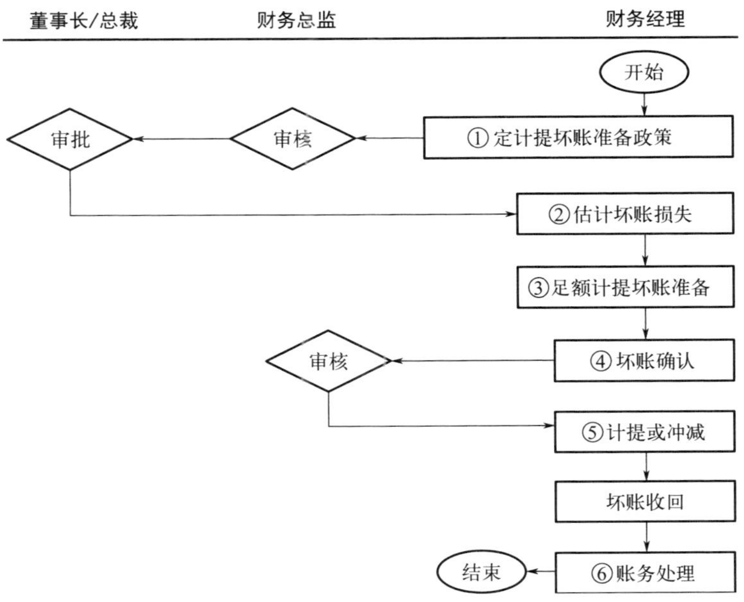

图 1-9　坏账处理流程

（九）成本费用的核算流程

详见表 1-3。

表 1-3　成本费用的核算流程

管理及控制内容	审核
1. 确定成本费用核算对象和核算项目：①根据公司产品生产的特点制定成本费用核算方法和控制制度；②明确成本费用的开支范围，正确划分成本费用和期间费用的界限；③确定成本计算对象和成本项目的基本内容，并选用合适的成本计算方法	成本费用核算方法和控制
2. 收集、整理、汇总成本费用原始凭证：各费用会计和成本核算会计每月应将各车间在本月发生的料、工、费等原始凭证收集齐全并分类整理汇总	成本费用原始凭证
3. 审核各项费用原始凭证：各费用会计和成本核算会计应按照公司的相关制度，按照费用发生部门和成本的计算对象，对费用的真实性、合理性、正确性进行审核	
4. 费用的归集和分配：按相关分配标准对需要归集和分配的成本费用进行分配，计入相应成本计算对象，并编制成本费用分配表	成本费用核算方法和控制
5. 设置成本费用明细账：根据公司相关成本费用核算制度，依据各种审核后的费用原始凭证或分配表编制记账凭证并登记明细账	
6. 在产品与产成品的费用分配：根据归集的全部生产费用和核算资料，按成本项目和成本计算方法归集、分配在产品与产成品成本	
7. 计算产成品总成本和单位成本：根据归集的全部生产费用和核算资料，按成本项目计算产品的总成本和单位成本，并将完工产品成本转入产成品明细账	

（十）收入内部审计流程

详见图 1-10。

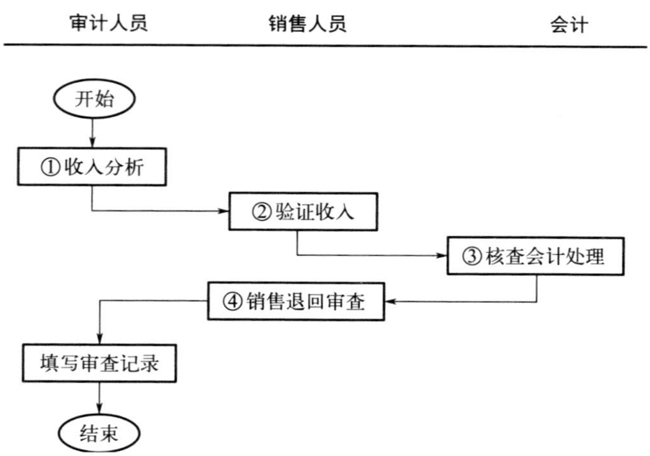

图 1-10　收入内部审计流程

（十一）利润内部审计流程

详见图 1-11。

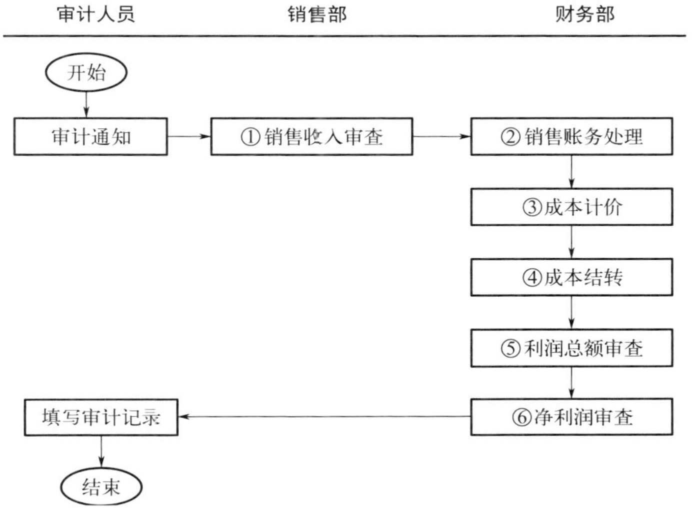

图 1-11　利润内部审计流程

（十二）财务会计报告编制工作流程

详见表 1-4。

表 1-4　财务会计报告编制工作流程

管理及控制内容	审核
1.账务处理：财务部根据《企业会计制度》《企业会计准则》《会计基础工作规范》等规定对本公司的经济业务进行处理	公司财务会计报告管理规定
2. 全面清查资产、核实债务：在编制财务会计报告前，财务部应当按照相关规定，组织公司各部门全面清查资产、核实债务	公司财务会计报告管理规定
3. 核对总账与明细账：财务部根据《会计基础工作规范》对总账与明细账的余额进行仔细核对，做到账账相符	公司财务会计报告管理规定
4. 编制会计报表及附注：①财务部根据公司总账、明细账、会计科目余额等资料，按规定编制公司会计报表及附注；②公司下属单位财务人员按《公司财务会计报告条例》编制本单位会计报表、会计报表附注及财务情况说明书，及时报送公司财务部	公司财务会计报告管理规定
5 编制合并会计报表及附注：财务部根据上述已编制好的会计报表，按《会计报表合并规定》等相关规定，编制合并会计报表及附注。	会计报表合并规定

续表

管理及控制内容	审核
6. 编制财务情况说明书：财务部按《公司财务会计报告管理规定》及其他相关规定编制财务情况说明书	公司财务会计报告管理规定
7. 形成财务会计报告：综合公司会计报表及附注、合并会计报表及附注、财务情况说明书，从而形成公司财务会计报告	中期或年度财务会计报告
8. 呈交相关领导审核：财务部将形成的财务会计报告呈报公司相关领导审核，并签字确认	中期或年度财务会计报告
9. 整理、存档：财务部将审核签字的财务会计报告，按规定装订，加盖相关印章后存档	中期或年度财务会计报告
10. 报送财务会计报告：财务部按规定将财务会计报告（年报需审计）报送有关领导及相关单位	中期或年度财务会计报告

（十三）财务控制工作流程

详见表 1-5。

表 1-5　财务控制工作流程

管理及控制内容	审核
1. 制定控制标准：①财务部根据财务计划和财务预算目标编制财务控制标准；②控制标准是以指标或标准的形式将财务计划或预算目标落实到每个岗位和部门	
2. 建立控制系统：财务部根据财务控制标准，进行财务控制的人员职责配备和授权，并建立相应的控制制度，形成完整的控制体系，并将其作为财务控制顺利执行的保证	财务控制制度
3. 执行控制标准：部门和员工根据控制标准的要求开展财务活动或与财务有关的其他活动	
4. 记录数据：财务部对各项标准的执行过程中形成的数据，通过各类报表和文本进行记录，以便审查和作为决策参考	各控制表
5. 分析和消除差异：①财务部将记录的数据和控制标准进行对比，找出差异，并对差异存在的原因进行分析；②财务部针对存在的标准和执行的差异，制定消除差异的对策并组织实施	
6. 考核奖罚：财务部和人力资源部等部门配合，将财务控制的执行情况同执行人的绩效考核挂钩，并根据执行情况对执行人进行奖励或处罚	

（十四）税务管理工作流程

详见表 1-6。

表 1-6　税务管理工作流程

管理及控制内容	审核
1. 编制税务管理制度：财务部门应根据公司的特点制定相关的税务制度，对税务工作的内容进行说明	
2. 办理税务登记：税务会计应在规定的期间内到有关税务管理部门办理设立税务登记	税务登记
3. 税务账簿凭证管理：财务部相关人员按法律规定设立税务账簿，以及账簿的种类、期限，并定期对相关账簿、凭证进行检查、保存	税务管理制度
4. 发票管理：财务人员根据发票管理的规定进行发票的领购、填开，并保存、管理公司的有关发票	发票的购买、印制及使用
5. 纳税申报：财务部相关人员按照纳税申报规定，定期将相关纳税申报资料装订、保管，并选择合适的方式向税务机关报告	纳税申报表的递交、保管
6. 税款缴纳：税务会计在各税种规定的纳税期限内，按照税务机关的规定确定并缴纳各税种税款	税款缴纳记录表及各完税凭证的保管
7. 税务评估与检查：税务会计应根据公司的具体特点熟练掌握税务评估方法，并积极配合相关税务机关进行的各项检查	
8. 税务变更、终止处理：税务会计根据国家相关法律法规对公司的合并、分立等进行税务处理	

（十五）纳税申报流程

详见图 1-12。

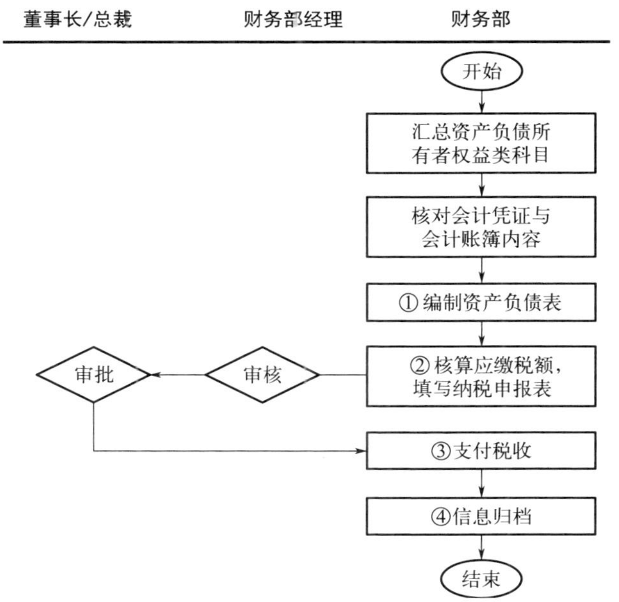

图 1-12　纳税申报流程

以上管理流程资料供读者参考，企业可根据自己的财务管理组织结构，选用和编制符合企业实际的业务管理流程。

第三节 企业税务合规管理

依法纳税是企业必须履行的法律义务，但税负对许多企业而言是一项沉重的负担。通过合理的纳税规划，企业可以有效减轻税负，从而适当增加利润。因此，专业且合规的纳税规划是企业管理中不可忽视的重要环节。周密的纳税规划不仅能确保企业依法足额缴纳税款，避免涉税风险，还能帮助企业充分争取并享受税收优惠政策，做到应享尽享，最终降低企业的税收成本。

做账报税是每个会计人员必备的基础技能，财务人员不能只停留在会报税、能把账做下来的业务水平。企业不论大小都应该重视纳税规划，应该安排专门的纳税规划岗位。总之，面对税负的实际问题，企业的纳税规划势在必行。

纳税规划是指纳税人在不违反税法的前提下，有计划地对已经发生或者将要发生的应税行为进行的规划安排。纳税人需要提前对企业的经济业务活动进行计划和安排，这样才有利于纳税规划的进行。

一、企业纳税规划目的

（1）达到节税目的。也就是能减轻公司的税负，合理地为公司节省税款。

（2）争取延期纳税。虽然无法直接减少税负，但通过延期纳税，企业可以利用资金的时间价值，相当于增加了公司的流动资金。相比于因流动资金不足而需要借款的情况，这种方式可以节省一笔利息费用。此外，如果公司资金充足，还可以将这笔资金用于短期投资，从而获取额外收益。

（3）减少涉税风险。面对功能日益强大的金税系统以及相关部门对企业监管力度的不断加大，作为财务人员，必须持续学习，规范账务处理和涉税操作，才能有效规避税务风险。

（4）提高企业效益。大部分企业都是营利性质的，追求纳税筹划的最终目标就是为企业提高效益，实现利润的最大化。

二、纳税规划应遵循的原则

（1）纳税规划首先必须坚守合法性，这是最基本的原则。然后体现整体性，作为财务人员需要熟悉公司的业务，从全局出发，在做纳税规划时要将各个税种都纳入考虑范围，不能顾此失彼。

（2）时效性原则。纳税人应充分利用货币的时间价值，把握好何时确认收入、进项税额何时抵扣、政策减免税款期限等。随着政策的不断调整，企业也要不断地调整或者修改规划方案。

（3）成本效益原则。将规划的成本和通过节税能为企业带来的效益进行对比，收益大于成本时，可以开展规划，否则，应放弃规划，以免出现成本大于收益、得不偿失的情况。

三、如何降低增值税税负

增值税是对单位和个人在生产经营活动中取得的增值额进行征收的一种税。什么是增值额？它是指企业在生产经营过程中新创造的这部分价值。也可以理解为企业取得的收入，减去为了生产经营而支付的价款，得到的余额就是增值额。用增值额乘以对应的税率，得出应纳税额。增值税以增值额为课税对象，由于增值额的计算考虑的方面比较多，通常难以准确计算，所以征收时以销售额为计税依据。增值税是价外税，增值税税额不是销售额的组成部分，在计算增值税时还需要换算成不含税的销售额。

不含税销售额＝含税销售额÷（1+税率）

销售额包括向购买方收取的全部价款和价外费用。价外费用，包括除了销售额以外向购买方收取的手续费、补贴、基金、集资费、返还利润、奖励费、违约金、滞纳金、延期付款利息、赔偿金、代收款项、代垫款项、包装费以及其他各种性质的价外收费。

（一）选择合适的纳税人身份来降低税负

小规模纳税人增值税征收率一般情况下为3%，未达到起征点（月销售额未超过10万元，以1个季度为1个纳税期的，季度销售额未超过30万元）的，免征增值税。

增值税税负率的计算方法：

增值税税负率＝当期应缴纳的税额／当期不含税收入×100%

假设一般纳税人公司不含税收入为100元，不含税成本80元（已取得增值税专用发票），适用税率13%，则：

增值税税负率＝（100−80）×13%÷100×100%＝2.6%

在销售价格相同的情况下，税负的高低主要取决于增值率的大小。一般来说，增值率高的企业，选择小规模纳税人身份比较合适；反之选择一般纳税人身份。当增值率达到某一数值时，两类纳税人的税负相同，这一数值被称为无差别平衡点增值率。在不考虑其他因素的情况下，增值税无差别平衡点增值率为23.08%

（3%÷13%=23.08%），如果实际增值率＞23.08%，则选择小规模纳税人身份可以达到节税的目的。

企业的纳税人身份分为小规模纳税人和一般纳税人，小规模纳税人的增值税是按3%和5%征收率来计税，一般纳税人的增值税税率有13%、9%、6%和零税率。一般纳税人符合简易计税条件的可以选择简易计税办法，简易计税的征收率按照业务不同分为3%和5%。

通过征收率和税率数字的对比，我们可以知道，小规模纳税人征收率低，在售价相同（假设不含税）的情况下，小规模纳税人计算出来的增值税比一般纳税人要少。通过对比，企业可以选择适合自己的纳税人身份来规划。小规模纳税人在连续12个月不含税销售额达到500万元时，就会被认定为一般纳税人。所以，在经营中企业如果要继续保持小规模纳税人身份，则要控制好销售金额。

（二）小企业利用增值税起征点节税

增值税小规模纳税人自2023年1月1日至2027年12月31日，以1个月为1个纳税期的，月销售额未超过10万元的，或以1个季度为1个纳税期的，季度销售额未超过30万元的，可以享受免征增值税政策。增值税小规模纳税人超过规定销售额的适用3%征收率的应税销售收入，减按1%征收增值税。

例： 某公司为小规模纳税人，预计2023年第二季度含税销售额为303500元，若按此收入额计算，应缴纳增值税=303500÷（1+1%）×1%=3004.95（元），附加税=3004.95×（7%+3%+2%）×50%=180.30（元）。

依据政策，季度销售额不超过30万元的，可以免征增值税，如果某公司通过部分产品打折方式将销售额降到303000元（不含税销售额=300000元），就可以利用增值税起征点减轻税负。

（三）选择供应商纳税人身份节税

企业从不同的纳税人身份处采购货物或服务，所承担的税收负担也不一样，从一般纳税人处采购，可以获得进项抵扣增值税，而从小规模纳税人处采购可能得到价格上的优惠。在选择供应商时，不能只单方面考虑增值税，还需要通过计算对利润进行对比，选择最优的方案。

例如，某公司是一般纳税人，需要采购Y产品进行销售，Y产品的含税售价为113元，现有A、B、C三家供货商，给出的价格如下：

A为一般纳税人，可以提供增值税专用发票，适用增值税税率为13%，Y产品的含税单价为90.4元。

B为小规模纳税人，可以提供增值税专用发票，适用增值税税率为3%，Y产品的含税单价为 82.4 元。

C 为小规模纳税人，只能提供增值税普通发票，适用增值税税率为 3%，Y 产品的含税销售单价为 76元。

分析：Y 产品的不含税销售单价 =113÷（1+13%）=100（元），Y 产品的销项税额 =100×13%=13（元）。

从 A 一般纳税人处采购，单位成本 =90.4÷（1+13%）=80（元）；可抵扣进项税额 =80×13%=10.4（元）；单位产品应纳增值税 =13−10.4=2.6（元）。税金及附加 =2.6×（7%+3%+2%）=0.312（元）；单位产品税后利润 =（100−80−0.312）×（1−25%）=14.766（元）。

从 B 小规模纳税人处采购，单位成本 =82.4÷（1+3%）=80（元）；可抵扣进项税额 =80×3%=2.4（元）；公司单位产品应纳增值税 =13−2.4=10.6（元）。税金及附加 =10.6×（7%+3%+2%）=1.272（元）；单位产品税后利润 =（100−80−1.272）×（1−25%）=14.046（元）。

从 C 小规模纳税人处采购，只能取得增值税普通发票，单位成本 76 元。可抵扣进项税额 0 元，公司单位产品应纳增值税 =13−0=13（元）。税金及附加 =13×（7%+3%+2%）=1.56（元）；单位产品税后利润 =（100−76−1.56）×（1−25%）=16.83（元）。

从计算结果可以得出，从 C 小规模纳税人处采购产品利润最大，应该选择 C 供货商。

四、增值税加计抵减额的计算

（1）确定加计抵减比例。根据国家政策，不同行业或业务类型可能享有不同的加计抵减比例，如生活服务业为 10%。

（2）计算当期可抵扣进项税额。当期可抵扣进项税额是指企业在本期内购买商品和接受服务支付的增值税额中可以用于抵扣的部分。

（3）计算当期计提加计抵减额。当期计提加计抵减额 = 当期可抵扣进项税额 × 加计抵减比例。

（4）计算当期可抵减加计抵减额。当期可抵减加计抵减额 = 上期末加计抵减额余额 + 当期计提加计抵减额 − 当期调减加计抵减额。

（5）应用加计抵减额。在计算纳税人的应纳税额时，可以将当期可抵减加计抵减额用于抵减应纳税额。

五、企业所得税加计扣除的计算

未形成无形资产的研发费用：加计扣除额 = 本期实际发生研发费用 × 加计扣

除比例（如 75%）。

形成无形资产的研发费用：在按照无形资产成本摊销的基础上，按高于实际成本的规定比例（如 175%）进行摊销。

加计抵减额作为一种税收优惠政策，对减轻企业税负、鼓励投资创新具有重要作用。企业应了解并正确运用加计抵减额的计算方法，以充分利用税收优惠政策，降低税负。同时，企业还需关注税法规定和政策的变化，及时调整税收策略，确保合规经营。通过深入理解和运用加计抵减额，企业可以更好地发挥税收政策在促进企业发展中的积极作用。

第四节　企业用工合规管理

基于我国劳动法律体系持续完善与劳动者权益意识显著提升的双重驱动，构建规范化用工管理体系已成为现代企业可持续发展的必修课。

当前企业用工管理面临三重挑战。其一，劳动立法动态更新频率加快，2025 年新修订的《中华人民共和国劳动合同法》对用工规范提出新要求。其二，劳动者维权渠道多元化，劳动争议仲裁案件逐年上升。其三，管理层对法律的认知滞后，不少企业存在用工文件签署瑕疵。这些风险要素亟需系统化解决方案。

人力资源是企业的基础资源，因此，企业劳动关系管理就显得非常重要。企业高层应将合规管理纳入企业 ESG（环境、社会、治理）体系，建立由 CEO（首席执行官）直管的劳动合规组织，配置专项风控基金。决策层需系统掌握“三阶知识体系”，即基础法律框架（劳动法、劳动合同法等）、动态监管政策（地方性法规、司法解释）、典型案例研判（最高法指导性案例）。构建“四维防控机制”，即合同文本三级审核制、用工流程智能监控系统、管理人员合规 KPI（关键绩效指标）考核、外聘法律顾问定期巡检制度。

企业领导人要以身作则，积极学习劳动法律法规，增强法治意识和风险防控能力，把控好人力资源部门在用工流程中可能存在的潜在风险。避免可能因管理人员的专业能力、认知水平或涉及个人因素而不能客观公正地处理用工的问题。

一、权利和义务

劳动者和企业是劳动关系的主体，《中华人民共和国劳动法》（以下简称《劳动法》）是劳动者与企业行使权利、履行义务的法律依据，和谐的劳动关系需要双方都遵循《中华人民共和国劳动法》，尊重对方的权利，履行己方的义务。

（一）劳动者的权利和义务

（1）劳动者的权利。《劳动法》第三条规定，劳动者享有平等就业和选择职业的权利、取得劳动报酬的权利、休息休假的权利、获得劳动安全卫生保护的权利、接受职业技能培训的权利、享受社会保险和福利的权利、提请劳动争议处理的权利以及法律规定的其他劳动权利。

（2）劳动者的义务。根据《劳动法》第三条的规定，劳动者应履行的基本义务包括：积极完成劳动任务；按照法律规定，劳动者既享有接受职业技能培训的权利，也要负起提高职业技能的义务；劳动者应当执行劳动安全卫生规程；劳动者在劳动过程中必须严格遵守安全操作规程；劳动者应当遵守劳动纪律。

（二）企业的权利和义务

《劳动法》第三条规定的劳动者享有的基本权利和承担的基本义务，即企业应当承担的基本义务和享有的基本权利。

（1）企业的权利　要求劳动者按质按量完成劳动任务；要求劳动者努力提高职业技能；要求劳动者认真执行劳动安全卫生规程；要求劳动者严格遵守劳动纪律和职业道德。

（2）企业的义务　平等和择优录用劳动者；企业必须遵循按劳分配的原则，支付劳动者不低于当地最低工资标准的工资，保障劳动者的劳动报酬权；企业必须按照法定的工作时间安排本单位的生产，保证劳动者的休息和休假时间，不得随意延长工作时间；为劳动者提供安全卫生设施和劳动保护措施；为劳动者提供职业培训；企业要依法缴纳社会保险金，为劳动者提供各种社会保险待遇；配合解决劳动争议；保证劳动者实现法律规定的其他权利。

二、员工的招聘与录用

招聘工作是人力资源管理的基础，直接影响企业人力资源的质量。招聘条件是招聘过程中考查和筛选应聘者的基本依据，而录用条件则是企业确定最终聘用者的标准。一旦录用条件与劳动者达成一致，它将成为试用期内考核劳动者的重要依据。

用人单位在试用期内与劳动者解除劳动合同，需要符合“在试用期间被证明不符合录用条件的”情形。企业若不重视录用条件的确立，就会面临法律风险。

（一）招聘条件和录用条件

（1）企业应该合理制定招聘条件，避免出现歧视性的表达。面试与录用是评估、考核后的程序。

（2）录用条件的界定要详细、明确和具体。比如对身体健康、诚实守信以及工作经历或受教育经历、学历资质、技术等级等有明确要求，做到录用条件的可操作性、合理性和正当性。

（3）试用期的考核以录用条件为依据：试用期满前，如果试用者表现未能通过试用期的考核评估，需要解除劳动合同的，则公司必须举证符合法律要求的、经录用者签字认可的录用条件证据。假如无法提供录用条件的证据，公司将承担违法解除劳动合同的赔偿责任。

（4）录用条件需劳动者签字确认：企业的录用条件应在员工入职时要求其在录用条件上签字确认；或者在劳动合同中注明符合或者不符合录用条件的考核标准，并需劳动者签字确认。

（二）对员工的入职调查

《劳动合同法》第八条规定："用人单位有权了解劳动者与劳动合同直接相关的基本情况，劳动者应当如实说明。"企业对候选人进行背景调查，可以在一定程度上避免发生新员工信息造假的情况，防范劳动风险。

（1）企业的入职调查可在关键岗位人员的范围内进行，他们的行为会影响到企业目标的实现。在简历和面试中存有疑问的人也在调查范围内。

（2）员工入职调查一般在确定录用意向后、发送录用通知书之前进行，也可以在试用期协议中补签相关条款，在试用期内进行入职调查。

（3）调查内容：首先，核实学历证书和职业资格证书；其次，调查候选人的入职时间、离职时间、职位调整时间，核查其任职岗位等。

（4）假如出现候选人提供虚假信息的情况，企业便可依据《劳动合同法》第三十九条的规定解除双方的劳动合同。

（三）录用通知书的发放

（1）录用通知书表达了企业的意向。录用通知书只对企业产生法律约束，如应聘者没有表示接受，就不受录用通知书的法律约束。

（2）发出录用通知书的撤回。如录用通知书明确了有效期限的，那么在其有效期限到期之前，企业不可撤销录用通知书。在有效期到期后，劳动者未书面确认接受录用的，本录用通知书自动失效。

（3）应聘违约。应聘者确认了录用通知书或填写了回执，但是应聘违约，那么企业有权向其追究违约责任。企业可以在录用通知书中列明具体的违约责任，以便在追究责任时有章可循。

（4）录用通知书不等于劳动合同。企业应在录用通知书中标明“双方的权利和义务以劳动合同约定的条款为准”的条款。

三、劳动合同的订立与履行

（一）劳动合同的订立

劳动合同应当以书面形式订立，并具备以下条款：劳动合同期限、工作内容、劳动保护和劳动条件、劳动报酬、劳动纪律、劳动合同终止的条件、违反劳动合同的责任。劳动合同除上述规定的必备条款外，可以协商约定其他内容。

已建立劳动关系，未同时订立书面劳动合同的，应当自用工之日起一个月内订立书面劳动合同。劳动关系自用工之日起建立。

（二）劳动合同条款

劳动合同条款是劳动关系双方权利和义务的具体表述，分为必备条款和约定条款。

（1）劳动合同的必备条款包括：

① 用人单位的名称、住所和法定代表人或者主要负责人；

② 劳动者的姓名、住址和居民身份证或者其他有效身份证件号码；

③ 劳动合同期限；

④ 工作时间和休息休假；

⑤ 工作内容和工作地点；

⑥ 劳动报酬、社会保险；

⑦ 劳动保护、劳动条件和职业危害防护；

⑧ 法律、法规规定应当纳入劳动合同的其他事项。

（2）劳动合同约定条款。除必备条款外，用人单位与劳动者可以约定试用期、培训、保守秘密、补充保险、福利待遇、竞业限制等条款。约定条款是双方当事人协商确定的条款，只要符合法律和行政法规，就具有与必备条款同样的效力。

（3）明确约定竞业限制与保密条款。竞业限制是指负有保守企业商业秘密的劳动者在解除或者终止劳动合同后的一定期限内，不得自己开业生产、经营与原企业有竞争关系的同类产品、同类业务，也不得到与本企业生产或者经营同类产品、同类业务的其他企业就职；对负有保守企业商业秘密义务的劳动者，企业可以在劳动合同或者保密协议中与劳动者约定竞业限制条款，并约定在解除或者终止劳动合同后，在竞业限制期限内按月给予劳动者经济补偿。劳动者违反竞业限制约定的，应当按照约定向企业支付违约金；劳动者接受竞业限制条款或协议，企业应当向劳动者提供经济补偿；针对劳动者在接受企业出资培训后“跳槽”的问题，企业可在劳动合同中明确企业为劳动者支付的培训费用、劳动者接受培训后的服务期，以及劳动者违约解除劳动合同时赔偿培训费的计算方法等。

（三）劳动报酬

劳动报酬包括计件工资、计时工资、加班加点工资、奖金、津贴及特殊情况下支付的工资。法律要求企业应按照劳动合同约定的支付标准、支付时间和支付方式，按时足额支付劳动者工资。

（1）基本工资制度

① 等级工资制：是指根据劳动者的技术等级或职务等级划分工资级别，按等级发放工资的制度。

② 效益工资制：劳动者个人的工资同其劳动贡献相联系；

③ 岗位技能工资制：劳动者的工资收入与其劳动技能、劳动强度、劳动条件、劳动贡献等因素相关。

④ 年薪制：指以会计年度为考核周期来计发工资收入，主要针对公司经理、企业高级职员的工资制度。通常由基本薪酬和绩效收入两部分组成。

⑤ 最低工资制度：企业支付劳动者的工资不得低于最低工资标准。

（2）工资的形式

① 计时工资：是指按计时工资标准和工作时间支付给劳动者个人的工资报酬。

② 计件工资：是指根据劳动者提供的合格产品的数量和规定的计件单价来支付工资的一种形式。

③ 奖金：是指为奖励劳动者的超额绩效而支付的劳动报酬。

④ 津贴和补贴：一般是指补偿劳动者在特殊条件下的劳动消耗额外支出的工资。

⑤ 延长工作时间的工资报酬。

（四）工资支付的原则

（1）工资应当以货币形式支付，不得以实物及有价证券替代货币支付。

（2）工资按月支付，工资必须在企业与劳动者约定的日期支付。如遇节假日或休息日，则应提前在最近的工作日支付。

（3）工资须直接支付给劳动者本人。劳动者因故不能领取工资时，可由亲属或委托他人代领。

（4）不得拖欠克扣劳动者工资，除以下减发工资的情况：法院判决、裁定中要求代扣的抚养费、赡养费；劳动合同中有明确规定的，企业代扣代缴的个人所得税和应由个人负担的各项社会保险费用；企业制定并经职工代表大会批准的厂规厂纪中有规定的；企业工资总额与经济效益相联系，经济效益下降时，工资必须下浮的；因劳动者请事假等相应减发的工资等。

（五）特殊情况下劳动者工资的支付

包括履行国家和社会义务期间的工资，以及年休假、探亲假、婚假、丧假、病假工资。

（六）工作时间形式

（1）标准工作日。职工每日工作8小时，每周工作40小时。

（2）不定时工作日。企业中的高级管理人员、外勤人员、推销人员、部分值班人员和其他因工作性质无法按标准工作时间衡量的职工；其他因生产特点、工作特殊需要或职责范围的关系，适合实行不定时工作制的职工。

（3）计件工作时间。是指以劳动者完成一定劳动定额为标准的工作时间。

（4）弹性工作时间。是指在标准工作时间的基础上，每周的总工作时间不变，每天的工作时间在保证核心时间的前提下可以调节。

（5）加班加点。加班，是指劳动者在法定节日或公休假日从事工作。加点，是指劳动者在标准工作日以外继续从事劳动。企业延长工作时间每日不得超过1小时，特殊原因需要延长工作时间的每日不得超过3小时，每月不得超过36小时。

（七）调岗调薪

调岗调薪必须遵守协商一致的原则。在达成一致意见的基础上，书面记载变更的内容。包含调岗调薪内容的劳动合同文本，经企业和劳动者双方签字盖章后才发生法律效力。

四、劳动合同的解除和终止

劳动合同解除，是指劳动合同订立后，尚未全部履行之前，结束劳动合同效力的法律行为。

（一）协商一致解除劳动合同

企业与劳动者协商一致的，可以依照《劳动合同法》规定的解除劳动合同的条件、程序，解除包括无固定期限劳动合同在内的所有合同。如果是劳动者首先提出解除合同的动议，并与企业协商一致解除劳动合同的，法律没有规定企业有支付经济补偿的义务。如果是企业提出解除合同的动议并与劳动者协商一致解除劳动合同的，企业应当向劳动者支付经济补偿。

（二）企业单方解除劳动合同

（1）在试用期间被证明不符合录用条件的。

（2）严重违反企业规章制度的。对此，企业必须制定“内容合法、程序合法并告知劳动者”的规章制度。

（3）劳动者严重失职、营私舞弊，给企业的利益造成重大损害的。

（4）劳动者同时与其他企业建立劳动关系，经企业提出拒不改正的。

（5）有证据证实劳动者具有欺诈、胁迫或乘人之危订立劳动合同的情形，企业可诉请劳动争议处理机构宣布劳动合同无效。

（6）企业可以解雇被人民法院判处刑罚的，或者被免予刑事处罚的劳动者。

（三）非过错性解除

劳动者具有下列两种情形之一的，企业可以解除劳动合同，但应提前三十日以书面形式通知劳动者本人，或者支付一个月工资代替提前三十天的预告期。

（1）劳动者患病或者非因工负伤，在医疗期满后，对不能从事原工作岗位的职工，企业应当为其调换岗位，协助其适应岗位，并商议劳动合同内容的变更。如果劳动者仍然不能工作，企业应提前三十天书面通知解除与该劳动者的劳动合同。劳动者非因工致残和经医生或医疗机构认定有难以治疗的疾病，医疗期满，应当由劳动鉴定委员会参照工伤与职业病致残程度鉴定标准进行劳动能力的鉴定。

（2）劳动者不能胜任工作，经过培训或者调整工作岗位，仍不能胜任工作的。劳动者经过考核被企业认为不能胜任工作时，企业可以与其解除劳动合同。

（四）与劳动者无关的解除

（1）劳动合同订立时所依据的客观情况发生重大变化，导致劳动合同无法继续履行，经企业与劳动者协商未能就变更达成协议的，企业可以提前三十天书面通知劳动者或者以支付一个月工资的形式，解除劳动合同。

（2）经济性裁员适用的范围：企业依照《企业破产法》规定进行重整的；生产经营发生严重困难的。

（3）经济补偿金的标准主要取决于劳动者在本企业的工作年限和劳动者解除劳动合同前十二个月的平均工资水平。

（五）劳动者单方解除劳动合同

（1）劳动者无须提供任何理由，只需要提前三十天以书面形式通知即可。企业也不承担支付劳动者经济补偿的义务。如果劳动合同中依法约定了劳动者提前解除劳动合同的法律责任，劳动者需要承担相应的责任。

（2）规定劳动者在试用期内提前三天通知企业，可以解除劳动合同。在该种情况下解除劳动合同，企业无须支付劳动者经济补偿。

（3）企业有下列情形之一的，劳动者可以通知企业解除劳动合同。同时，企业还要依法向劳动者支付经济赔偿。

① 未按照劳动合同约定提供劳动保护或者劳动条件的；

② 未及时足额支付劳动报酬的；

③ 未依法为劳动者缴纳社会保险费的；

④ 企业规章制度违反法律、法规的规定，损害劳动者权益的；

⑤ 企业以欺诈、胁迫的手段或者乘人之危，使劳动者在违背真实意思的情况下订立或者变更劳动合同的；

⑥ 违反法律、行政法规等致使劳动合同无效的；

⑦ 法律、行政法规规定劳动者可以解除劳动合同的其他情形。

五、实习生用工

学生到模具企业进行实习的活动较为常见，但实习生并不属于法律意义上的劳动者，实习期间无法与实习企业建立劳动关系。只有当学生取得毕业证书时，才具备作为劳动者的主体资格。实习生用工需重视下列事项：为学生投保实习责任保险，实习超期形成事实劳动关系。

六、社会保险

用人单位和劳动者必须依法参加社会保险，缴纳社会保险费。社会保险分为基本养老保险、基本医疗保险、工伤保险、失业保险、生育保险。

七、劳动争议

企业和劳动者发生争议并协商不成的，可以由劳动合同履行地或者用人单位所在地的劳动争议仲裁委员会管辖。双方当事人分别向劳动合同履行地和用人单位所在地的劳动争议仲裁委员会申请仲裁的，由劳动合同履行地的劳动争议仲裁委员会管辖。管辖本区的劳动争议仲裁委员会对企业与劳动者之间发生的劳动争议，在查明事实、明确是非、分清责任的基础上，依法做出对双方具有约束力的裁决，从而解决劳动争议。

当事人对劳动争议案件的仲裁裁决不服的，可以自收到仲裁裁决书之日起十五日内向人民法院提起诉讼。

仲裁调解书自送达当事人之日起生效。生效的仲裁调解书和裁决书对当事人具有法律约束力，一方当事人逾期不履行的，另一方当事人可以向人民法院申请执行。

第二章

模具企业市场营销与物料供应链管理

第一节　模具企业市场营销管理

随着全球经济的发展和贸易自由化的推进，中国模具制造产业迅速崛起，现已成为全球模具制造产能最大的国家。然而，面对日益激烈的市场竞争，许多模具制造企业正面临着销售困境。为了在激烈的市场竞争中脱颖而出，模具企业必须高度重视并加强营销力度，制定并实施近期与远期的营销管理战略和目标。

模具订单是企业生存发展的前提条件。企业想要稳定地获取市场模具订单，就需要审时度势，准确把握模具市场的相关信息，建立以市场为导向的企业经营管理机制，迅速应对不断变化的市场态势，提升质量，降低成本，从而确保企业在国内外市场中的竞争优势。

一、市场营销的重要性

在世界五百强公司中，大部分的CEO都担任过营销经理，这就从侧面印证了营销工作的重要地位。就企业的运营过程来分析，市场营销就是要通过对市场的调查，厘清企业的目标客户，了解他们所需模具的品类、周期、用量等基本信息。然后，以市场策略、客户需求为导向指导生产，发展和协调好与客户的各种关系，获取订单，最终实现客户价值和企业效益最大化。

市场营销活动涉及企业的人、财、物等资源，因此，需要企业合理地面向市场进行统一的资源整合和管理，为营销活动提供相应的支持。企业对内部、外部各种关系的协调效果，影响着企业对市场机会的把握力度，也影响着企业的核心竞争力。

所以，企业要想从营销角度提高竞争力，必须建设强有力的市场营销团队，建立高效的市场营销管理体系，才能更好地把握市场机会。

模具企业营销的市场竞争优势主要体现在以下几个方面：有稳定可靠的市场资源和战略合作伙伴；有知名品牌的客户源和客户关系；同类模具成本低于竞争对手；兑现约定承诺，模具能按时保质交付客户；沟通和反馈渠道通畅，客户对合作感到满意；提供优质的全流程客户服务。

二、营销部门的组织管理

鉴于营销工作在企业运营中的重要地位，一般会有一位公司级（厂级）资质的负责人兼任营销总监的职务，主管营销工作。营销部长负责营销部门日常工作的运营。各营销责任人，按照预算下达的年度营销任务目标，在企业授权的责任区域对接客户，负责商务营销活动的开展。

（一）营销总监主要职责

（1）负责组织编制及提出年度销售目标和实施计划的预案。

（2）负责营销部人员职能岗位的落实、部门管理制度的设立、营销部管理体系的有效运行。

（3）负责营销部跨部门会议的组织和召集，主持召开模具生产任务发布、模具标准说明、生产计划协调、重要整改方案磋商等会议。

（4）协同解决各项目的重要事项，与客户方沟通磋商。宏观监督模具项目按既定计划完成。

（5）组织本部门人员的各种培训，提高营销业务人员的技术素质和管理能力。

（6）审批营销部管理文件，完成厂部交办的其他管理任务。

（二）营销部长主要职责

（1）负责分配目标任务到人，检查并考核各营销经理工作饱和度和工作成效，并根据实际情况做必要调整，确保营销组认真按管理流程履行岗位职责。

（2）主持召集本部各种形式的专题会议，以确保营销项目按预定计划完成。

（3）分析部门管理存在的问题，提出改进意见。

（4）协调在管理工作中需要团队解决的问题，比如项目重要节点计划制订、客改内改等异常情况涉及的模具交期计划调整、更改费用的磋商决定。

三、企业营销策略应用

营销策略是企业在市场竞争中取得优势并实现销售目标的重要工具。构建有效且可持续的销售策略，可以帮助企业获得更多的销售收入，扩大市场份额并保持竞争力。

（一）销售目标市场明确

销售策略需要有明确的销售目标。目标可以是市场、客户资源、销售额、市场占有率、客户满意度等多个方面，但必须是可以衡量和可以达成的。

模具企业需要通过市场调研，收集关于客户近期状况的信息，以此帮助销售人员了解客户的背景和市场环境。这些信息有助于建立对客户业务的基本了解，通过分析来确定最有潜力的客户群体和行业，如汽车制造、电子电器、航空航天、铁路交通、塑料制品等。明确营销目标市场，了解目标市场的需求，了解不同市场的文化、法规和行业特点，以便更好地满足客户需求和提供定制化的解决方案。

（二）产品定位策略

模具企业需要确定自己的产品定位，做自己最擅长的模具，努力通过提供高品质、高精度、低成本的模具，从竞争对手中突出自身的特色。需要针对不同的客户制定不同的产品服务和不同的销售策略。开发和创新“专、精、特、新”的先进模具，以满足客户日益更新的产品需求。

（三）建立品牌形象

品牌形象是模具企业增强市场影响力的重要因素之一。通过提供高质量的产品和优质的服务，帮助企业赢得客户的信任和好感。为了提高市场知名度和认可度，并赢得市场份额，企业需要采取一系列的品牌推广与营销策略。一个持久的品牌价值可以提高销售策略的可持续性。

（四）多渠道营销方式

为了扩大市场份额，模具企业应该在不同的渠道上组合开展营销活动。通过互联网、相关展会和合作伙伴关系等多种渠道，将产品和服务推广给更多的潜在客户。

（五）有效运用数字营销

企业应该有效地运用数字营销工具和技术，建立一个易于导航和用户友好的网站。网络传输的互动信息通道改变了传统营销方式的单向性，这种触发客户反应的传播营销方式，对于推广企业形象和提升品牌推广效率有很大帮助。

再者，互联网是一个全球性的平台，企业及产品信息发布在互联网上，宣传效果好、覆盖范围广，能使企业品牌声誉得到扩大传播。它是企业发掘和培植客户资源的重要营销方法之一。

（六）参加模具展会

企业积极参加相关行业的展会，是展示自己产品和技术优势的最好机会，也是企业积极拓展潜在客户的重要营销渠道。其主要效果体现在：展会的举办地点，多在用户集中的地区，从而能使采购商与供应商等各方精准找到理想的合作伙伴。

在展会上与有意向的潜在客户交谈、交换名片、发放资料，邀请客户参观工厂或拜访客户等商务活动，相对于日常交流的机会而言，具有不可比拟的商机优势。而且，参观展览的高端客户，多是在寻找新的机会或物色新供应商，其目的性较强。

因此，企业通过引人入胜的展台设计和训练有素的展台职员，展示企业形象和自身实力。从而，能够在短短四五天的参展期间，低成本地接触到平时接触不到的潜在客户。尤其重要的是，能够面对面地与潜在客户或意向客户交流，是快速建立和稳定客户关系的难得机会。

而且，在展会上还可以领略到当今业界先进的模具设计、先进的加工设备和先进的数字化软件，这有助于制订企业近期和长期目标规划。企业甚至可以通过展会获悉竞争对手的模具产品、价格以及营销战略等方面的信息，为企业研究分析市场竞争趋势提供参考。

（七）以客户为中心

在企业的关系管理中，建立并维系与客户长期的良好合作关系，保持和提高客户的忠诚度，是现代企业关系营销成功的基本保证。因此，客户关系优化管理就成为营销工作的核心。市场竞争的实质就是争夺客户资源，只有维系优质客户，避免合作客户的背离，才能使争取新客户的工作具有意义。企业维系客户关系不仅需要维持客户的满意度，还必须分析了解能使客户感到满意的各种原因，以便更好地满足客户的愿望。

以客户为中心，企业能够深入洞察客户需求，为其量身定制解决方案，从而建立起相互信任与持久合作的基础。这种方法既是促进交易成功的手段，也是企业与客户共同创造价值、共同向前发展的过程。因此，以客户为中心的销售理念不仅是一种策略，更是企业长远发展的基石，确保每一次交易都能为双方带来实实在在的成就和价值。

（八）了解和满足客户需求

企业必须重视客户需求分析，并根据客户需求进行模具设计和制造。客户需求满足与否的衡量标准是客户满意度。企业应该确保及时回应客户的相关咨询，提供专业的技术支持，并在交货后提供持续的售后服务，这将有助于维持客户满意度，提高复购率。

（九）建立客户数据库

为了经营好客户关系，建立和健全客户信息数据库是营销工作中维系客户关系的基础工作。客户关系的实质就是通过互动与交流，与客户建立起超越买卖关系的信任关系。其目的就是促使客户对企业产生良好印象，提高企业在市场上的知名度，为企业争取客户、开拓和稳定市场、确保营销成功创造条件。因此，建立并维持与客户良好的关系是企业营销成功的基本保证。

（十）建立定制营销服务体系

根据每个客户的个性化需求进行模具制造并提供相应的营销服务。其目的是通过提供特色产品、优异质量和超值服务来满足客户需求，提高客户忠诚度。实行定制营销的企业要高度重视科学研究、技术发展、设备更新和产品开发；要建立完整的客户采购档案，主动提供客户感兴趣的新信息，加强与客户的联系，合理设置售后服务网点，提高服务质量。

（十一）及时化解客户抱怨

在客户抱怨情绪中，有很大一部分导致抱怨的原因不会被客户坦率地表达出来。这就需要我们不时地去关注和思考，如果放任这些抱怨情绪的积累，则会引起客户方面的不快，最终必然会反映到一些对企业不利的行为中。例如拖欠企业的应付账款，对一线的对接服务人员不够礼貌，卡住一些无关紧要的小问题有意为难等，严重时甚至影响到今后的继续合作。

因此，企业对接人员务必在不愉快的事情发生之前，就要及时做到与客户充分沟通，了解客户的不满原因，识别客户面临的具体问题及遇到的困难。提供倾诉、抱怨的机会，让他们说出心中的不满，并尽量解决这些导致不满的根本问题。这是企业营销工作不容忽视的重要环节。

（十二）宽以待人，严于律己

与客户打交道是营销员的本职工作，在营销活动中营销员时常会与客户代表进行工作上的沟通交流。鉴于不同工作对象的个性涵养和素质差异，难免会碰到一些有个性且不大容易交流的客方人员。面对客户代表在工作中有点过分的态度和行为，营销员应秉持“顾客至上”的宗旨，以解决实际问题为原则，要充分展现出自己的服务能力和职业素养，不去介意那些一时的态度和言辞，坚持用动之以情、晓之以理的方式与其沟通。我们的迁就，并不影响人格上的尊严。顾全大局，服务好客户，才是营销员的最终目的。不能因为客户代表的个人行为，影响到客户业务项目的工作，更不能影响到客户的利益。

（十三）市场评估与调整

企业应定期评估自己的市场份额，做好客户沟通，收集反馈意见，了解市场需求的变化，并根据市场反馈和竞争态势果断、及时地调整营销策略，以保持竞争优势。

（十四）关注品质和技术创新

营销工作需要企业实力做支撑，企业应该将持续提升模具品质和技术创新放在首位，以确保产品的竞争力和市场份额。同时，关注市场趋势和技术变革。一个可持续的销售策略需要不断创新和优化，才能适应市场的变化。

（十五）不断提升客户的满意体验

客户满意体验是模具企业留住现有客户和吸引新客户的关键因素。企业应该努力提供卓越的客户体验，从订单处理、产品质量、交货准时到售后服务，每个环节都应该精益求精。定期收集客户反馈并快速响应客户需求，可以帮助企业提升客户满意度和自身的口碑。

（十六）销售团队培训和发展

成功的销售策略需要由专业的销售团队来执行。拥有专业知识和销售技巧的销售团队是模具企业销售成功的先决条件。企业应该为销售人员提供培训和发展机会，以提高其销售能力和客户服务水平。因此，持续的培训和发展是提高销售策略可持续性的关键举措之一。

（十七）认证和质量控制

在模具行业，认证和质量控制是建立市场信任和提升竞争力的重要手段。企业应该根据目标市场的要求，进行相关认证和资质的申请，并建立一套严格的质量控制体系。通过认证和质量控制，企业能够向客户表明其产品和服务的高标准和可靠性。

（十八）履行社会责任

积极履行企业社会责任是提高销售策略可持续性的关键。通过积极参与公益慈善活动和环境保护行动等，可以获得社会的认可和支持。

通过以上的模具营销方案策划，模具制造企业可以提高自己的市场竞争力，在激烈的市场竞争中获得更多的机会。

四、销售部门的职责与制度

为确保销售工作的顺利进行，销售部门应当建立健全的销售管理制度，包括以下内容。

（1）建立健全的组织结构。销售部门应当建立健全销售组织结构，明确销售人员的职责和权限。

（2）不断优化管理制度。销售部门应当根据市场需求及公司实际情况，不断优化和完善销售管理制度，以适应市场发展的需要。

（3）融洽和谐的人际关系。公司销售部门应当与生产部门、研发部门等密切配合，共同推动模具销售工作的顺利进行。

（4）要做好市场调研分析。应当根据企业的销售策略和目标，进行市场调研，了解市场变化和客户需求，并根据市场调研的结果，细化客户信息，进行客户分类，确定重点客户和潜在客户，为销售工作提供可靠的信息支持。

（5）保持客户联系。应当根据客户类别，制订拜访计划，及时与客户建立联系并保持联系，以了解客户需求。

（6）提高执行力。应当建立和执行销售人员管理制度，确保销售人员的工作效率和质量。

（7）提升销售能力。销售人员应当具备良好的销售技巧和专业知识，不断提升自身的销售能力。

（8）遵守流程规范。销售人员应当根据公司流程规定进行订单的洽谈和合同的签订，并确保订单的及时签订和交付。

（9）提供优质服务。销售人员应当与客户建立良好的合作关系，加强与客户的沟通和合作，了解客户需求，提供满足客户需求的产品和服务；提供优质的售后服务，维持客户的满意度。

（10）制订合理的工作目标。销售部门应当根据销售人员的实际情况，制定合理的销售任务和考核标准，确保销售人员的工作目标能够得到有效实现。

（11）定期培训和考核。销售部门应当对销售人员进行定期的培训和考核，提供必要的帮助和支持，确保销售人员的工作质量。

（12）建立销售人员激励机制。应当定期对销售人员进行绩效考核，通过薪酬、晋升、奖罚等方式，激发销售人员的工作积极性和创造力。

（13）营造良好的工作环境。销售部门应当确保销售人员的岗位安全和工作条件，提供必要的保障和支持。

（14）确保销售行为的合法合规。销售部门应当加强对模具销售的监督和管理，对于违反销售管理制度的行为，应当严肃处理，以确保销售工作的正常进行。

五、营销部业务管理流程

销售部门应当建立健全销售流程，确保销售工作有序进行。销售流程分为市场调研、客户关系建立与维系、订单洽谈与签订、产品交付及售后服务等环节。营销部业务管理流程示意图如图 2-1 所示。

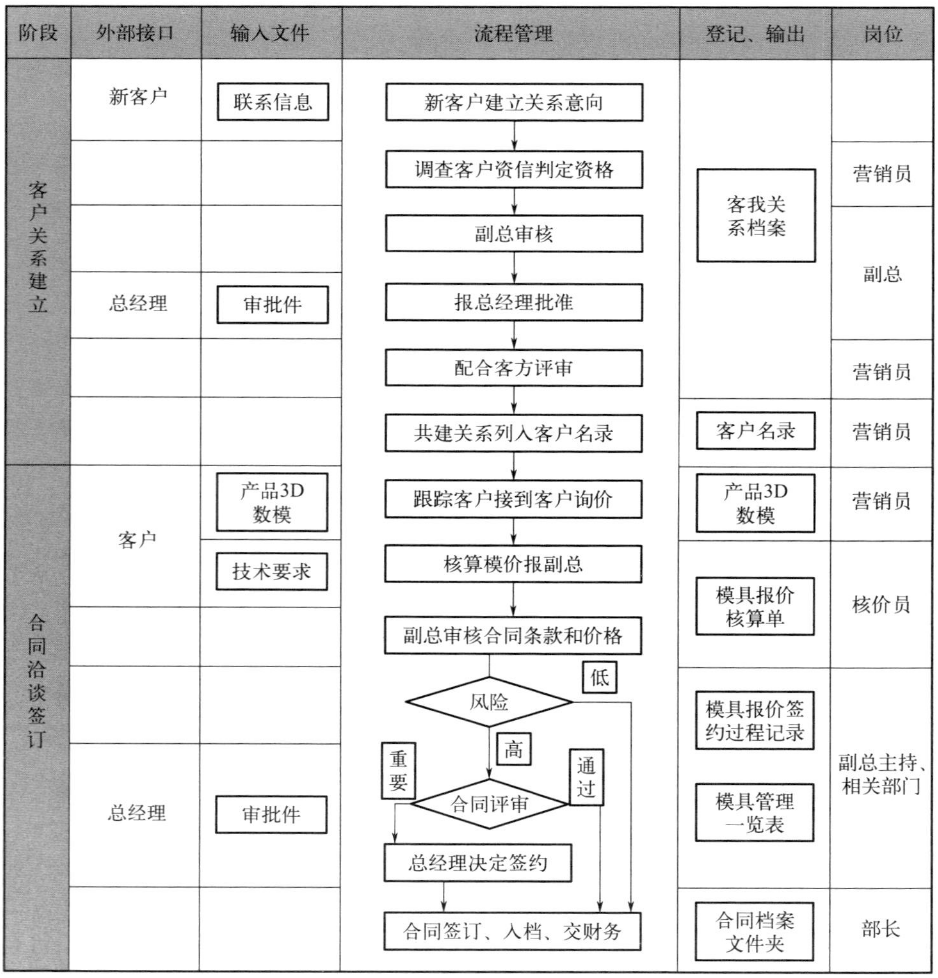

(a)

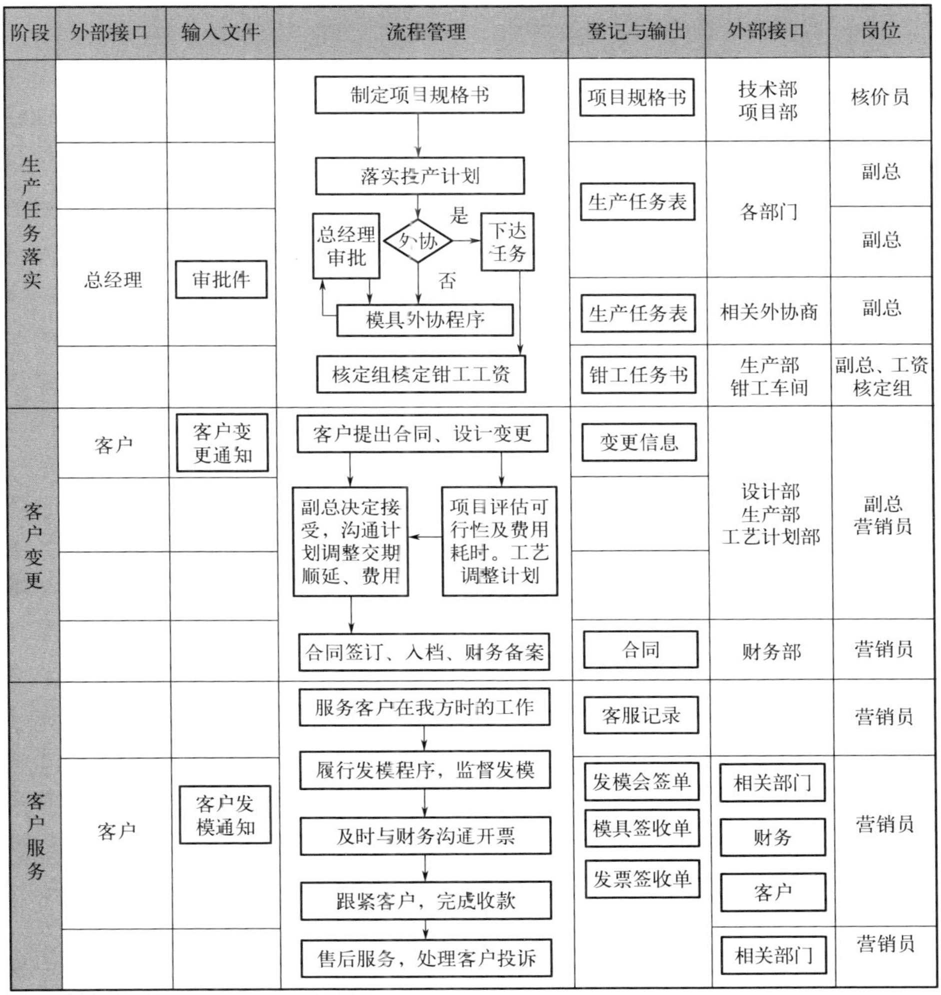

(b)

图 2-1　营销部业务管理流程示意图

（1）部门应根据公司总体规划，制订近、远期市场营销开发计划和年销售指标额，并细分至各区域指标和各营销责任人。

（2）指导和鼓励营销员利用展会等各种机会，向优质客户推广公司形象，努力发展优质客户，使其成为公司的模具采购商。

（3）对有意向的潜在客户进行资质审核，允许符合建立合作关系条件的模具采购商进入合作名录。

（4）经评审报批核准的新采购商，应分别归类客户等级，并根据客户的模具制造标准要求，制定对应的模具报价模板并编入客户模具报价库。

（5）分析某一阶段内销外销订单、履约、货款回笼等实际情况，及时做出必要的战略调整，以保证实现全年的计划指标。

（6）监督下属将履约过程中产生的各类信息、资料、文书归档至指定的文件夹。

（7）培育建立互利共赢的外包供应商协作体系。需外协的模具、检具、工装、皮纹、设计、售后服务外包等项目，选择对应的外协商定价格后签订合同，并报总经理批准（该项工作有的由采购部门负责）。

（8）接到客户的发运模具通知后，按照规定完成发模程序。审核客户模具款支付是否履行合同约定，并报请财务部门进一步复核；通知项目对接人员落实发模时间；最后，报请总经理签字同意发模。

出口模具须与货运代理预订班期，在约定时间内送交报关资料并将货物送到指定仓位。准备相关资料供客户清关。

（9）汇总发模通知单、模具签收单等履约过程中产生的文书，归档至指定文件夹。

（10）出口前代收的尾款（除质量保证金及特殊国家无法投保的外）需在中国出口信用保险公司提前签订好投保合同。

（11）按实际发生的内外销状况，进行月、年订单量、货款、项目归类等统计。

（12）发放客户满意度调查表，每半年递交一次客户满意度报告。

六、营销人员任职资质

（一）品德与涵养

（1）一个职业营销管理人员，首先对企业要有一份无私奉献和忠诚的敬业精神；其次要为人阳光坦荡、宽容豁达，工作敢于担当，能与人融洽相处，能严格保守企业的商业秘密。

（2）营销人员首先要练就一张“厚脸皮”，这样工作起来就会落落大方、游刃有余，既展现了你的情商，又洋溢着自信的力量。

（3）要有开阔的胸怀，懂得赞美他人。你的心胸有多大，舞台就会有多大。

（4）如果遇到办不到或者是不能办的诉求时，不管在什么情况下都要坚持拒绝。你可以寻求别人的理解，但原则却不能动摇。

（5）营销人员应该做到与人交流时能言简意赅地表达自己的观点和立场。

（二）模具相关的理论与实践知识

（1）一般模具结构设计知识和实践知识。

（2）了解常用模具金属材料的性能及其在塑料模具上的应用。

（3）了解常用塑料原料的牌号、性能及其与注塑生产相关的实际参数。

（三）技能与素质

（1）能熟练使用营销管理需要的各类办公软件进行管理办公。

（2）通晓公司信息化管理软件和公司模具生产管理流程，特别是本部门的管理流程，并在实际工作中认真执行和熟练应用。

（3）能用 UG 等 CAD 软件查阅产品数模和模具结构设计图，能用 CAE 软件阅读各种模拟分析数据。

（4）具有良好的沟通协调能力是营销人员做好营销工作的必要条件。营销人员在管理工作中势必需要与不同的客户及不同岗位的人员打交道，比如客户代表、部门同事、一线员工、上级领导等。如果营销人员拥有较强的沟通协调能力和融洽的工作人际关系，就能在工作中不断地得到领导的支持和同事们的帮助，在落实管理目标时自然会得到相关人员的充分理解和积极主动的配合。

此外，营销人员与客户的沟通协调，是营销管理的基本职能。随着市场对塑制产品性能方面的要求越来越高，产品在开发过程中也会尽力地追求更加完美的目标。由此，在模具的制造过程中也会相应地发生不断的更改，使模具产品的开发产生不断的变化。尤其是在模具制造后期阶段发生的更改，对模具带来的影响就更大。我们应该在尽量满足客户合理要求的前提下，恰如其分地做好与客户方的沟通，这极为重要。因为在这一阶段发生的客改和内改有诸多不可逆的情况，更改会对双方的成本产生很大影响。在没有违背合同要求、不影响使用功能和整个产品质量的情况下，要有理有据、耐心地与客户进行沟通交流，力争得到客户的理解和接受，从而达到双赢的目的。

（5）较强的组织协调能力。营销经理要有较强的组织协调能力和工作魄力，才能顺利完成目标规划确定后的落实推行，才能确保营销项目在实施过程中按既定的计划运行。

（6）较高的威望。树立威望一是要做到尊重别人，只有懂得尊重别人才会让人尊重自己。二是要虚心倾听相关人员的意见，沟通交流是人际关系的润滑剂，也是获取信息、汲取经验的渠道。三是对管理工作既要大胆放开又要仔细谨慎。对营销策略、计划方案的制定，要贴合实际，行之有效。如果你能充分发挥你的优点，让部门员工感受到你的实力，你的威望自然而然地会越来越高，你的工作当然也会越来越容易开展。

（7）外语能力。外销模具的营销项目负责人必须具备对应国家和地区文字语言的交流能力，尤其要精通模具专业的外语。

七、营销业务风险与防范

（一）合同风险

在买卖双方签订模具合同时。如果不把握好合同条款的严密性，则会在今后的合同履行中带来一定程度的风险，这些风险可能会给企业造成经济损失。因此，了解和防范模具合同风险对于保护买卖双方的权益至关重要。

（1）模具交付风险。是指在模具交付过程中，各方未能完全按照交付程序履行交接认可、签字手续，这可能会给合同后续的履行留下潜在风险。应该严格按照合同约定的交货日期、交货方式和程序进行模具验收，确保客户收到的货物与合同约定的规格、数量和质量相符。一方如有违反的，则按合同约定条款承担相应的违约责任。

（2）合同的履约风险。在销售合同履行过程中，可能出现无法按照合同约定履行义务的风险。这会导致企业遭受经济损失。为了减少履约风险的发生，应做到：在合同条款中明确双方的权利和义务，规定违约责任和补偿措施；必要时考虑签订履约保证合同，由第三方提供履约保证金，以降低双方的风险；要定期或不定期地进行履约检查和沟通，确保合同的及时履行。

（3）合同的法律风险。指的是与合同相关的法律问题可能给买卖双方带来损失的风险。这包括合同条款不合法致使合同无效或不能执行、合同解释争议和知识产权纠纷等问题。为了避免法律风险，在签订合同时应寻求专业法律意见和法务审核，确保合同条款符合相关法律法规；并且要在合同中明确规定争议解决方式，如仲裁或诉讼，明确适用的法律和管辖法院；对于涉及知识产权的合同，确保合同明确规定知识产权的归属和保护措施。

还有合同解除、合同变更、违约等风险。应仔细考虑并明确相关约定，以降低这些风险发生的概率。

（二）廉政风险

指的是在市场营销活动中，可能出现的违反职业道德、法律法规和公司规章制度的行为，以及对企业的声誉和利益造成损害的风险。廉政风险管理是市场营销部的一项重要工作，旨在确保市场营销活动的合规和公正，维护公司和客户的合法权益。廉政风险包括：

（1）在营销活动中违规、超规赠送或收受礼品。

（2）商业贿赂：损害市场竞争秩序，采用不正当竞争手段，向客户提供不正当利益，以获取业务或谋取不正当利益的行为。

（3）侵犯商业秘密：窃取、泄露或不当使用商业秘密，损害企业或客户利益。

廉政风险防控措施：企业需分析各项廉政风险发生的可能性，针对不同程度的廉政风险，制定相应的防护措施；企业应加强法律法规和公司规章制度的培训，提高员工的法治意识和职业道德；确保市场营销活动的合规性和公正性。

八、应收账款坏账风险

模具制造周期长、技术要求高、受客户主导制约的要素较多，企业应做好应收款项的管理，保证足额及时地收回应收账款，避免坏账风险。销售部门在履行合同的全过程中要承担起收款责任，做到有效控制可能发生的应收账款坏账风险，避免因模具货款不能及时收回而出现坏账。

应收账款坏账风险主要表现在以下几个方面。

（一）制件样品发放环节

要适度控制在合同约定的范围内发放样品。模具制造完成后的试模打样以及客户设计更改后的试模打样，提供适量的制件样品供客户验收试装，这是模具企业应该履行的义务。除此之外，如果客户不时地提出超量、超次的产品打样需求，需要进行客观的分析。因为这种需求除了会增加企业的生产成本，更重要的是一旦客户没有了必须提取模具，由自己少批量生产产品的压力，就会找借口有意拖延模具接收时间，最终导致模具款收款周期无限延长。

（二）模具验收环节

在生产企业进行的预验收环节，认可程序一般都相对顺畅。但是，在客户方的终验收中，受客户主导制约的因素较大，要取得客户验收认可手续很不容易，这会直接影响到模具款的收取。因此在订立模具合同时，就应该尽量争取采用多项认可模具验收合格的条款，例如模具正常生产运到30天以上或量产制品5000件以上，即认可模具合格等。

（三）模具出货环节

一是在装箱时应将技术文件、使用说明、样件、备件及模具等箱内物件打印好装箱清单，封箱前予以拍照存档，避免因可能发生的交付异议而影响收款。二是事先做好运输保险，避免出现运输事故而造成经济损失。

（四）交货期确认环节

在模具合同中对模具的交付日期有明确的约定。但在实际履约过程中，由于客户产品数据锁定日期的不确定性、客户对模具设计认可日期的不确定性、模具在制造过程中各种原因的设计变更、模具结构改动等均会对模具的最后交付时间有所影响。需要指出的是，由此产生的交货期顺延时间以及整改费用需要征得客户的书面认可，以避免以后可能发生异议而影响收款。

（五）不可未达到收款条件就出模

在模具企业履行预验收程序后，尽管客户的回款承诺尚未兑现，但面对客户提出的发模要求，销售部门考虑到合作关系，有时会不得已向客户做出让步，将模具发给客户。其结果是一些客户因为没有了模具需求前的付款压力，对按约支付欠款抱无所谓态度，致使应收账款回收困难。所以在一般情况下销售人员必须坚持按出货程序办事，特别是未达到收款条件时绝不能发模，有特殊情况需汇报总经理批准。

（六）化解客户对服务的不满

在合同履行过程中，客服人员要力求细致周到地做好服务工作，耐心沟通，化解不满。否则客户因怨气积累可能会在一些方面包括在支付账款环节上加以为难。

九、营销人员的业绩考核

营销人员的薪酬一般采用底薪加绩效提成的方式。由于模具业务的营销活动不同于其他商品的销售，它是根据客户定制、企业受委托承揽加工的业务方式开展。虽然订单量是营销人员工作业绩最直接的反映指标，但销售人员的工作却始终落在“营销管理流程”的全过程中。销售部门的薪酬绩效设计要能引导和激发员工努力把该做的事情做对、做好、做到位。

下列这些主要指标可以帮助企业评估营销人员的工作效率和质量，以及他们对企业销售目标的贡献。

（1）销售额。销售额是衡量营销人员业绩的最直接指标。通过跟踪销售额，企业可以评估营销人员的销售能力和业绩水平。

（2）业务项目跟单量。是指营销人员负责跟进的模具项目事务的销售额总和。这一指标不仅是衡量营销人员业绩的重要依据，还能综合反映其业务水平和工作能力。

（3）客户增长率。客户增长率是衡量营销人员业绩的指标之一。它可以反映出营销人员的客户开发能力和客户维护能力。

（4）目标完成率。对销售人员根据设定的销售目标完成情况进行评估。

（5）客户满意度。客户满意度是衡量营销人员工作质量的重要指标。通过客户满意度调查反馈，企业可以评估营销人员的服务质量和客户关系管理能力。客户满意度可以通过定期的客户调研来进行考核。

（6）销售渠道和市场份额。销售渠道的拓展是衡量营销人员市场开拓能力的指标之一。营销人员可以通过开发新的销售渠道来增加销售额和市场份额，展示他们的市场开拓能力和市场占有率。

（7）市场调研和竞争分析。市场调研和竞争分析是衡量营销人员市场洞察力和竞争意识的指标之一。营销人员可以通过市场调研和竞争分析来了解市场需求和竞争对手的情况，从而制定有效的营销策略。

（8）销售和推广效果。销售和推广效果是衡量营销人员营销策略和推广能力的指标之一。企业可以通过跟踪营销人员的销售活动和推广活动的效果来评估其工作成效。

（9）团队配合和协作能力。团队合作能力是衡量营销人员合作能力的指标之一。营销人员可以通过团队的合作来实现共同的目标，并相互监督、支持以提高整体的工作成效。

（10）个人发展和学习能力。个人发展和学习能力是衡量营销人员个人成长和学习能力的指标之一。营销人员可以通过参加培训课程、学习新的营销技能和知识来提升自己的能力。

（11）实践知识及能力。评估销售人员在产品知识和销售技巧方面的掌握程度，以及在与客户进行谈判时的表现和能力。

（12）工作饱和度及完成情况。工作饱和度是指员工所承担的任务量与其能力水平之间的匹配程度。工作饱和度及工作完成情况是评估一个员工或团队在工作中的表现和效率的重要指标。通过对工作饱和度及工作完成情况的评估，可以了解员工是否能够利用自己的时间和资源，按照要求完成所分配的任务，并且达到预期的质量水平。

以上是一些常见的营销人员考核指标，企业可以根据自身的需求和目标来确定合适的考核指标。同时，企业还应该根据实际情况和市场变化来调整和优化考核指标，以确保其有效性和可行性。

第二节　模具成本预算及报价管理

随着现代工业发展和产品更新周期的加快，市场对模具的需求量大幅增加，更因为我国模具制造技术及质量的快速提升，吸引了国际市场中众多模具采购商纷纷前来中国采购模具。至今我国模具工业产值已跃居世界首位。

客户业务市场化竞争交易模式，使得及时精准地进行模具核价与报价决策成为企业营销活动的核心支点，直接影响市场竞争力与盈利空间。

模具价格是模具价值的货币表现形式。在模具业务交易活动中，如何做到合理计算和准确评估模具的价格、正确体现模具价值，是企业在市场营销管理中力求做到的、不可疏忽的职责。

精准核价需整合材料成本、机加工成本、零配件成本、人工成本等全要素数据，既要避免成本误判而导致亏损，又能为灵活报价提供科学依据。对外报价需兼顾客户预算与行业定价基准，报价过高易流失订单，过低则会侵蚀利润。模具行业定制化特征显著，动态报价策略更显关键。通过梯度报价区分标准件与高精度产品，既能满足客户分层需求，又可引导高附加值订单转化。高效的核报价体系还能加速响应速度，在招投标等场景中抢占先机，同时通过成本可视化增强客户信任。在当前数字化趋势下，企业借助 ERP（企业资源计划）系统实现动态成本模拟与智能报价，将技术优势转化为商业话语权，最终构建起技术溢价与市场拓展的双向闭环。

据此，我们需要设法设计一个专用的模具报价系统，应用该系统既能提高报价效率，又能让计价核算过程的操作容易又准确。此外，我们需对模具计价相关的成本要素进行基本的了解。

模具成本主要由六个方面构成，即材料成本、机加工成本、模具配件成本（标准件成本）、人工成本，以及管理成本与其他不包括的税与费成本。

核价人员在核价前务必仔细分析客户提供的模具标准及要求，做到不可有影响成本核价的遗漏。还应该填写好与成本相关的模具制造标准规格书作为报价说明附件（规格书模板可参考第三章第一节），以备客户标准要求变化时作为调价依据。

一、模具材料成本

（1）材料成本除了模架材料外，还有其他配件材料，作为模具报价使用。为简化核算，配件材料成本可以归到零件成本的计价中，比如顶块、滑块、镶块、吊装块等。

（2）表单为 Excel 表格（表 2-1），可设置数据验证（如下拉菜单选择钢号价格）、条件格式和公式保护。

表 2-1　材料费核计表

序号	名称		长 /m	宽 /m	高 /m	比重	钢号	数量	单价 / 万元	计重 / t	计费 / 万元
1	镶嵌式	动模芯 A 板									
2		定模腔 B 板									
3		型腔									
4		型芯									

续表

序号	名称		长 /m	宽 /m	高 /m	比重	钢号	数量	单价 / 万元	计重 / t	计费 / 万元
5	整体式	定模 A 板									
6		动模 B 板									
7	基本模架组件	动定模底板									
8		热流道板									
9		模脚									
10		推杆固定板									
11		推板									
12		模架合计									
13	其他料	镶块 1									
14		镶块 2									
15		镶块 3									
16		滑块									
17		抽芯									
18		铍铜									
19		其他料合计									
材料费总计											

自动化设计（适用于电子表格）重量和计费列的预置公式，输入长、宽、高后表单底部“总计”行自动汇总总费用。

二、模具机加工成本

机加工工序主要有深孔钻、数控铣床（CNC）加工、线切割、电火花等，其中加工成本较大的主要是动模、定模分型面、成型面的数控铣床加工费用及深孔钻的加工费用（表 2-2）。

（1）为方便核价计算操作，对动模、定模的加工费，仅列入数控铣床加工费用及深孔钻的加工费用。线切割、电火花等加工成本因占生产成本比例较少，可以忽略不计。对有些加工量大的工序如多筋槽、喇叭网孔、慢走丝线切割、镜面电火花加工等可估价加入成本。

表 2-2 机加工费计价

<table>
<tr><td colspan="2">报价号</td><td></td><td colspan="10">CNC 加工（包括成型面、分型面、避空面、定位面等）</td><td colspan="3">深孔钻</td></tr>
<tr><td colspan="2">产品名</td><td></td><td colspan="3">5mm 余量粗切削</td><td colspan="3">中、精加工</td><td colspan="4">型面小刀清角</td><td rowspan="2">长度 /m</td><td rowspan="2">单价 / 元</td><td rowspan="2">小计 / 元</td></tr>
<tr><td>序号</td><td colspan="2">加工件名称</td><td>面积 /m²</td><td>单价 / 元</td><td>小计 / 元</td><td>面积 /m²</td><td>单价 / 元</td><td>小计 / 元</td><td>刀路长 /m</td><td>单价 / 元</td><td>小计 / 元</td><td>系数</td></tr>
<tr><td>1</td><td rowspan="2">一体</td><td>整体定模板</td><td></td><td></td><td></td><td></td><td></td><td></td><td></td><td></td><td></td><td></td><td></td><td></td><td></td></tr>
<tr><td>2</td><td>整体动模板</td><td></td><td></td><td></td><td></td><td></td><td></td><td></td><td></td><td></td><td></td><td></td><td></td><td></td></tr>
<tr><td>3</td><td rowspan="6">分体及其他</td><td>定模芯</td><td></td><td></td><td></td><td></td><td></td><td></td><td></td><td></td><td></td><td></td><td></td><td></td><td></td></tr>
<tr><td>4</td><td>定模框</td><td></td><td></td><td></td><td></td><td></td><td>/</td><td>/</td><td>/</td><td>/</td><td>/</td><td></td><td></td><td></td></tr>
<tr><td>5</td><td>动模芯</td><td></td><td></td><td></td><td></td><td></td><td></td><td></td><td></td><td></td><td></td><td></td><td></td><td></td></tr>
<tr><td>6</td><td>动模框</td><td></td><td></td><td></td><td></td><td></td><td></td><td>/</td><td>/</td><td>/</td><td>/</td><td></td><td></td><td></td></tr>
<tr><td>7</td><td>热流道隔板</td><td></td><td></td><td></td><td>/</td><td>/</td><td>/</td><td>/</td><td>/</td><td>/</td><td>/</td><td></td><td></td><td></td></tr>
<tr><td>8</td><td>动定模底板</td><td></td><td></td><td></td><td>/</td><td>/</td><td>/</td><td>/</td><td>/</td><td>/</td><td>/</td><td></td><td></td><td></td></tr>
<tr><td colspan="3">加工费合计</td><td></td><td></td><td></td><td></td><td></td><td></td><td></td><td></td><td></td><td></td><td></td><td></td><td></td></tr>
</table>

（2）将顶块、耐磨块、平行块、滑块、抽芯块等位于动、定模型面对应配合部位的加工费用，统一归纳到零件的合计成本中去计算，这样做会使模具计价方式简化。

（3）对表中 CNC 加工计价的说明：

① 对于工件加工余量不大于 5mm 的粗加工费用，因其可与切削的铁屑售卖价值相抵扣，所以不计入此项加工成本费用。

② 对中、精加工费按每平方米为单位计算，加工成本单价应根据不同地区、不同企业的历史综合数据推导确定。

③ 中加工、精加工成型面积可在产品数模中求得，然后加上产品周边宽度 35 ～ 40mm的分型面积即可得到中、精加工的总面积。

④ 小刀清角工作量调整系数：在中、精型面加工中，小刀清角工序在不同类型的模具中加工量差异较大，因此在本计算表中加入加工量调整系数，企业可以按照小刀清角工作量相对接近的产品模具，编制加工系数的多级分类标准。在核算时只要输入对应的系数值，就可以得到相对准确的小刀清角加工成本估值。

三、模具配件成本

模具配件大部分是在市场上采购的标准件，也有一部分需自制或定制。由于模具配件种类较多，这里就分成几个部分来表述。

表 2-3　脱模机构部分成本计价

<table>
<tr><td colspan="9">斜顶装置成套配件及相关的所有加工费</td></tr>
<tr><td>序号</td><td>长</td><td>宽</td><td>面积</td><td>系数</td><td>数量</td><td>无水路单价</td><td>有水路单价</td><td>计价</td></tr>
<tr><td>1</td><td></td><td></td><td></td><td></td><td></td><td></td><td></td><td></td></tr>
<tr><td>2</td><td></td><td></td><td></td><td></td><td></td><td></td><td></td><td></td></tr>
<tr><td>3</td><td></td><td></td><td></td><td></td><td></td><td></td><td></td><td></td></tr>
<tr><td colspan="9">直顶成套配件及相关的所有加工费</td></tr>
<tr><td>序号</td><td>长</td><td>宽</td><td>面积</td><td>系数</td><td>数量</td><td>无水路单价</td><td>有水路单价</td><td>计价</td></tr>
<tr><td>1</td><td></td><td></td><td></td><td></td><td></td><td></td><td></td><td></td></tr>
<tr><td>2</td><td></td><td></td><td></td><td></td><td></td><td></td><td></td><td></td></tr>
<tr><td>3</td><td></td><td></td><td></td><td></td><td></td><td></td><td></td><td></td></tr>
<tr><td colspan="9">方斜顶成套配件及相关的所有加工费</td></tr>
<tr><td>序号</td><td>长</td><td>宽</td><td>高</td><td>系数</td><td>计重</td><td>单价</td><td>数量</td><td>计价</td></tr>
<tr><td>1</td><td></td><td></td><td></td><td></td><td></td><td></td><td></td><td></td></tr>
<tr><td>2</td><td></td><td></td><td></td><td></td><td></td><td></td><td></td><td></td></tr>
<tr><td colspan="9">单导柱 - 滑块组件及相关加工费</td></tr>
<tr><td>序号</td><td>长</td><td>宽</td><td>高</td><td>系数</td><td>计重</td><td>单价</td><td>数量</td><td>计价</td></tr>
<tr><td>1</td><td></td><td></td><td></td><td></td><td></td><td></td><td></td><td></td></tr>
<tr><td>2</td><td></td><td></td><td></td><td></td><td></td><td></td><td></td><td></td></tr>
<tr><td>3</td><td></td><td></td><td></td><td></td><td></td><td></td><td></td><td></td></tr>
<tr><td colspan="9">双导柱 - 滑块组件及相关加工费</td></tr>
<tr><td>序号</td><td>长</td><td>宽</td><td>高</td><td>系数</td><td>计重</td><td>单价</td><td>数量</td><td>计价</td></tr>
<tr><td>1</td><td></td><td></td><td></td><td></td><td></td><td></td><td></td><td></td></tr>
<tr><td>2</td><td></td><td></td><td></td><td></td><td></td><td></td><td></td><td></td></tr>
<tr><td colspan="9">抽芯组件及相关加工费</td></tr>
<tr><td>序号</td><td>长</td><td>宽</td><td>高</td><td>系数</td><td>计重</td><td>单价</td><td>数量</td><td>计价</td></tr>
<tr><td>1</td><td></td><td></td><td></td><td></td><td></td><td></td><td></td><td></td></tr>
<tr><td>2</td><td></td><td></td><td></td><td></td><td></td><td></td><td></td><td></td></tr>
<tr><td colspan="2">总计价</td><td></td><td></td><td></td><td></td><td></td><td></td><td></td></tr>
</table>

（一）脱模顶出机构配件

为了方便成本计算，采用各脱模机构组件的零件费（如顶块、顶杆、导套定位块、滑脚、压条、耐磨块、定向块等）/材料费、机加工费（包括在动、定模及顶板等相关配合部位的加工费用），以组件集中打包的方式进行成本计算，从而使得在模具报价时可以按顶块、滑块等的规格大小、设计数量来报价。一方面使得动、定模的机加工费计算变得单一，另一方面对脱模机构零件按成套组合件数量报价，报价员计价操作也更为简易和准确（表 2-3）。

（二）其他零配件

表 2-4　其他零配件

油缸	200 以下		210 ～ 250		260 ～ 300	
规格	数量	单价	数量	单价	数量	单价
*Φ*30\40		1802		1654		1775
*Φ*50\60		2482		2800		3030
*Φ*70\80		2850		3800		9400
吊装块 / 方导柱			料单价	加工费	数量	料费
230	220	90	10	¥300	1	357.49
230	150	70	10	¥165		0
185	160	80	10	¥146		0
320	100	50	69	¥270		0
270	80	48	69	¥260		0
零件名	数量	单价	小计	零件名	数量	单价
螺钉	1	400		平衡耐磨块		35
计数器	1	80		油分路器		16000
定位圈		55		缸联结轴		
内支撑柱	16	60		外支撑柱	8	27
氮气弹簧		190		机械拉钩	2	
总计						

表 2-4 中所列的配件有标准的也有定制的。定制配件的计价均包括材料费、机加工费，还包括对应装配部位的机加工费及其装配的螺钉、紧固件等费用。

（三）冷却系统配件

冷却系统的配件基本上都是采购的标准件，在表中预先输入采购价格，核算时输入模具设计的需求量，即可自动汇总生成冷却系统配件的总价，见表 2-5。

表 2-5 冷却系统零配件计价表

零件名	数量	单价	小计	零件名	数量	单价	小计	零件名	数量	单价	小计
水套				进口集油块				塑料水嘴			
接线盒				进口集水块				铜快接			
感温器				国产集水块				塑水管（米）			
隔热板				水堵头				橡胶水管			
翻水片				油管接头				塑料水嘴			
各类管接				多通管接				水压计			
合计				合计				合计			

（四）进料热流道系统

模具热流道按客户指定的标准和品牌进行计价。由于热流道属定制采购配件，且价格较高，因此不能像其他配件计价时一样加计管理费和利润等费用，否则就会不合理地抬高模具的计算价值（表 2-6）。

表 2-6 流道系统的成本计价 单位：元

品牌	开放式			针阀式			模具应用		小计
	无板单	有板单	开放多点	针阀无	针阀有	针阀多点	点数	选择	
YUDO									
麦士德									
HRS									
INCOE									
圣万提									
合计									

（五）人工成本的核算

机加工的人工成本已包括在机加工工时费中，管理人员的费用在管理费中体现，销售人员的费用体现在销售管理费中。这里的人工费主要是设计费、钳工费等。成本核算时按总价比率计算。

（六）按总价比率进行计费的项目

表 2-7 所列计费项目均是按模具成本总额的比率进行计价。数据比率取自近两年财务数据分析的平均值。我们在核价过程中应以成本合计数为基数，分别按照表 2-7 中各项目的比率得出全部项目的费用，然后再加上热流道费和纹理费，最后得到模具计价的总值：

模具成本 = 基数 ×（1+ 总费率）+ 热流道费 + 纹理费

表 2-7　按总价比率进行计费的项目

计费项目		费率	计费	计费项目		费率	计费	计费项目	费率	计费
包装、运费	外销	3.0%		销售费用	出口	5.5%		城建等其他税费	0.75%	
	内销	0.6%			国内	3.0%		融资成本（利息等）	2.0%	
设计费		8.0%		管理费用		7.0%		利润		
钳工费、合模费		10.0%		售后服务		3.0%		合计		

在表 2-7 比率计费基数中没有将热流道成本列入，这是因为热流道部件均是对外采购的，且价值相对较高。如果在计算模具价值时，将热流道成本再加上管理费、利润等项目费用，会导致模具价格虚高、估值不准。

上述内容仅为帮助阅读理解表单所用，准确的计价数据应根据企业实际情况选取并输入。

（七）模具核价汇总表

模具核价汇总表见表 2-8。

表 2-8　模具核价汇总表

材料费	加工费	配件费	设计费	钳工费、合模费	试模费、包装运费	管理费（包括销售财务）	售后服务	城建等其他费税	热流道、皮纹费	不含利润、不含税价

四、模具报价

应该指出，模具计价和模具报价不同。模具计价是模具报价的重要依据，而模具报价是一项集技术、经验和市场信息于一体的综合性工作，目标是在合理的价位上获取更多的订单。

（1）模具核价人员通过上述成本核算，得到的是整副模具的制造成本和管理成本费用。模具核价后，并不能直接作为报价使用。销售人员还得根据市场行情、客户心理、竞争对手状态等因素进行综合分析。

（2）在计划报价的利润率与控制底线的利润率之间，须留有一定的议价空间。在业务谈判中，如成交价能高于核算的成本费用，便有利润；若低于保本价则会发生亏损。这就让销售人员在业务洽谈时，有了准确把握保本有利价格的依据。

（3）模具报价需要在核算出的模具成本价的基础上再加上企业利润。

模具价格 = 模具成本 ×（1+ 成本利润率）

模具报价一般不含增值税，税金计算公式为：

税金 = 模具价格 × 税率

（4）要求报价表格按客户提供的模板格式填写。因此，我们需要将企业生成的报价表中各项成本项目（见表 2-9），在保证总成本不变的前提下，适应客户报价单的格式，做项目价格分配的取舍或增减调整。

表 2-9　模具报价汇总表

序号	塑件名称	产品图号	产品图	塑件尺寸	产品材料	模穴数	模具材质			模具外形尺寸			模具结构	成型周期	塑机匹配	加工周期
							模架	模腔	模芯	长	宽	高				
1																
2																
3																

序号	材料费	加工费	配件费	设计费	钳工费、合模费	试模费、包装费、运费	管理费（包括销售财务）	售后服务	城建等其他费税	热流道、皮纹费	利润	不含税价
1												
2												
3												

五、辅助计价工具的编制

（1）企业可以根据自身条件，参考上述表格中所有核价要素，集成编制符合企业实际的模具计价表。由于须遵循不同客户的不同标准进行计价，比如，旋转吊环、油缸、热流道等不同产地、不同品牌型号的配件价格相差会很大，所以为了简化图表、便于操作，在应用 Excel 编制计价表时，应尽可能将多规格、多价位的零件在相关的单元格中，做成下拉菜单点击选项的方法，通过自动运算和数据链接进行模具的综合计价核算。

（2）有条件的企业可以采用“活字格”等低代码平台软件，整合计价要素，编制模具核价、报价操作系统。

（3）建立客户计价报价数据库：对于长期稳定的客户，可以在标准计价、报价操作系统的基础上，设计客户专用的计价、报价系统库，融入企业 ERP 管理系统中。

六、计价人员的岗位要求

在企业管理人员中模具计价人员属于技术性岗位，除了应具备一般管理者的素质之外，还必须具备以下三项能力。

（1）模具结构设计能力，能熟练地应用 UG 等 CAD 模具设计软件和办公软件。

（2）模具计价、报价工作是实践性和理论性均较强的岗位，要求计价人员具备模具设计需要的重点知识和核心技能，需要相关理论知识的支撑，需要掌握模具制造工艺知识和产品结构工艺性分析能力。

（3）模具计价人员应遵循报价产品的数模，通过分析构思完成模具结构的主体设计。并以此为依据，核算出模架等各种材料成本、机加工成本、模具配件成本及其他所有成本。

（4）计价人员应能主动与企业采购部门沟通，及时获取与模具计价相关的市场信息，并根据企业内部和外部市场计价成本的变化，适时对核价、报价操作系统的相关数据作出优化调整。

（5）计价人员要有稳定的工作心态。模具计价、报价工作必须一丝不苟地认真计价，即便是任务繁忙也不可以因此而有所放松，更要求计价人员不可因为订单成交率的不确定性而影响报价情绪。通常情况下，企业在所有的模具报价中能得到 10% 的订单量，应该属于是不错的营销业绩。

七、模具营销保密工作

模具企业的核心竞争力源于技术积累与客户资源，营销保密是维护企业核心资产的关键屏障。首先，模具研发涉及设计图纸、生产工艺参数等核心技术机密，一旦外泄将导致技术同质化竞争，削弱企业议价能力。其次，客户定制需求、报价策略等营销信息具有商业敏感性，泄露可能引发订单流失或被竞争对手针对性截单。再者，新产品开发规划、市场拓展战略等前瞻性信息若提前曝光，将丧失市场先发优势。在当前模具行业竞争白热化的背景下，企业需建立并完善保密体系：通过信息加密技术保护电子数据，实施分级权限管控关键文档，与员工签订竞业协议，在客户接触环节设置信息防火墙。营销保密不仅是法律合规的要求，更是维系企业技术壁垒和市场地位的生存法则，直接关系到企业的存续和发展。

第三节 模具企业采购管理

采购是指企业从供应市场最合适的来源，获得满足质量、数量和价格要求的合适物料和服务，并以此为企业资源，保证生产正常开展的一项经营活动。管理采购活动是企业经济活动的重要组成部分，采购工作是企业生产经营活动的准备工作，更是增加企业经济效益和增强企业实力的重要手段和途径。

模具企业的生产物料采购主要有模具、模架、钢材、热流道系统、标准件、非标准件及外协加工件、机床刀具、夹具、工具等，还有一些其他的非生产性物料。

随着市场竞争的加剧，模具企业与其他制造企业一样面临着巨大的成本压力。为了在市场中保持竞争优势，企业寻求在采购战略管理方面的创新与提升，以实现降低成本、增加盈利的目标。

模具企业的采购成本是经营成本中最大的一部分，占据模具制造成本的 50% 以上。因此，控制采购成本对企业来说意义重大。

假设：某模具公司年销售额 2 亿元，税前利润率 12%，采购成本占销售额的 50%，那么可获得利润 2400 万元，采购金额 1 亿元。如果降低采购成本 6%，利润增长 600 万元，利润增长率为 25%。如果要从销售环节实现 600 万元的利润增长，则需增加销售额 5000 万元。

通过降低采购成本来提升企业利润，不但效益突出，而且不易引起竞争者的仿效。这也证明了采购在企业管理中具有重要地位的原因在于采购成本的“利润杠杆效应”。

我们也不要简单地将 6% 和 25% 进行比较，因为要降低 6% 的采购成本看似不难，但在实际作业中可能就要为这 6% 费尽心思。

在当前的经营环境下，采购战略的成功与否，不仅关系到企业产销活动的运作，更直接影响到企业的经营利润。这就是做好企业采购管理的意义和价值所在。

一、采购管理体系的构建

采购职能部门要开展公司内部的沟通及与外部的采购洽谈合作，目的是保障公司所需物资的正常供应，确保生产的顺利进行。

因此采购管理人员务必依据公司经营要求，制定严格完备的采购制度和采购体系，制定长期的不可随意变更的采购战略和规定，为采购部门的采购行为提供指导和规则，以规范企业的采购活动。

（一）采购需求计划管理

采购需求计划管理属于遵循规定流程，只负责采购执行，不参与采购管理体系决策的物料采购管理范围。具体工作包括：生产性物料、非生产性物料的购买，行政办公用品的采购；依据企业的生产计划和销售计划，确定所需物资的种类、数量和采购时间，制订采购计划；向供应商发出采购信息，确定采购数量、价格、交货日期，订立采购合同；监控采购合同的交货、验收、结算等后续事宜。合理的采购计划能够降低库存成本，提高采购效率，保证企业正常运营。

（二）供应商管理

供应商管理是采购管理的重要环节，需要根据供应商的质量、价格、交货期和服务等因素进行评估，建立稳定的合作关系。

企业必须有合格的供应商提供各方面的物资供应，才能使企业维持正常的生产与经营，若是只在缺少物资时才想到供应商，匆忙对供应商进行选择，所获得的物品也许就满足不了企业的生产要求，或者物色不到性价比相对高的供应商。

为了提高企业采购的质量及效率，降低企业的生产成本，企业务必要对满足条件并经严格审查的供应商建立完善的供应商信息档案，这样有利于实现企业与供应商之间的沟通联系，有助于企业控制采购成本。同时还必须对已建立的供应商档案进行定期或不定期审查、评价和更新，确保供应商的质量和服务符合企业的生产物料需求（图 2-2）。

（1）供应商数量控制。企业每年要从众多的不同供应商采购各种物料，供应商的优劣直接决定企业采购工作的成效、采购成本的有效控制。一方面，供应商并不是愈多愈好，不要认为厂商多，就可让供方竞争，降低成本。另一方面又要注意避免单一供应来源，因为外部的不确定性环境会导致一定风险。如果供应商数量以及企业与供应商的关系存在问题，就要进入供应商开发阶段。总之企业要坚持“少而精”的原则，从适量的定点供应商处采购商品。

（2）供应商关系管理。供应商是公司的合作伙伴，必须平等地维系好与他们的关系。我们既要评估和监管供应商的产品品质和价格的平衡，也要避免过度追求品质提升或无限制降低产品价格。供应商关系管理旨在建立长期合作共赢的战略关系。

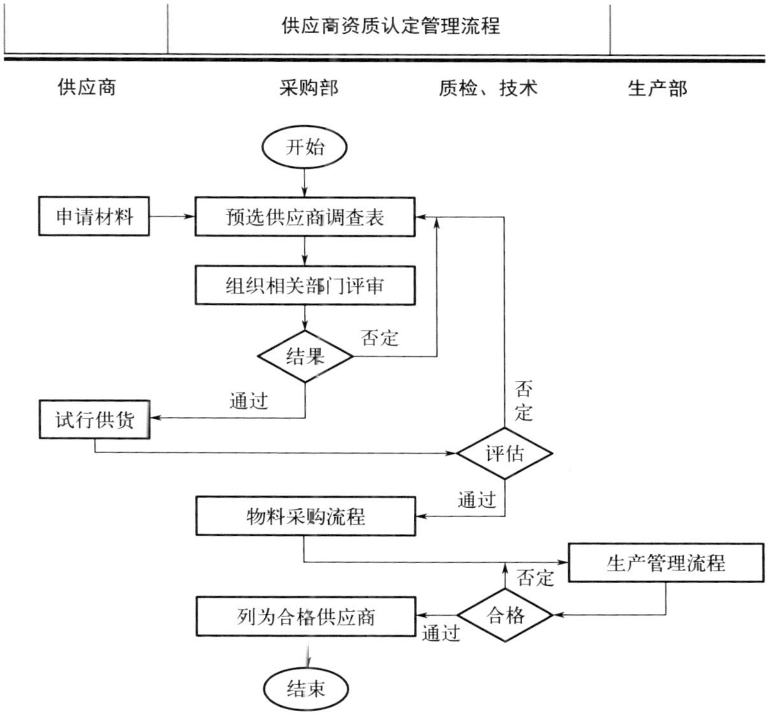

图 2-2　供应商资质认定管理流程

（3）供应商评估与考核。如何从众多候选供应商中筛选出能够长期合作的伙伴，这对采购管理来说是必须做到的重要工作。我们需要制定“供应商评估标准”，以加强供应商资质的审批和供应商的准入控制，从质量、价格、交付速度、服务态度、诚信等方面对供应商进行分析评价，找到与企业有共同价值观的合作伙伴，以确保企业对采购风险的可靠控制。

为了实现最优质的合作，我们还需对已有供应商的合作绩效予以考核。企业通过考核供应商合作业绩，了解供应商的供货能力、效率、质量、服务、订单执行力等方面的历史表现，可以及时发现供应商的优点和不足，并帮助他们改善提高。要根据供应商的合作表现和档案数据，进行定期梳理、评价，优化企业供应商队伍。

二、供应商资质评审和业绩考核

（一）质量评估

质量是供应商供货的基础，我们可以通过检验产品和服务的质量来评估供应商的表现，筛选出那些能够提供满足质量要求的产品和服务的合作伙伴。通过对供应商的评估，我们可以了解他们的生产能力、质量控制体系以及以往客户的评价等信息，并将这些信息作为正确选择的依据之一。

（二）价格评估

价格是供应商竞争的一个重要因素，更关系着企业的成本，我们可以通过比较供应商的价格来评估他们的市场竞争力。通过对多家供应商的比较，选择能给予我们合理价格的供应商。

（三）交货评估

供应商的按期交货能力会直接影响到企业的生产效率。我们需要对供应商的技术水平、设备资源进行现场审核，确保供应商具有足够的技术和供货能力。必要时，还需对供应商的财务状况进行评估，确保供应商具有足够的财务实力。通过考核供应商的交货时间、交货准确率等方面来评估他们的交货能力。选择可靠的供应商可以避免交货延迟、供应中断等采购风险，确保采购过程的顺利进行。

（四）服务评估

供应商的服务态度和能力也是我们需要评估的条件，可以通过考核供应商的服务响应速度、问题解决能力等来评估他们的服务质量。

（五）创新评估

在当今市场激烈竞争和快速变化的经济形势下，供应商的创新能力非常重要，这与企业竞争力相关。通过考核供应商的新品开发、工艺改进、管理提升等方面来评估他们的创新能力。

（六）信誉评估

在物料采购交易活动中，信任是非常重要的基础。通过对供应商的信誉度和诚信程度的了解评估，选择值得信赖的合作伙伴，才能更加放心地与优秀的供应商合作，才能实现双赢。

三、采购物料分类管理

企业采购的生产性物料、非生产性物料以及行政办公用品等，应该按照商品应用的不同条件和采购性质进行分类管理，这样做能够减少采购管理工作量。分类方法有多种，企业可按适合自己的方式进行分类管理。这里介绍一种以定价方式分类的管理办法。

（一）框架协议类

与供应商谈定供货价格或达成一致的价格核算标准，签订框架协议的方式，适合在一定时期内价格稳定不变的物料商品。在采购此类物料商品时不用每单谈价，只需按约定价格确定数量、总价、交货时间，即可进入采购合同签订环节。此类物料包括钢料、电极材料（含加工），顶块、滑块等非标零件（含加工），刀具、夹具等标准件。

（二）核算议价类

适合在企业核价人员按核算标准计算得出基准价后，经定向或多家供应商报价后，协商微调的物料采购项目，如价值高的模架、热流道采购，模具的大零件机床加工、型面皮纹加工等。

（三）市价适度浮动类

适合紧固螺钉、推杆、推管、油缸等标准件，以及一些非生产性用品的采购。这些物料的价格和质量的市场透明度较高，通过谈判与供应商达成协议。在市场物价适量浮动的情况下，仍可保持以稳定不变的协议价格采购。

（四）谈判采购类

对于量少价高的采购项目，如设备采购等，则需要通过谈判的方式签订采购合同。

（五）供应商分类

供应商按各厂商的供货品种、对口定价方式予以归类，并将各类合格厂商按其能力分级管理。

分类分级管理的目的是配合采购需求、简化流程、提高工作效率并降低管理成本。

需要指出的是，采购人员需要对采购物料的市场进行调查，只有在对价格信息进行收集、分析的基础上，才能充分了解物料的市场状况和价格走势，才能更好地把握价格变化的时机，掌控定价主动权，获得价格优势。

四、采购制度和流程管理

根据公司的采购战略制定完善的采购制度。需对物资采购的申请、物资采购的批准主体、物资采购的具体流程、相关部门的责任等内容做出具体明确的规定，为采购部门的活动提供明确的依据，规范采购人员的采购行为和职责，避免出现互相推诿的问题。

（一）采购计划制订

采购计划分为长时计划和即时计划。采购造成浪费的原因之一在于缺乏准确的采购计划，导致物料库存积压或停工待料的现象发生。采购战略管理之一就是根据采购物料的特点和需求，制订合理的采购计划，在确定的时间、用适量的资金采购合适的物料。

（二）采购成本控制

采购成本的有效控制和管理对企业的经济效益和经营活动至关重要。在企业运营中，物料采购成本比重高、资金投入大、管理环节多。

采购成本通常包括原料成本、运输费用成本、存货存储成本、采购相关管理费用。采购的经济性与合理性直接影响到企业的利润，由此影响到企业在整个市场上的竞争力。

（1）了解市场走势。在影响采购成本的众多因素中，采购价格对采购成本的影响最大，因此，采购物资的定价是采购管理的核心。首先，为降低采购物资的价格，需要及时收集物资采购市场物价变动的相关信息。只有全面了解和掌握了采购市场状况和价格走势，才能使自身处于获得价格优势的有利地位，让有限的资金产生充分的效益，从而降低企业的运营成本，让企业的利润实现最大化，最终提升企业的经营与管理质量。

（2）建立价格档案和价格评价。企业还应建立采购价格档案和价格评价系统。采购价格的评价是实现采购成本控制和管理的有效手段。采购过程中对各项费用予以详细分析，发现降低成本的潜在机会，是实现采购成本有效控制和管理的前提。采购部门需要将所有采购信息进行整理并予以记录，形成以采购物资价格数据库为基础的价格评价系统，为今后的采购活动提供价格对比和借鉴。

（3）把握适质、适价原则。模具质量体现在满足客户的要求上。企业依据客户的要求，组织研发、技术、质量部门制定明确且量化的“质量要求”，并将其作为企业的物料采购标准。

采购的任务就是找到符合这些标准“要求”的物料，同时让供应商保证所供的物料达到这些标准“要求”。质量有了保证，接着就是价格。物料价格构成产品成本，它影响了企业的利润。物料采购的价格越低，相对利润就越高。采购要找的是价格合理、符合要求的物料。不需要去寻找超出要求的材料，更不应该因为质量高出要求而额外多付费。是否需要更好的材料，那是由公司的相关部门基于客户的模具设计需求提出的，采购部门只需采购符合要求的物料就可以了。超出需求的质量是质量过剩，如果为此而多付费，则会毫无意义地增加生产成本，这也是一种浪费。

对于有些采购项目来说，为降低物资的采购价格，可以通过招标的竞争方式扩大选择范围，通过对不同供应商的选择和比较使其互相牵制，从而在采购价格谈判中处于有利地位。也可以选择有良好信誉的供应商与其建立长期稳定的供应合作关系，这样不仅可以在最大程度上保证采购物资的质量，而且还可以获得更多采购价格的优惠。

五、库存管理

制定采购预算，在合理范围内控制采购支出。控制库存水平，避免库存积压和过度采购，减少资金占用和仓储成本。采购提前期和库存水平息息相关，不管是安全库存、最低库存还是订货点，都受到提前期的影响。提前期是一个乘数，会成比例地提高库存量。所以，为了控制库存，提高库存周转能力，就出现了“账期”这一财务概念。

“账期”就是供应商供货后，允许我们延期付款的时间。它表现为我们可以占用供应商的资金，节省自己的资金占用，从而获得资金占用方面的收益。比如，供应商给我们 60 天账期，我方采购了 100 万元的材料，这 100 万元我方能够用 60 天，这 60 天的资金成本（利息）就是我方得到的“账期收益”。这体现的就是现金流，是一种商业模式。

资金占用成本其实只是一个方面。还应该关注到账期通过现金流来验证现金周转天数所产生的影响：

现金周转期＝库存周转天数＋应收账款天数－应付账款天数

现金周转天数越长，需要企业投入的钱就越多，天数越短，需要的投入就越少，而账期体现的正是应付账款天数。

六、制定采购战略

为实现采购成本的有效控制与管理，除了建立完善的采购制度、优化供应商管理以及降低物资采购价格外，制定并实施科学的采购战略是一种更为高效的采购成本控制方式。采购战略是指在全面把握企业内外部环境的基础上，系统评估企业采购需求，从而降低采购成本的一种管理方法。卓越的采购战略并非依赖买方优势迫使供应商妥协，而是基于对采购市场和企业自身优势的深入分析，通过与供应商平等协商，实现双方共赢。这种以合作为核心的策略，才是真正的采购战略。作为企业经营活动的关键环节，采购活动需要在明确影响采购成本因素的基础上，通过建立完善的采购管理制度，确保在保证质量与交期的同时，实现采购价格的最优化，从而为企业创造更大的价值。

七、采购部门的岗位职责

（一）采购经理岗

采购经理主要负责采购管理的工作，而不是日常采购物料的具体执行人。他的职能在于构建采购战略体系，把控采购部门工作的方向、重点，管理并确保采购部门的健康运行。

（1）把控采购部门的工作方向。采购经理负责关注采购市场的价格变化趋势，发现潜在的供应商并负责供应商的评估与选择，建立企业供应商管理体系。

（2）制定和执行规则。采购经理负责确定采购工作的原则和流程并检查监督，以及采购工作不同情况下的处理方法，如走什么程序、各个模块的流程管理规划等，并负责报上级批准后的检查、监督，确保这些制度和流程得到执行。

（3）制定相关标准。为了提高工作效率和更加准确合理地降低采购成本，采购经理要组织制定各种相关的标准，如《供应商考核评估标准》《采购成本核算标准》等。

（4）对采购人员的考核。采购人员作为具体采购任务的执行者，其工作表现直接影响采购效率和成本控制。因此，建立科学的绩效考核机制，实施奖优罚劣，是激发采购人员工作积极性的重要手段。采购经理应定期与每位采购员进行沟通，深入了解其工作中的问题与挑战，分析原因并提出改进措施，以持续优化采购流程。此外，为降低因人员流动带来的风险，企业可考虑实行轮岗制度，让采购人员熟悉不同岗位的职责。这不仅能够提升团队的整体协作能力，还能减少对个别人员的过度依赖，从而增强采购团队的稳定性和抗风险能力。

（5）确定岗位人选。根据量才录用原则确定部门岗位人选。倡导员工之间团结互助、沟通交流，良好的工作氛围会大大提振工作效率。

（6）组织召开部门例会。组织召开每月或每周的采购会议，回顾总结工作绩效，相互交流市场情况，明确工作重点和工作方向。

（7）对部门总体绩效负责。采购经理考核的主要指标包括采购及时到货率、存货周转率、成本降低指标完成情况等。

（8）部门间的沟通协调。包括质检部的检验、财务部的付款、生产部的产能变化、仓库的保管等。

（9）提高服务满意度。降低采购运作的成本，提高采购效率，提高内部和外部的客户满意度。

（10）防范采购风险。通过内部人员培训和组织调整，防范采购的合同风险和法律风险，确保采购流程的透明性，保持采购部门作风的纯洁性。

（二）采购人员岗

采购人员的任务就是以最低的采购成本提供满足质量、数量、交货期三大条件的原材料和辅助材料。采购工作主要围绕适时、适质、适量、适价等基本要素来展开，也就是在适当的时候，以适当的价格，从适当的供应商处买回所需数量商品的活动。

（1）制订采购计划。对于刀具、油料、冷却液、行政办公用品、劳保用品等消耗量相对稳定的物料，可以确认最低库存量，制订年度以及月度采购计划，编制采购预算，报上级批准后执行。

（2）按生产需求控制采购节奏。模具生产具有以销定产的特点，因此模具物料的相关采购，在需求提出后以即时采购为主。对于紧固螺钉、冷却水管、水管接头、垃圾钉、耐磨块、顶块、滑座等常用的标准件，可以确认最低库存量，做到既能保证生产应急时领用，又要控制库存资金占用最小化。

（3）适价采购。通过比价、招标等方式来确认合理的采购价格。如果是通过谈判的方式来确认价格，就需要了解供应商的成本结构。

八、采购人员的职业素质

采购人员是整个采购系统中最大的变量，因此，采购人员的素质对于企业采购活动的正常运作以及采购成本的控制和管理来说非常重要。企业应重视提升采购人员的从业资格，加强对采购人员的基础知识和专业技能的培训，以提高采购人员的专业素质和实践技能。此外还应加强采购人员的职业伦理教育，采取合理的激励机制以调动采购人员的工作积极性。

（1）品德端正。要具有良好的思想道德素质，这是首要条件。采购人员必须树立法治观念，遵守工作程序，做到廉洁自律，临财不苟得，做事公正诚实，牢固树立职业道德意识。

要具有踏实肯干的敬业精神。采购工作人员必须严谨细致、一丝不苟，对各项工作要勤于思考、超前思考，具备发现问题、分析问题、解决问题的能力，在工作中必须勤奋踏实、兢兢业业，不得有任何违规行为。

要以公司利益为重，以公平、公开、公正的方式来对待采购工作；处理业务时对事不对人；在可能的范围内协助供应商并获得供应商的配合与信任；对于有不当行为的供应商应做到毫不留情地立即取消其资格。

（2）掌握专业知识。采购工作具有专业性和技术性，采购人员对自己所负责的业务范围要熟悉，业务知识要全面。采购人员需要懂得市场经济、财经、招投标、合同、计算机、谈判等方面的知识；要了解相关商品的国家标准及法律常识；要勤奋好学、虚心上进，对所负责购买物料的行情变化及市场存货的多少要能从多方面去分析，了解相关行业的信息；要熟悉、掌握国家与采购相关的法律法规，能让自己的采购技能及谈判技巧日益提升，多方面、全方位降低采购成本。

（3）具有较强的责任心。认识采购工作的意义，强化工作责任心，掌握采购策略，要做到多看几家、多谈几家、货比三家，做到采购质量和价格都是最好的和最便宜的。

（4）全心全意做好服务。企业的各部门都是采购的服务对象，采购需要了解各部门的需求，协助他们达成目标。在工作中为各部门提供良好的服务。

（5）学习提高，与时俱进。采购工作人员素质的高低，直接决定着部门的工作质量和水平。采购人员需要不断更新知识和提高层次，以适应不断变化发展的采购工作需要。采购人员要合理地安排时间，采取参加培训、经验交流、自学等多种形式的业务学习，增长才干，做好采购工作。

（6）善于打交道。通过与人交往、与人沟通，增进彼此间的感情，讨论和协商商品的相关事宜，同时也建立起了采购工作的社会人际关系。如果采购员没有一定的内外沟通能力和协调能力，自然也会大大降低与商家之间采购协议的达成率。

（7）数据分析能力。采购人员必须具备扎实的基础分析能力，能够从多个维度对采购需求进行全面评估。具体而言，采购人员需要根据物料的规格、型号、产地、品质、品种等因素，结合价格合理性、物流方式、交货时间、税务影响等条件进行深入分析。通过对这些关键要素的综合剖析，采购人员能够制定科学、合理的采购决策。

（8）把握采购资源。采购人员应能依据各种产销资料，判断货源是否短缺；通过与供应商的接触，从其“销售”的态度，揣测物料供应的情况；从物料价格的涨跌，推断采购成本受影响的幅度有多大。如遇到供货不足的情况，要尽可能多渠道采购，降低采购成本，提高采购质量。总之，采购人员必须开阔视野，对物料将来供应的趋势走向预先谋划对策。

（9）虚心与耐心。在“买方市场”占优态势下，采购员虽然略占上风，但对供应商的态度必须平等互惠，切忌傲慢无礼。在与供应商谈判或议价的过程中，有时也许不会十分顺利，但这时的采购员就更要有不气馁的精神，以平和的心态圆满地完成采购任务。

（10）规避风险能力。正常情况下不与不熟悉的供应商做交易；在条件允许时应建立多重供应源而非单一供应源；通过严格执行规定的制度和流程管理，避免重复采购的风险。

九、采购流程管理

流程管理是以从始至终的工作流程为中心，通过优化企业采购运行方式、规范作业、降低损耗、提升效率以及优化服务等方式提升绩效的管理方法。

采购流程通常包括以下几个关键环节：首先，明确采购物品的需求种类；其次，筛选并确定合适的供应商；接着，通过与供应商建立比价关系，综合评估质量、价格、信用度及交货期等交易条件，进行洽谈并达成采购协议；最后，完成商品的购入、追踪、入库及结算等一系列管理活动。通过优化流程管理，企业可以合理减少不必要的环节，确保管理无疏漏，从而有效缩短流程周期，降低运营成本，提升工作效率。同时，科学的流程管理还能帮助企业更好地控制合同风险和法律风险，最终实现企业效益的最大化。具体的采购管理流程如图 2-3 所示。

十、采购的数字化、标准化管理

在当今数字化技术广泛应用的时代，随着市场商业环境的变化，采购不再是简单地采购物料和服务，它已成为企业发展战略的重要环节。传统采购管理通常以人工方式处理文件事务，不仅影响了采购流程效率，还导致管理成本增加。数字化采购管理为企业带来了前所未有的机遇，使得采购工作可以实现智能化、高效化管理。

（一）数字化采购管理的优势

（1）提高采购效率。数字化采购管理系统通过自动化流程、电子化文件管理和在线交流，减少了手工作业和纸质文件的使用，减少了人为错误和重复性工作。采购人员通过系统按流程处理订单发出、招标询价、合同签订、物料入库和发票结算等工作，从而节省了大量时间和人力资源，加速了采购流程的执行速度，大幅提高了采购效率，降低了采购过程中的管理成本和运营成本。

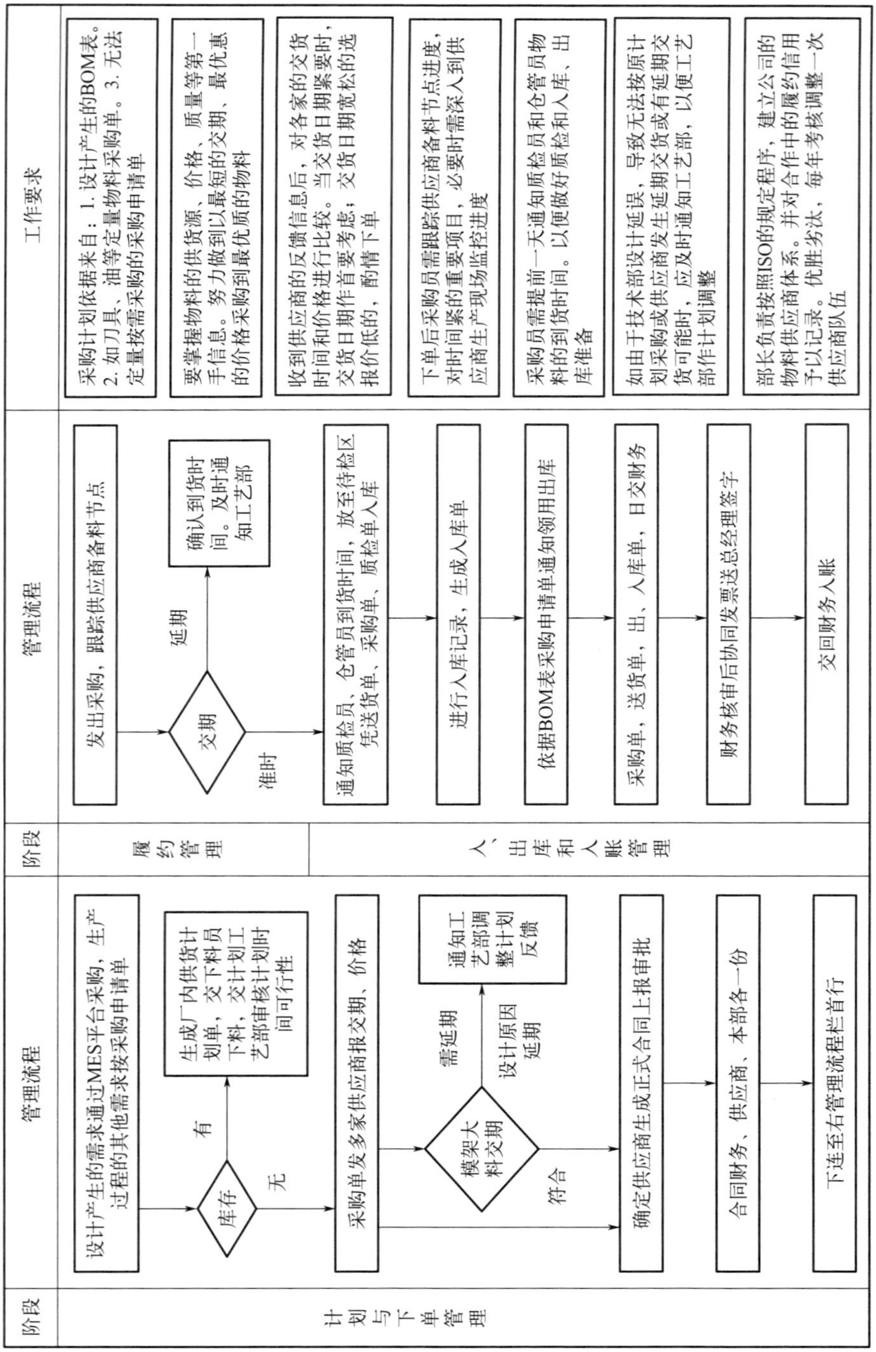
阶段
计划与下单管理
管理流程
设计产生的需求通过MES平台采购，生产过程的其他需求按采购申请单
库存
有
生成厂内供货计划单，交下料员下料，交计划工艺部审核计划时间可行性
无
采购单发多家供应商报交期、价格
模架大料交期
需延期
设计原因延期
通知工艺部调整计划反馈
符合
确定供应商生成正式合同上报审批
合同财务、供应商、本部各一份
下连至右管理流程栏首行
阶段
履约管理
入、出库和入账管理
管理流程
发出采购，跟踪供应商备料节点
交期
延期
确认到货时间，及时通知工艺部
准时
通知质检员、仓管员到货时间，放至待检区凭送货单、采购单、质检单入库
进行入库记录，生成入库单
依据BOM表采购申请单通知领用出库
采购单、送货单、出、入库单，日交财务
财务核审后协同发票送总经理签字
交回财务入账
工作要求
采购计划依据来自：1. 设计产生的BOM表。2. 如刀具、油等定量物料采购单。3. 无法定量按需采购的采购申请单
要掌握物料的供货源、价格、质量等第一手信息。努力做到以最短的交期、最优惠的价格采购到最优质的物料
收到供应商的反馈信息后，对各家的交货时间和价格进行比较。当交货日期紧要时，交货日期作首要考虑；交货日期宽松的选报价低的，酌情下单
下单后采购员需跟踪供应商备料节点进度，对时间紧的重要项目，必要时需深入到供应商生产现场监控进度
采购员需提前一天通知质检员和仓管员物料的到货时间，以便做好质检和入库、出库准备
如由于技术部设计延误，导致无法按原计划采购或供应商发生延期交货或有延期交货可能时，应及时通知工艺部，以便工艺部作计划调整
部长负责按照ISO的规定程序，建立公司的物料供应商体系。并对合作中的履约信用予以记录。优胜劣汰，每年考核调整一次供应商队伍

图 2-3 采购管理流程

（2）提高数据的可靠性。系统的自动化数据录入和核对功能降低了错误率，提高了数据的可靠性。系统能够随时访问实时数据和报告，更容易跟踪物流、库存和供应商情况，更方便了解供应链状况，有利于进行成本控制，也便于及时应对问题快速做出决策，降低采购风险。

（3）增强采购过程的可追溯性。采购管理系统将采购的每一个环节都记录在系统中，使得采购过程更加透明和可追溯。这有助于监控采购执行情况，及时发现和解决潜在问题。

（4）优化供应商管理。系统可以维护供应商数据库，支持合同的电子存档、审批和管理。系统可以实时跟踪供应商的绩效表现，帮助企业评估供应商的稳定性和合作能力，从而做出更明智的供应商选择。

（5）强化采购数据分析。通过管理系统，企业可以快速获取大量的采购数据。这些数据为采购决策和成本分析提供了重要依据，有助于识别潜在的优化机会。

（6）理顺库存管理。数字化采购管理系统可以帮助企业实时跟踪库存水平，自动触发补货，降低库存过剩或短缺的风险。

（7）实现移动访问。许多系统支持移动设备访问，使用户能够随时随地进行采购管理。

综上所述，数字化采购管理系统通过其多样化的功能和特点，为企业实现高效、精准、可控的采购管理提供了强有力的支持，成为企业数字化转型的重要工具。通过引入符合企业需求的信息技术和采购管理系统，企业能够确保系统与自身采购流程及管理要求高度契合，从而显著提升采购效率、降低采购成本、减少人为失误，最终实现更加精确和高效的采购管理。

在引入采购管理系统之前，企业需要对采购流程进行规范和标准化调整，确保采购管理流程与管理系统的一致性。在尚未开始数字化、信息化管理的企业，可以用活字格、快表、Excel 服务器等低代码软件平台，编制符合企业个性特点的采购管理平台，用于企业的物料采购管理。

（二）数字化解决方案的选择

选择数字化采购管理系统解决方案，首先需要确定企业对数字化采购管理系统的需求。从行业特点、企业规模、采购流程等方面，明确需要实现的目标，要确保它是能够根据具体要求进行定制、扩展的系统。数字化采购管理系统应该易于使用，能够集成到企业现有的系统中，如 ERP 系统、财务系统。

（三）采购标准化管理

标准化管理就是将平时一些重复的工作或者本来需要有经验的专业人员做的工作，编制成简便易行的标准管理工具，让一般工作人员就可以操作使用。采购部门需要编制的标准主要是价格核算标准。如电火花电极材料及加工费核算标准、模具大件机加工费核算标准、模具小件机加工费核算标准、非标定制件费用核算标准、定制模架费用核算标准等。还有就是相关的供应商管理标准、物资采购的具体流程、部门的岗位职责等。

以上的核算标准，技术人员可以用Excel编制自动计算的价格核算表，作为采购人员核算采购价格基数的管理工具。有条件的企业应该将已使用的标准编入采购管理系统模块中。

第四节 模具的外协管理

从企业发展战略及生产成本考虑，一般会将企业的模具生产能力维持在总产能的70%～80%。总产值超出企业产能部分的任务量，会依靠社会配套加工资源协作完成。

一、外协管理目的及重要性

（1）实现产能最大化。将企业不具优势的加工工序外包，可将缩减的固定资产投入资金有序转到增产的周转资金上，以实现产能最大化。

（2）平衡生产。在业务量出现适度范围内的负向变化时，仍可以收放自如地保证企业的满负荷正常生产，避免人力、设备资源闲置现象的发生。

（3）降低成本。模具协作厂家具有管理环节直接、“船小掉头快”的优点，且零件加工效率高、更专业。因此对于一些特定模具和零件，相比于自制，外协厂更具成本优势。

（4）释放加工任务的集中需求。当生产任务集中在一个时间段内时，为了保证生产计划的实现，就需要借助外协资源中的多家供应商来共同完成。

二、外协工作原则

外协工作是企业经营管理工作中不可或缺的重要组成部分。要遵循下列原则做好外协工作。

（1）建设供应商伙伴协作体系。对有意愿进入公司供应商名录的加工商，按照ISO质量管理体系认证文件的相关规定程序进行资格审查，择优录取。对已经进入名录的供应商，就质量、交期、价格和服务四项履行状况进行动态的考核，优胜劣汰。建立可靠稳定的外协加工商资源。

（2）与供应商合作共赢。要从共同发展的高度上认可所有的合作商都是企业发展的同行者，在互需中合作，在合作中双赢。只有实现融洽平等的伙伴共赢关系，双方的合作才会持久。

（3）监督加工进度。外协管理员要巡视重要工件的加工质量和线上汇报进度状况，监督外协商在商定的时间前上机加工和回传上机现场照片。外协件加工延期不影响模具交期的，通知相关部门即可；影响交期则尽快上报部长处理。

（4）不合格品处置。产生不合格品，供应商可返工解决而不影响交期的，允许外协管理员自行线下处理；除此之外均需走线上流程，严禁外协商擅自烧焊。

三、外协管理员的素质要求

（一）品德与修养

（1）作为一名外协管理人员，首先要有一份忠诚的敬业精神。要对企业的每一笔外协成本支出精打细算，把好关。

（2）具有良好的沟通协调能力是外协人员做好外协工作的重要条件之一。在管理工作中必须与不同岗位的人员打交道，比如供应商、部门同事、一线员工、上级领导。良好的沟通协调能力能建立融洽的工作人际关系，能让你在工作中得到领导的支持和同事们的帮助，并且在落实管理目标时自然也会得到相关人员的充分理解和积极主动的配合。

（3）坚持公平、公正，要平等对待供应商。在外协工作中外协管理人员既要坚守工作原则，更要通情达理。

（二）知识

（1）掌握模具制造加工工艺知识。

（2）掌握模具零件加工成本核算等相关的财务知识。

（三）技能

（1）能熟练使用管理需要的各类办公软件进行管理办公。

（2）通晓公司信息化管理软件和公司模具生产管理流程，特别是本部门的管理流程，并在实际工作中能认真执行和熟练应用。

（3）能熟练地用 UG 等 CAD 软件查阅模具结构设计图和模具零件 2D、3D 图。

四、确保零件按期交货的管控点

（1）生产部在接到设计评审阶段的数据后，按照项目计划和模具结构，向技术部提出零件设计数模及BOM表（物料清单）分批下发的节点时间（一般要求在动模、定模数据确定后，三至五天内分批完成）。

（2）零件BOM表下发后，采购部按规定周期完成采购（一般在三至五天内采购到库）。

（3）生产计划部根据工件工艺路线，通过MES（制造执行系统）按照装配节点，自动倒排各加工件工序节点计划。

（4）外协组检查领取零件备料后，按工序节点计划尽早发出（一般在三至七天内加工完成）。

（5）外协组负责组织加工件运输交接，跟踪加工进度和质量。

（6）外协返厂经质量部门完成验收后，外协组负责及时将外协件送到钳工工位或指定区域，同时做好当面交接并会签。

五、按钳工装配工序计划考核外协

模具进入生产制造阶段，主要分成两大部门来管理，即机加工管理和钳加工管理。而钳工工序的完成，则由机加工工件的条件来决定。

因此，在确保模具零件内外加工质量并满足模具项目按时完成的前提下，对于加工工时在个位数内的小件，允许在动模型芯与定模型腔等加工周期较长的大件工序完成前提交装配。这种大件与小件之间的加工时间差，已为小件的加工预留了充足的准备时间。然而，在实际生产中，部分公司仍存在因某些模具加工零件未能及时交付而影响模具装配节奏的情况，从而导致整个模具项目的计划进度延误。

我们一直强调模具生产过程中计划和管控的重要性，越是容易做到的事情往往越容易被人忽视，而“小件问题”恰恰是生产计划性管理不到位的一种突出表现。就“小件问题”而言，要做好项目节点计划下的小件生产计划。计划内容包括：设计部小件数模和BOM表交付、采购材料到位、生产部提交加工坯料、下达任务、小件管理组完成任务后送检、质量部检验交付钳工。

以上这些环节的计划时间，以及在执行中各节点完成的实际时间都要有记录，以便可以追溯到相关岗位者的履责状况。

如果计划不当，往往会导致前期失管、后期顾此失彼的现象。

要定计划、按计划、规定好各节点的完成时限，在源头设计时就开始抓。实际上在模具工厂，小零件影响模具装配工期的现象还是很少见的。

六、外协管理流程

模具零件的外协管理流程如图2-4所示。

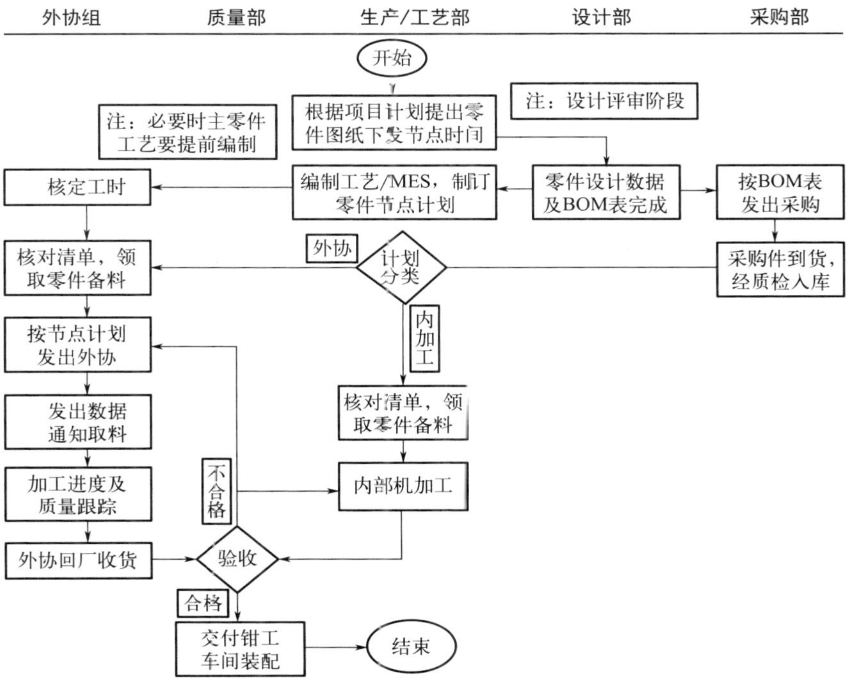

图 2-4　模具零件外协管理流程

七、外协合同参考模板

模板一：模具加工合同

甲方：　　　　　　（以下简称甲方）　　　　　　合同编号：000000

乙方：　　　　　　（以下简称乙方）

一、承制项目

序号	模具名称	模穴数	产品材料	模具钢材			价格/万元	产品图片	首次交样时间	交模时间	备品备件
				定模	动模芯	镶夬					
1											参照《模具规格书》
2											
3											
4											
5											
6											
合计											
合计金额（大写）：											

二、模具数量

模具数量以副为单位。

三、交货期

（一）各模具交货期见上表“承制项目”，乙方提供的试模样件应符合图纸及试制要求，是否符合要求以甲方出具书面确认文件为准。

（二）在合同规定的时间内乙方将模具送到甲方指定地点，并达到批产状态，是否达到批产状态以甲方出具书面确认文件为准。

四、技术要求、质量要求及验证标准

（一）乙方依据甲方提供的开模用产品3D数据、模具规格书、技术协议书、企业注塑模具标准、开模用塑料收缩率及相关要求设计制造模具。乙方对三维图有疑问或不理解时，须及时向甲方询问清楚，乙方疏忽或擅自处理的一切后果由乙方承担。

（二）乙方设计的模具设计装配图须经甲方评审确认后方可进行模具的制作。

（三）在模具制造过程中，任何涉及产品和模具的设计更改均须由甲方签字确认，否则无效；

如果甲方由于项目调整而改模，乙方应无条件配合，由此产生的费用和工期延误由双方商定。

五、模具试模验证

乙方应在试模前两天通知甲方，并在现场全程负责试模验证。甲方根据需要派人员到现场参与验证。

验证内容主要包括但不限于：模具结构工艺性需符合生产实际要求，模具闭启运行正常、冷却均匀、控制良好，在工艺及生产条件正常的情况下连续生产500件，末100件合格率在99%以上等。模具验证以甲方零件图纸、技术协议和整机合理性及甲方认可的其他有关标准、规范为依据。

六、双方责任

（一）乙方负责模具的开发制造，按合同规定的时间完成，并对模具的品质、零件的结构合理性及装配合理性负责。

（二）乙方必须在甲方指定的供应商处采购材料、配件，并提供模具钢材质保书及发票。乙方未从甲方所指定供应商处采购规定材料的，一经核实乙方必须按照甲方要求进行更换，同时甲方按照指定材料价格的1倍对乙方进行处罚。

（三）乙方必须每星期向甲方通报模具制造进度，必要时每三天通报一次。

（四）甲方应按需求产品数量提供试模产品的原材料。

（五）甲方应按合同规定支付模具款。

七、违约责任

（一）因乙方原因未按照约定日期进行试模交样以及延期交付模具的，每超过一天罚 1% 模具款，累积计算。逾期超过 20 天的，甲方有权解除合同，乙方除退还甲方已付款项外，还应向甲方支付本合同总价款 1 倍的违约金。

如由于甲方设计更改原因造成模具及产品交货期延长，则由甲方负责。工作量大的模具整改费用由甲方承担。

（二）如乙方不配合甲方提出的模具整改要求或模具经三次整改（由同一原因引起的整改）仍达不到要求的，甲方有权另行委托第三方整改模具，费用由乙方承担（在约定的违约金之外）。

（三）乙方制作的模具无法通过模具验收的，乙方应无条件退回甲方已支付的所有款项，并向甲方支付本合同总价款 1 倍的违约金。同时，甲方保留向乙方追究一切损失的权利。

（四）因乙方违约而应向甲方支付的违约金或其他损失赔偿款项，甲方有权从应付货款或保证金中直接扣除。

（五）人力不可抗力：由于合理控制范围外的事件“人力不可抗力”的发生，乙方交货延迟或不能交货时，责任不在乙方。但乙方应于事故发生后 3 天内将政府主管机关签发的事故证明书交甲方为证，并取得甲方认可。

在上述情况下，乙方仍然负有采取一切必要措施从速交货的责任。如果事故持续超过 2 个月，甲方有权撤销本合同。

（六）乙方不得单方中止或终止本合同之履行，否则应向甲方支付合同总金额 2 倍的违约金及超过违约金部分的直接和间接经济损失。

八、模具发运前预验收

（一）预验收在甲方进行，模具加工完成后，乙方将模具送至甲方并派相关人员来甲方参与验收。

（二）预验收时以甲方提供的模具规格表、技术协议、甲方注塑模具标准、双方确认的图纸、整机装配结构的合理性为依据。

九、交货地点

十、付款方式

合同生效后，甲方一个月内支付合同款总额的 30%（承兑汇票）；模具交付至甲方并预验收合格后，乙方开具 13% 增值税全额发票给甲方，甲方支付合同款总额的 30%；模具经甲方客户验收合格后，甲方支付乙方合同款总额的 30%；余款 10% 在模具经甲方客户验收合格并生产 5000 套后或 6 个月后付清（承兑汇票）。

十一、产权归属与保密承诺

（一）甲方对本合同项下模具享有完全的所有权，可根据需要对模具进行调动、处置等。

（二）本合同项下模具及利用模具生产制件的知识产权为甲方享有。乙方不得向任何第三方出示、泄露、提供本合同项下的模具（包括图纸等技术资料、零件样品及模具等实物），也不得使用该批模具为第三方提供制件。不得复制、仿制为甲方加工的模具。

（三）乙方对所知悉的甲方商业秘密信息、技术秘密等（包括但不限于甲方的样品、技术资料等）负有保密义务。

（四）本合同履行完毕后，甲方有权随时要求乙方归还上述保密资料；乙方接到甲方的归还通知后，应在 3 日内将上述所有保密资料安全送至甲方。

（五）本保密条款在本合同有效期内及有效期满后三年内均为有效。

十二、解决合同纠纷的方式

凡有关本合同或因执行本合同而发生的一切争议，应通过友好协商解决。如不能协商解决，则由甲方所在地法院管辖。

十三、合同生效及其他

（一）本合同自双方签字、盖章后生效。本合同附件作为本合同不可缺少的组成部分，与本合同具有同等法律效力，若本合同附件与本合同条款有冲突，以本合同为准。

（二）未尽事宜由双方协商解决。

（三）本合同一式二份，甲乙双方各执一份。

甲方：	乙方：
（盖章）	（盖章）
代表签字：	代表签字：
	年　　月　　日

模板二：模具零件外协加工协议书

为规范外协管理，确保外协加工件按时合格交付，特签订本协议。本协议适用于所有精雕、CNC、线切割、EDM（电火花）、抛光、蚀纹、深孔钻、焊补等委外加工项目。

一、加工任务的确定

（一）外发加工的零件，由工艺部核定加工费，然后由不少于两家的加工商报价，选择价低者成交（小额的加工业务双方事先定价即可）。

（二）由甲方成本控制员负责工时费用的审核，并由生产部门开具外协加工单。

（三）加工单据不得涂改，有更改的需甲方签字确认，有涂改且解释不清的可以作废。《加工工艺单》是结算依据，遗失一般不补。

（四）未履行正常程序委外加工的，加工费由当事人自负。

二、加工内容与要求

（一）以甲方向乙方提供的 2D/3D 图数模、《加工工艺单》为依据。

（二）乙方发现加工内容有疑问的，需主动向甲方提出，不允许未征得甲方认可擅自加工，以避免导致不良后果。

（三）乙方接收甲方的工件时需确认工件状况（如有无损坏、碰伤等现象），乙方在工件加工前后均需做好防锈措施。

三、质量要求

（一）工件加工后的型面无残留的水、污油、铁屑，边角不刮手。精加工部位表面光滑、平整，无划伤，无锉刀痕。

（二）加工前后的工件要整齐摆放、不重叠，工件与工件之间保持一定的间隙或用软布类材料隔开，避免碰撞损坏。

（三）工件有锋口、棱角要求的，用软布或珍珠棉包装保护，防止磕碰。

四、尺寸及精度要求

（一）精雕、CNC、EDM、线割，加工余量按标准控制。加工部位的尺寸公差，按加工工艺单和加工技术标准的要求加工。

（二）抛光质量按抛光加工合同及相关工艺要求验收。

（三）皮纹蚀刻要求：按纹理样板及具体要求制作，注意对不蚀纹型面进行保护，避免蚀纹药水造成不蚀纹面麻点及模具生锈现象。

五、交货与结算付款

（一）乙方按照《委外加工合同》《加工工艺单》约定的工期交货。

（二）乙方如不能按期交货，应提前通知甲方，并向甲方作出解释。

（三）乙方人为原因导致延期交货将直接影响到此笔加工费的付款期，延期交付一天，付款推迟15天；延期交付2天，付款推迟30天；延期5天以上，推迟6个月付款。

（四）乙方选择符合安全法规的运输方式，将完成的工件交付至甲方工厂外协待检区域。

（五）工件交付时，乙方需提供工件自检合格的尺寸及外观检查报告。

（六）加工单位必须于当月10日至15日结上个月的加工费，25日前开票并交给甲方。超过结算期1个月不结的，则视为放弃结算，自愿清零。

（七）加工费一般在甲方入账后三个月内予以支付（如有困难可适当延迟）。

六、服务品质保证

（一）当加工中出现不确定情况时，乙方必须积极配合甲方，现场协商解决。

（二）加工出错应及时通知甲方，不得隐瞒。擅自烧焊的初次罚××元，二次罚××元，三次取消加工商资格。

七、不合格品处置

（一）经甲方检验发现加工件不合格，由甲方外协人员拍照做PPT并协调相关人员（包括乙方）予以处理。

（二）因乙方责任导致的不合格加工件，其返工、返修、报废重做等费用由乙方负责。

（三）甲方开出不合格处理单，乙方需到甲方确认签名，超过1个工作日未确认，即代表乙方认可并接受甲方不合格处理单中的处理意见。当出现异议时双方可进行商谈，经乙方签名确认的赔偿费用从乙方加工款中扣减。

八、乙方有以下情况，甲方有权单方面终止协议

（一）加工出错，私自烧焊。

（二）质量达不到要求，不改进。

（三）加工出错，连续2次以上。

（四）多次拖期超过3天，严重影响甲方交期。

（五）在合作中有请客、送礼、送回扣等不当行为。

以上协议双方签字同意，共同信守。

甲方：　　　　　　　　　　乙方：

代表签名：　　　　　　　　代表签名：

年　　月　　日

第三章

模具制造过程计划与管控

第一节　模具的项目管理

模具项目应以满足市场需求为核心目标，通过科学规划明确项目的起点和终点，确保项目全过程的顺利实施。项目在启动之初即受到先决条件的限制，同时需在成本预算的约束下进行，并严格界定工作范畴。最终，模具项目旨在通过高效执行和精准管理，实现预期的成果，从而满足市场对产品质量和交付时间的要求。

模具产品特点是制造流程长、工艺变化多、产品重复性少、制作模式多样化。每个模具项目均有其独特之处，而且每个项目在实施的过程中一般都会发生变化和调整。

项目管理的内涵就是规划、指挥、协调、管控，完成好项目任务，努力满足客户的要求，以给未来的新项目奠定基础。

如何更好地完成项目任务，项目管理方法及项目经理的综合能力就显得尤为重要。

一、项目管理的特殊性

只有知道模具设计与制造过程的复杂性，才能领会模具项目管理的特殊性。

（1）高技术含量。模具设计与制造是一项技术含量非常高的工作，其成功实施离不开计算机软硬件、模具设计软件、模拟分析软件、数控编程加工软件、逆向工程软件以及精密测量系统等先进工具的支持。如果没有高端数字化技术和设备作依托，就很难制造出高质量的模具。

（2）设计变更多。随着消费市场对商品性能和外观美观的要求日益提高，产品设计师在新产品开发过程中不断追求更加完美的目标。有的甚至在模具的制造过程中还在持续不断地更改产品设计，因此也给模具产品的制造带来了不断的变化，尤其是发生在模具制造后期的更改，对模具的综合影响更大。

（3）交货日期紧。由于受市场竞争因素的推动，产品设计一旦完成，留给模具开发的时间非常有限，模具制造商为了能尽量满足交期要求，已将模具的前期开发阶段前移到与客户产品设计的后期阶段相衔接。制造过程中的一些环节，像模架、钢料、标准件的采购周期，以及模具的试模调整时间都是固定的，留给压缩交期时间的空间极少。

（4）赢利难。随着模具制造数控技术的普遍应用，模具制造产能也随之大幅度攀升，企业间的市场竞争使得模具利润空间受到采购商的极度挤压。在生产过程中，模具成本与工艺、质量和交期关系紧密。模具质量要实现一次合格、少有修改、交期缩短，企业才能降低制造成本，才能赢利。

正是模具制造本身的这些特点，使得模具项目管理的权重加大。怎么样才能在最短的时间内生产制造出客户满意的模具，并且获得相应的经济效益，这就给项目管理提出了更高的要求。

二、项目管理流程

在项目经理负责制的管理模式下，项目经理对项目流程管理内涵的理解和自觉执行、正确运用，最终会对所管理的项目结果起着至关重要的作用。项目管理流程简图如图 3-1 所示。

（一）项目启动会议前的技术准备

按照合同约定，把客户的商务信息及与模具相关的技术标准和要求，逐个对应填入“模具设计制造规格书”表单，形成设计制造的指导性文件。该指导性文件是整个项目生命周期的技术依据，要在项目团队（包括从设计到制造）内进行分发、宣讲和培训。聚焦同一个目标是项目有效推进的关键一步。

对长期客户，应该根据历史资料归纳编制“模具设计制造规格书”标准库。需要时从客户标准库中复制出表单，进行填写。为了方便使用，规格书中不同标准部分的待填空格，可用不同颜色做醒目提示。

今后可陆续补充新客户加入标准库，企业制定好“模具设计制造规格书”（图 3-2）后，可减少工作量并提升工作效率。

项目经理必要时还得参与设计部对产品数模完整性、产品设计适应注塑条件和模具制造工艺的审定与沟通。

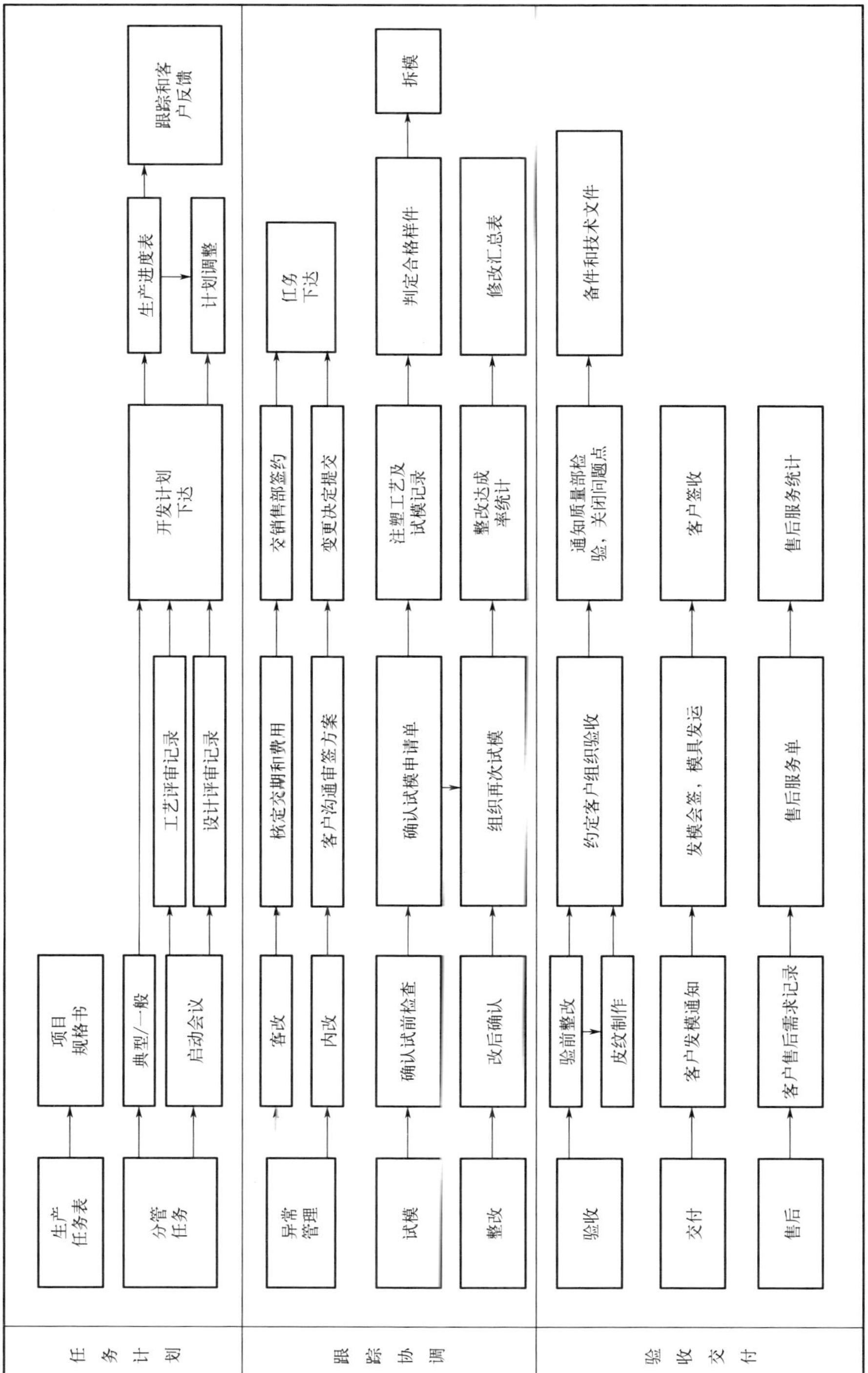

图 3-1　项目管理流程简图

模具设计制造规格书

类别	序号	项目	内容
A 基本信息	A-1	模具编号	
	A-2	客户编号及客户名	
	A-3	联系部门、人员、电话	
	A-4	E-mail	
	A-5	制品3D图、样品	
	A-6	客户注塑机资料	
	A-7	文件名、编号	
	A-8	试模塑料提供	
	A-9	产品名/材料/颜色	
	A-10	收缩率/‰	
	A-11	产品表面要求	
	A-12	模具尺寸($H\times V\times T$)	
	A-13	模具尺寸制式	
	A-14	模穴数	
	A-15	成型周期	
	A-16	模具寿命数	
B 成型要求	B-1	适配塑机(T)	
	B-2	塑机拉杆内距	
	B-3	塑机模厚范围	
	B-4	定位环直径	
	B-5	喷嘴伸入模深度	
	B-6	装模螺孔	
	B-7	喷嘴孔径/端部R	
	B-8	取件/取料把方式	
	B-9	出水口位/螺纹	

类别	序号	项目	内容
C 客户重点约定	C-1	最终设计资料提供日期	
	C-2	首次试模日期	
	C-3	T1送样日期	
	C-4	TN送样合格日期	
	C-5	交模期(模具量产)	
	C-6	客户需审批模图后订购模材	
	C-7	模具包装运输规定	
D 标识	D-1	进出水口标识	
	D-2	刻字方式	
	D-3	基准标识	
	D-4	顶杆限位及标识	
	D-5	定模侧敲上TOP钢印	
	D-6	水路铭牌装定	
	D-7	热流道铭牌装定	
	D-8	模具铭牌装定	
	D-9	模具涂漆/颜色	
E 随模提供	E-1	出模时需随带试模件	
	E-2	需钢材质保书	
	E-3	需硬度检测报告	
	E-4	需模具备件及清单(弹簧，顶针，司筒，防水圈)	
	E-5	EDM电极	
	E-6	模具使用维护说明书	
	E-7	3D设计、2D零件图	

类别	序号	项目	内容
F 模具用材	F-1	模架	
	F-2	定模	
	F-3	定模芯	
	F-4	动模板	
	F-5	动模芯	
	F-6	滑块/顶块	
	F-7	顶板导套料	
G 标准件配置品牌	G-1	顶杆、顶管类	
	G-2	热流道/接插件	
	G-3	油缸	
	G-4	油嘴接头	
	G-5	吊环	
	G-6	耐磨块	
	G-7	导套	
	G-8	滑块压条	
	G-9	滑块底耐磨块	
	G-10	集水器	
	G-11	集油器	
	G-12	模次计数器	
	G-13	行程开关	
	G-14	斜顶块标准件	
	G-15	氮气弹簧	
	G-16	螺钉	
	G-17	水嘴铜快接	
	G-18	水嘴塑快插	

类别	序号	项目	内容
H 结构设计与规格要求	H-1	模具结构	
	H-2	模腔排列	
	H-3	导柱形式、标准	
	H-4	动/定模定位	
	H-5	模芯与模框定位	
	H-6	前后模定位	
	H-7	浇口套SR/小端口径	
	H-8	热喷嘴数量	
	H-9	进浇口形式/数目	
	H-10	主吊环规格	
	H-11	脱凹槽抽芯方式(选留结构设计中的需求项)	
	H-12	斜顶杆导孔方式	
	H-13	顶出复位方式	
	H-14	滑块限位方式	
	H-15	复位传感器开关	
	H-16	撬模位/两侧锁条	
	H-17	模板倒角	
	H-18	产品薄壁部位冷却	
	H-19	圆形模芯定位	
	H-20	分型面贴合面积	
	H-21	模具放置支撑柱	
	H-22	定模表面要求	
	H-23	动模表面要求	

图 3-2 模具设计制造规格书

（二）召开启动会议并制订项目开发计划

（1）在正式取得客户的产品数据后，一周内由项目经理召集设计、工艺、生产、采购等相关部门，及时召开项目启动会议。传递项目订单的基本信息和客户要求，沟通落实部门节点，商定项目开发计划各阶段时间节点（图 3-3）。

模具制造主要节点								
项目启动会	模具设计评审	主材BOM表	设计确认	3D数模下发	主材采购发出	主材采购到库	模料全部到库	标准件到库
型腔CNC加工	型腔电加工	型芯CNC加工	型芯电加工	配模抛光组装	合模	T0试模	T1试模送样	发模日期

图 3-3　模具制造主要节点

（2）召开启动会议前要充分做好准备工作，应了解各部门产能状况，制订开发初步计划、质量预防和成本控制目标等讨论稿，并在开会前与相关部门充分沟通，这些工作通常应在领受项目任务后 1 ～ 2 周内完成。

（3）由于客户数据的未锁定、内部设计待确认等关键节点的不确定性，启动会议先制订项目开发的初步计划，待先决条件确定后再做相应调整。

（4）对于简单、典型或复制项目，可简化流程，但必须制订开发计划并经相关部门会签后下达。

（5）项目开发计划所有的节点时间调整要有记录和会签，以项目启动会议记录换版方式，保留可追溯性。

（6）书面调整次数和时机根据计划管理需要而定，由项目经理掌握。

（7）调整影响合同交期的，需及时向上报告。

（8）根据项目开发计划，生产部、工艺部应跟进制订“生产进度表”和“模具制造日程计划及实际进度表”。如有客户需要“生产进度表”，项目经理应及时提交并征求客户的反馈意见。

（三）模具设计评审和工艺评审

管理的最终目的就是要求在最短的时间内，以最低的成本，生产出满足客户质量要求的模具产品。模具设计和模具加工工艺是影响模具生产周期、成本和质量的两大要素。项目经理在评审中需要凭借自己的经验履行以下职责：

（1）对模具结构的合理性和可靠性提出优化意见。

（2）在模具结构设计中，应对制造、试模过程中发生的因为设计出错导致更改的风险作出评估。

（3）检查模具设计及标准件选用是否符合客户标准，关注设计中是否存在低标准高配置或高标准低配置现象。

（4）工艺评审要对模具零件的加工工艺路线、工序工艺的合理编制及对质量和成本的影响作出评估。

（四）制造进度监控和异常管理

项目进入实施阶段，项目经理要按照已制订的开发计划，检查督促部门按节点按时完成工作；上一工序工作如出现延迟，要协调下游工序采用补救措施，以保证节点计划时间；要记录重要节点完成的绩效情况，形成部门计划管理绩效考核依据。

将项目实施过程中发生的客户更改和各种原因导致的内改归纳为异常管理。项目经理对异常情况的处置管理，应遵循下列原则：

（1）凡是影响制品外观和尺寸、改变原模具设计和补焊等修改处理方案，项目经理要严加审核后与相关方会签。

（2）跟踪记录项目生产过程中发现的变更情况（内容、原因、成本等），保留必要的由于客户原因变更的证据（设计阶段的工程变更由技术部负责）。

（3）对客户提出的变更，要评估变更对交期、质量的影响和变更的成本，与客户沟通变更方案的优化，提示客户变更的风险。

（4）核定交期和费用，输入 OA（办公自动化）系统中审批，并提交销售部签订客户更改协议。

（5）导致生产延期的原因很多，项目经理首先要进一步确认对交期的实质性影响，向客户做出合理解释以获得谅解和配合。自身则积极参与制订生产应急计划，并负责协调相关部门执行。

（五）试模验证及模具整改

每次试模尤其是首试，要召集客户和相关人员参加。减少试模现场的准备时间非常重要。项目经理一般要提前三天填写试模通知及记录单（图 3-4），通知试模组按通知单中罗列的要求做好试模准备。项目经理要提前检查模具状态和试模设备、原料及通水通电等条件是否到位，以保证试模活动高效顺畅。

项目经理在首试时负责根据技术部提供的模具流道分析报告，制定合理的试模工艺方案，指导现场调试；通知钳工参与现场试模，随时处理试模过程中可能发生的模具调整问题。

项目经理负责判定试样的合格状态，需要向客户寄送的试样即时落实发运；掌握试模现场资料，保管并存放试模样品及最终的注塑工艺参数记录（图 3-5）。

试模通知及记录单											整理版次	2		
											文件编号	MF-CXGL16		
模具编号			模具名称			模具组长		□烘料____℃____小时						
试模地点			试模机台			项目经理		□接冷水，□接热水/油___℃						
送样数量			要求颜色			主试人员		□准备___型温控箱____点						
打样数量			试模时间			塑料牌号		第□1□2□3□4□5□6次试模						
备料	新料__kg，回料__kg		实耗	新料___kg，回料___kg		塑料厂家		试模原因						
包装要求	木箱□纸箱□	规格		薄膜袋□气泡袋□	规格		隔板规格		每箱数量		产品注意事项	焦料/料花/飞边/顶白刮伤/流痕/熔接线/缩痕		
		数量			数量		隔板数量							
试模工艺	成型周期监测(s)	合模___s，射出___s，保压___s，冷却___s，开模___s，取料___s，共___s。												
	项目	一段	二段	三段	四段	五段	六段	螺杆压力		螺杆速度				
	料筒温度							螺杆位置		顶出位置				
	注射压力							动模温度1		定模温度1				
	注射速度							动模温度2		定模温度2				
	注射位置							热流道温度	1st		5th		9th	
	保压压力								2nd		6th		10th	
	保压速度								3rd		7th		11th	
	保压时间								4th		8th		12th	

图 3-4　试模通知及记录单

项目		试模结果(详细描述问题点)		油缸抽芯			
现场验证	空程试验(顺畅度、异响、推板复位)	正常□		项目	位置	速度	时间
	冷却(水温、模温、模温平衡性)	正常□		抽芯1			
	活动件(行程、限位、干涉)	正常□		抽芯2			
	充胶流动平衡/浇口位置数量	正常□		抽芯3			
	注射压力(填充、保压)	正常□					
	水路/油路密封性(方便性)	正常□					
	推板行程/取件方便(顶出平衡性)	正常□					
	主流道冷料去除(冷料井合理性)	正常□					
	热流道无树脂泄漏	正常□					
	温控箱/热电偶设置(测温准确)	正常□					
	三板模动作/拉距(平稳、合理)	正常□					
制品检查	分型线与样品/图样符合性	符合□					
	焦料/气纹/缺料/飞边	正常□					
	熔接线/缩痕	正常□					
	壁厚/主要尺寸的符合性	符合□					
	翘曲变形/顶白(顶出平衡性)	正常□					
	脱模斜度/表面擦伤/粘模(皮纹面)	正常□					
	可装配性验证(现场装配调整)	正常□					
首试验证	考核项目		原因分析	责任方	合格与否判定		会签
	试模超时	□			钳工首试合格□	设计首试合格□	
	在机修整超时	□					
	试样不合格	□			钳工首试不合格□	设计首试不合格□	
	模具状态不合格	□					
调机人员：			模具组长：		审核：		

图 3-5　试模结果记录单

模具的整改试模阶段是项目管理的重要节点，目标是达到尽可能少的试模次数（主要考核项）。不能因为模具上整改点的工作疏漏或者整改方案的不当，而导致反复修改、无效试模的现象发生。一副 5 吨重的模具，修改模试模一次费用约在 5000 元上下，反复几次修改就会减少利润，甚至发生亏损。

三、 整改项目的制定依据

（1）亲历试模验证现场：模具需要整改的各种问题，绝大部分会在试模验证时暴露。因此，为了能够掌握现场第一手资料，项目经理必须自始至终在现场参与协调试模。收集、记录试模中发生的现场解决和不能解决的所有情况，然后梳理出试模发现的所有整改点。

（2）征求钳工意见，补充整改点。对模具制造情况最了解的应该是钳工。要重视发挥钳工经验的作用。

（3）填写模具整改记录考核卡，如图 3-6 所示。

MFB07-04-1　　T(2)　试模后修改　　开单日期：2021年　月　日

模具名称				设计		补时	天	限定完成时间	
模具编号		项目		再试日期		逾期	天	实际完成时间	
进度要求	■特急　　□急　　□正常								

部位	原由	整改内容简述	对应整改方案	试前自检	试后复检
1	Q	顶杆飞边			
2	Q	分型面飞边			
3	Q	顶块铲胶			
4	Q	定模抛光不到位			
5	Q	顶白			
6	J	尺寸与3D数据不符			
7					
8					
9					
10					
11					

图 3-6　模具整改记录考核卡

（4）注塑成品检测：目测产品注塑缺陷，检测产品几何尺寸，并依此制定模具问题整改点（图 3-7）。

（5）客户意见反馈。样品送交客户后，项目经理要跟进沟通，争取尽早取得客户的反馈意见，以完善模具整改单中的所有整改项目。

<table>
<tr><td colspan="3">模具及制品整改部位指示图</td></tr>
<tr><td colspan="3">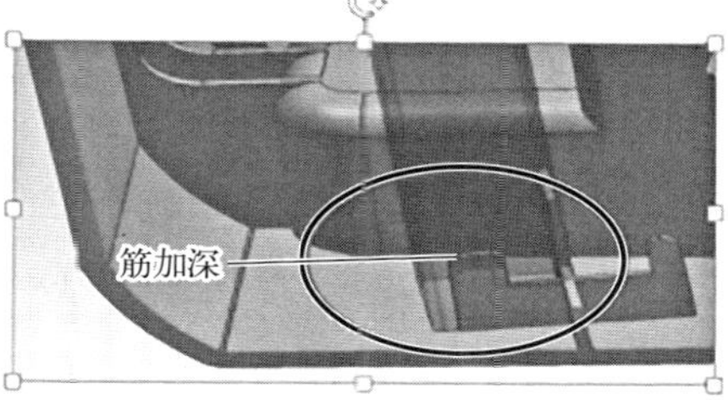
</td></tr>
<tr><td rowspan="2">说明</td><td colspan="2">1. 整改原由按代号填写，客户原因K，模具设计原因S，机加工原因J，钳工原因Q，其他原因T</td></tr>
<tr><td colspan="2">2. 未能按再试日期完成的超过时间填写在逾期栏内</td></tr>
<tr><td>确认签字</td><td>钳工：</td><td>项目负责：</td></tr>
</table>

图 3-7　模具问题整改点

模具整改方案的制定最能体现项目经理的技术水平。好的整改方案应该是既省时、省钱，又能让整改一步达标不再重复的方案。

对模具存在问题原因的判断和解决，犹如医生看病、治病、会诊。因此对于整改中的一些疑难问题，要启用团队的智慧制定整改方案，这是大幅降低反复整改试模率的重要环节，但在实际的管理中必须硬性规定、切实履行。

整改后及试模前，项目经理要在钳工自检后，再次确认没有整改遗漏及整改不到位现象，以杜绝整改遗漏及整改不到位导致的无效试模。

四、模具整改注意事项

（1）项目部提出更改申请，直接或书面与设计部交接。

（2）所有整改都要有书面指令，对整改要求可以结合样品进行描述，并向钳工组交代清楚。

（3）项目经理负责向钳工组交代整改任务，传达客户要求。

（4）项目部编制修改模任务汇总表和修改模达成率统计表。修改模任务汇总表以流水账形式登记修改模具的任务信息，包括模具名称、整改时间、试模次数、钳工组长、项目经理等信息，用颜色区分完成状态，提供给模具车间管控模具作业进度，平衡钳工组生产，避免模具整改工作非正常停滞。

（5）需要拆检的模具一般安排在 T0（首次试模）或 T1（第一次整改后的试模）之后。项目经理根据模具整改周期及时合理安排拆检计划，通知模具车间落实具体拆模时间。

五、模具的验收、交付及售后

整改完毕，经质检部门确认并关闭所有的问题整改点后，项目经理要整理好模具交付所需的设计数模、注塑工艺参数表、CAE 模拟分析图、模具使用说明书、装箱单等所有资料。有提供备件约定的应整理好备件，并做好发模准备。

模具滞留在工厂的时间越长，资金占用的成本就越高，因此，项目经理要尽早发模并时时催促客户验收，模具交付客户后要认真做好售后服务工作，并争取早日回笼项目模具应收账款。

整理好项目管理全过程的所有资料，建立项目档案并归档。

六、项目管理过程中的信息收集和共享

项目经理要掌握详细的、真实的、涉及项目的所有重要信息。项目经理每天上班要做的第一件事情就是处理来自外部和内部的项目信息。如何做到有效快速地处理信息？首先要对信息进行分类：第一类属于需要指派别人工作才能完成的信息，第二类是需要自己亲自工作才能完成的信息。信息处理的顺序先是第一类，然后是第二类。在处理信息的同时，要做好记录和归纳、统计工作。筛选信息首先是按项目归类，每一个项目模具的信息主要按图 3-8、图 3-9 罗列的各管理表单分类归集。

七、项目经理任职资质

（一）品德与涵养

作为一个受聘于企业的职业经理人，首先要有一份无私奉献和忠诚的敬业精神，为人阳光、敢于担当、宽容、豁达，能与人融洽相处，善于沟通。

（二）理论与实践知识

（1）要有丰富的塑料模具结构设计知识和实践经验。

（2）熟知模具金属材料的机械性能及其在塑料模具上的应用。

（3）熟知常用塑料原料的牌号、性能及其与注塑生产相关的实际参数。

（4）掌握模具制造加工工艺和注塑加工工艺知识。

（5）与模具成本核算等相关的财务知识。

（6）社交场合人际交往的礼仪知识。

返回首页

输入文件		
文件来源	表单文件名	文件位置
营销部	模具生产任务表	营销部文档位置
	项目模具规格书	
技术部	产品工艺性和模具结构方案评审通知	内部网络通信方式
	产品数据和收缩率锁定通知	
	设计评审通知	
计划工艺部	工艺评审通知	
	开发计划、节点调整、锁定首试日通知	内部网络通信方式
技术部计划工艺部	通知设计节点延期	
技术部	正式模具设计数据	技术部文档位置
计划工艺部	主零件工艺计划及进度表	计划工艺部文档位置
营销部	客户变更通知单	营销部文档位置
	客户变更协议	
钳工组	试前模具检查表	钳工车间

输入文件		
文件来源	表单文件名	文件位置
模具车间钳工组	试模申请单	钳工车间
试模车间	试模日期确认单	项目部
客户、营销部	试模后客户整改意见书	营销部文档位置
质量部	拆模检查表	质量部文档位置
营销部	发模会签单	营销部文档位置
技术部	模具装箱清单	技术部文档位置
	模具总装3D图	
	主零件2D图	
	冷却水路图	
	热流道及电路图	
	模具使用说明书	
试模车间	注塑工艺参数表	项目部
质量部	模具验收合格单	质量部文档位置

登记、输出文件	
表单文件名	输出接口
主节点计划与预防措施启动会议记录	相关各部
模具生产进度表	相关各部/客户
节点调整通知	无
设计延期预警汇报单	无
	相关各部
设计变更费用和顺延交期核定单	销售副总、客户
试模通知及工艺记录单	试模车间
模具整改单	钳工车间
向技术部提交变更决定、调整进度表	技术部
客户联系记录	无
售后服务单	客户、钳工

图 3-8　管理文件与信息输入、输出

（三）技能

（1）能熟练使用管理需要的各类办公软件进行管理办公。

（2）通晓公司信息化管理软件和公司模具生产管理流程，特别是本部门的项目管理流程，并在实际工作中认真执行和熟练应用。

（3）能熟练运用 UG 等 CAD 软件查阅模具结构设计图和模具零件图，能熟练运用 CAE 软件阅读各种模拟分析数据。

（4）较强的内外沟通协调能力。比如在通常情况下，企业对客户提出的模具更改要求及方案，一般会比客户考虑得更为周全，但具体实施则要得到客户的理解和采纳。这时就需要项目经理展现沟通能力，以客户乐意接受的方式去进行交流，在确保使用功能和产品质量的情况下，能以最短时间、最低成本的方案完成共同目标。

序号	管理表单信息填写	分享输出	序号	跨部门交接信息	来源
1	分管项目模具任务表	内部	1	产品工艺性和模具方案评审	设计部
2	模具设计制造规格书	相关部门	2	设计关键节点延期	设计部
3	项目启动会议记录	内部	3	设计评审通知	设计部
4	制造主节点计划	相关部门	4	工艺评审通知	工艺部
5	生产计划进度表	相关部门	5	产品及模具数据锁定通知	设计部
6	注塑工艺及试模记录	生产部	6	主零件工艺及计划进度表	工艺部
7	模具整改单	钳工车间	7	客户变更要求	客户
8	修改模试模统计	领导及相关部门	8	内部变更要求	设计部
9	整改达成率统计		9	不合格品处理单	质量部
10	提交客户的注塑工艺参数表	随模装箱	10	拆模检查表	质量部
11	模具发运会签单、装箱单	内部	11	客户同意皮纹制作认可书	客户
12	涉及内改流程的所有过程记录	内部	12	内部验收合格单	质量部
13	涉及客改流程的所有过程记录	内部	13	客户验收合格单	客户
14	向客户预警汇报单	客户	14	模具发运通知	销售部
15	项目相关的会议决定及结果记录	内部	15	模具设计数模、CAE数模及模具使用说明书	设计部
16	项目管控工作日记	内部	16		

图 3-9　主要信息表单汇总表

（5）具有对模具注塑件缺陷原因的分析能力及纠正解决能力。试模时，注塑产品会出现如银光丝、流痕、熔接痕、困气、顶白、毛边、收缩痕等注塑缺陷。这就要求项目负责人在试模现场能果断地指导试模人员调整注塑工艺参数，以消除由注塑工艺产生的产品缺陷。对于浇口、排气等模具原因产生的缺陷，能在机上短时调整好的则在机上现场调整。

（6）具有模具整改方案的分析和制定能力。模具首试后项目负责人需对试模情况进行总结，收集试件几何形状的检测报告和客户反馈意见，编制模具整改单。整改项要罗列齐全，因为漏掉一项就会增加一次试模成本。

整改模具方案应遵照既能保证质量又能省时省钱的原则。首先对模具存在问题的原因要有准确判断，然后才会有适宜的整改方案，从而让整改一步到位。

模具整改单及整改方案制定的质量，最能体现出项目负责人的实践经验水准。对于自己觉得不踏实的整改方案，负责人应主动征求钳工、项目组、部门乃至跨部门专家的意见以完善整改方案。

能够主动谦虚地请教、学习，是让人进步的捷径之一，也是一个项目负责人应有的基本素质。

（7）项目经理要有较强的组织协调能力，才能顺利完成项目规划确定后的落实推行，才能确保项目在实施过程中能按既定的计划运行。一个有威望的管理者，工作起来就会处处得心应手，处处得到部门员工的配合。

八、项目部的组织管理

（一）分管项目部门的厂级领导主要职责

（1）作为项目部召开跨部门会议的召集人，组织主持召开项目启动会、生产计划协调会、重要整改方案磋商等会议。

（2）负责项目部管理体系的有效运行，帮助解决各项目出现的重大问题，宏观监督模具项目按既定计划完成。

（3）组织本部门人员的各种培训，提高项目经理的技术素质和管理能力。

（4）审批项目部管理文件，完成厂部交办的其他管理任务。

（二）项目部长主要职责

（1）负责分配任务到人，检查并考核项目经理认真履行岗位职责的情况。

（2）主持召集本部各种形式的专题会议，以确保项目按计划完成；管控项目组认真按项目管理流程履行岗位职责。

（3）分析管理存在的问题，提出改进意见。

（4）协调在管理工作中需要团队解决的问题，比如项目重要节点计划的制订，以及客改内改等异常情况涉及的计划调整、更改方案的磋商决定，如有必要可视不同情况提交各级相关的管理层。

九、项目管理不可忽视的问题

（1）负责人既要有较强的领导力，又要有能力出色、配合工作的团队，这样才能完成上级交付的任务。

（2）团队要有合作精神。团队容易出现单打独斗、各自为战的情况，碰到力不能及的问题，互相不沟通，也很少请教他人，自己一次又一次地瞎琢磨。顾及的是面子，浪费的是企业的资源。

（3）管理文件模板要统一。项目管理文件包括各种管理表单，五花八门不统一，因此，需要统一制定管理文件模板，确保一致。

（4）要掌握项目相关的全部信息。一旦信息渠道不畅，会导致管理工作盲目甚至无的放矢。

（5）项目管理流程节点要紧密衔接。管理流程不规范，管理工作前松后紧，不少项目负责人对于节点计划的实际进度状况放任自流，基本不掌握。项目负责人在忙什么？多在忙上个项目后期反复的整改试模，自觉或不自觉地放弃了当前项目的过程管理。当前项目的失管又会给后期管理累积更多的问题，这种周而复始的恶性循环，是企业项目管理的最大忌讳。

（6）尽量避免无效整改试模。无效整改试模是企业浪费的黑洞。整改试模的原因来自客户更改和内部更改。客户更改给更改费理所当然，但在实际运营中，如不进行过程控制往往会被漏管，例如汽车类模具统计中，因客户原因发生的整改模、试模费用占模具总价的 5% ～ 10%。如果项目管理部门不去把控，则一年中的不少利润就从管理不善中悄无声息地流失了。

企业内部的各种原因导致的模具更改，直接影响到模具成本。坚决减少无效整改，试模是做好项目管理的重点之一。

想想我们的一些企业，常在市场招标竞争中因为数万元的投标差价而失去订单，而在企业内部管理上却熟视无睹，发生严重的浪费。

十、项目管理部门建设原则

（1）要有强烈的降低成本意识。部门工作人员都要明确，模具生产是以顾客产件接受准则作为过程导向的。适宜的设计和工艺过程决定模具的生产效率和成本。适宜的设计和工艺不一定是最先进的，适宜是品质、成本、效率的平衡点。

（2）管理工作需人与事两手抓。项目部门的负责人既要抓好企业的日常项目管理工作，更要抓好自身的部门管理。严格要求工作人员遵守制度、履行岗位职责，坚持按项目管理流程进行管理，落实好绩效考核制度。

（3）打通团队壁垒，团结融洽。要发扬团队合作精神，建立工作磋商制度，解决个人能力之外需要会商才能解决的问题。

（4）在实践中不断成长。加强管理人员职业培训，提高部门人员管理水平。

建设好一个作风过硬、能力胜任的项目管理团队，才能出色完成企业交付的项目管理任务。

第二节　模具的设计管理

如何根据模具制造的特点，在最短的时间内制造出客户满意的模具，并获得相应的经济效益？这与设计质量、设计周期以及设计模具的制造成本等因素密切相关。

一、模具设计管理流程

根据模具制造的特殊性，结合企业的实际情况制定了如图 3-10 所示的设计管理流程图。循着模具设计管理流程顺序来探讨模具设计部门的管理问题，应该更具针对性，理解起来也更容易一些。

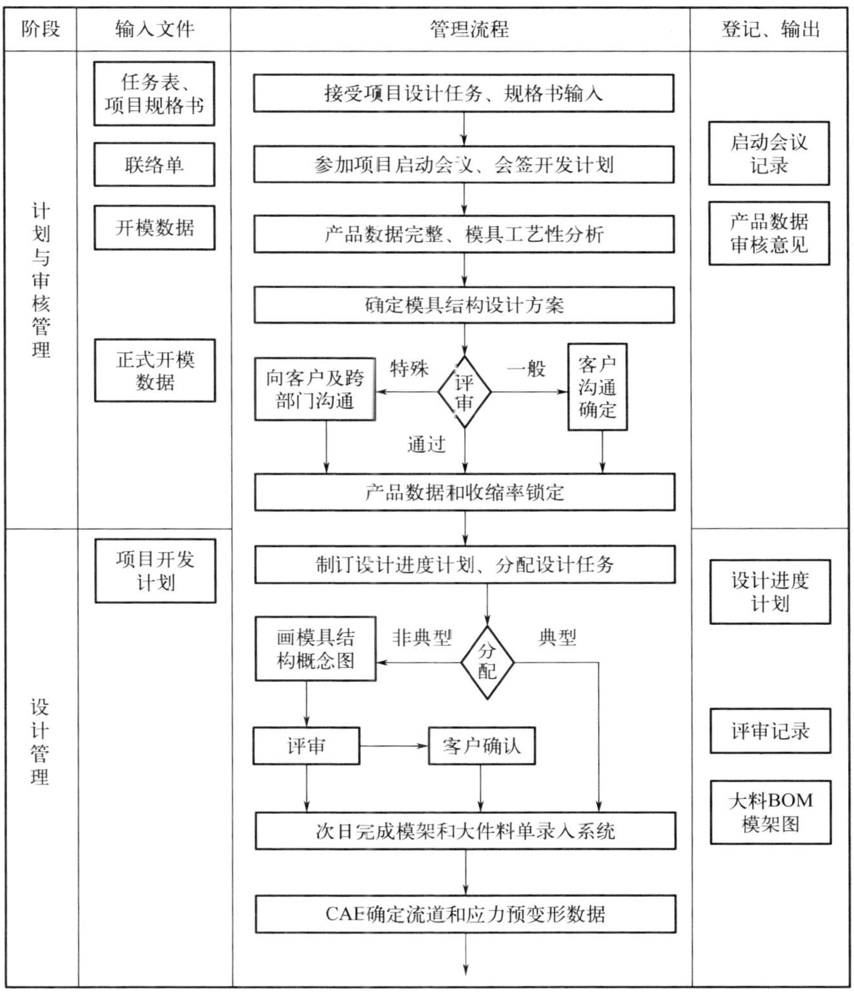

图 3-10

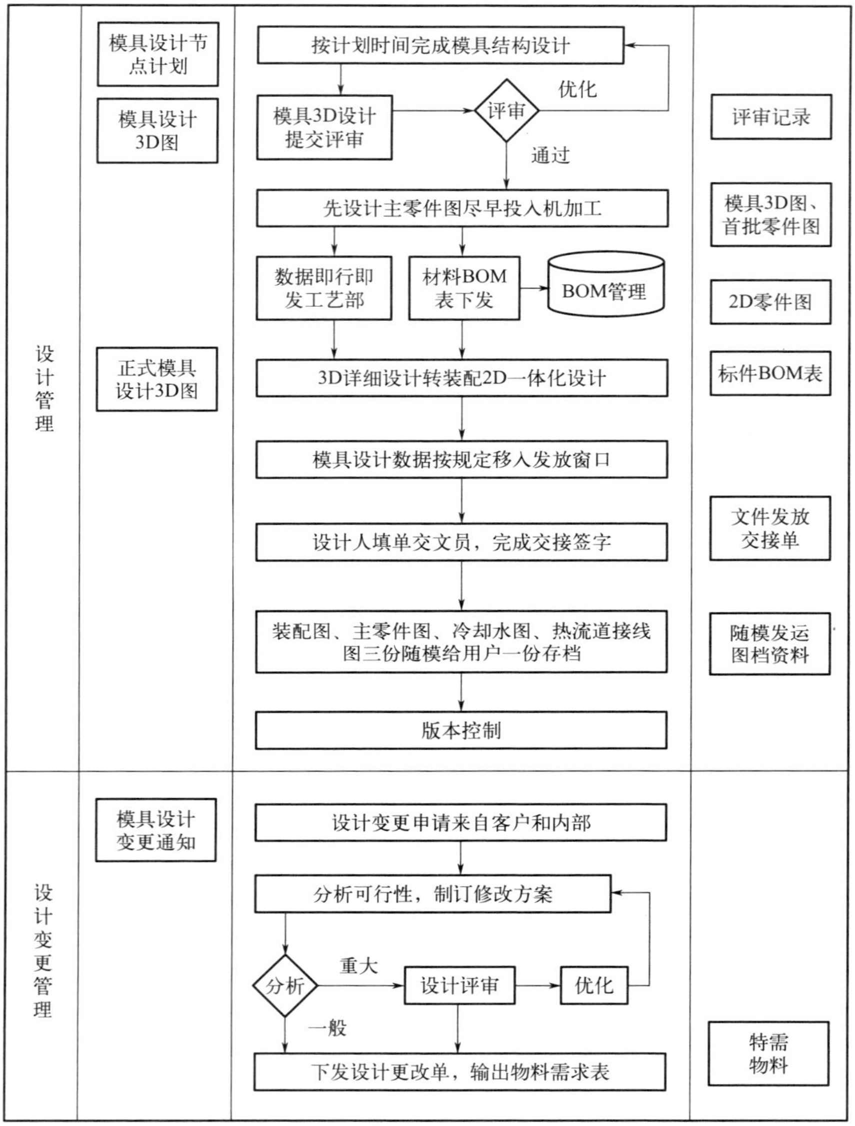

图 3-10　模具设计管理流程图

（一）塑料产品数据及模具制造工艺的可行性分析

在模具设计任务确定后，总监和部长需在第一时间安排胜任人员针对客户提供的塑料产品信息，如 2D 图纸、3D 造型、塑料产品装配要求、模具标准等进行分析审核，需关注的主要问题如下：

（1）审核产品数据是否完整；

（2）分析产品是否适合模具制造工艺、是否可行；

（3）审核塑料产品结构如壁厚、斜度、形状，塑料产品尺寸是否合理，精度要求是否过高，能否保证尺寸精度；

（4）塑料产品成型工艺性条件是否满足，如进料浇口点的位置选择、分型面的选择、模具结构的简化、模具零件加工工艺、模具成本等；

（5）客户指定的模具标准和要求是否有不合适的地方；

（6）客户对注塑机的选择是否合理；

（7）模具的设计制造周期是否合理。

除此之外，关注一些不影响产品结构和装配关系的、改动后能简化模具结构设计的部分数据，向客户提出建议并争取客户采纳。就模具设计相关的问题与客户充分沟通并获得其认可，避免因考虑不周或沟通不足导致后续的反复修改。

数据分析和模具结构设计构思这一步很重要，既要考虑周全又要尽快下发。因此设计员可在适当时机提前介入模具设计前期分析，构思模具结构方案，同步进行模具设计。

我们应当主动争取在订单下达之前，有机会开始参与到客户的产品开发过程中，以求产品开发更加合理。因为产品前期分析既能优化产品设计，更为重要的是，可以减少产品因为设计变更导致的模具修改，以缩短模具的整个加工制造周期，简化模具结构，提高模具的使用寿命。

（二）确定模具结构设计

当塑料产品前期分析工作得到客户的确认后，模具重要的、决定性的数据已基本锁定。此时开始进行模具结构的设计，风险已大为降低。

结构设计人员可能会被分派到模具前期分析工作尚未完成的设计任务，这时结构设计人员则必须针对前期分析工作尚未完成的项目，接续逐项去完成。对已做过前期分析的项目，设计人员接手后也须再分析审查，以求更加优化。

前期分析工作和结构设计工作其实是相通的。一般情况下会由同一个设计师来完成结构设计工作，基本按照下面的程序和方法来进行：

（1）审核销售部提供的模具设计制造规格书是否符合客户规定的标准。

（2）确定浇注系统和浇口位置。浇注系统在模具设计制造规格书中已按客户的要求做了规定。浇口位置和形状会直接关联到塑料产品质量和模具结构，在模具结构设计开始就要优先确定浇口位置，并通过 MOLDFLOW 仿真软件来进行验证。同时还要考虑留有试模后可能发生的浇口位置和形状的修改余地。

（3）决定分型面位置。主要是从模具结构及成型工艺的角度考虑尽量降低分型面的高低落差。按照塑料产品表面要求及黏膜力的情况，决定产品的动模面、定模面。

（4）决定哪些位置需要设计成镶件，如模具中的易损部位、深筋或薄片部位，及便于零件更换、抛光、排气、加工的进浇口相关部位。

（5）选择顶出方式。检查顶杆是否足够、位置分布是否均匀，选择合适的顶出方式，如顶杆、顶管、扁顶杆、直顶块、斜顶块、推板、推圈。

（6）确定冷却位置和冷却方式。在条件允许的情况下应尽量设计在塑料产品的底部和近旁，优选直接钻孔冷却方式，其次考虑用散热针、隔水片、铍青铜，或采用镶件等方式。

在上述各步骤中，冷却水孔、顶出孔、镶入件等位置，设计时需相互兼顾、适当调整。

（7）其他相关结构的设计。包括抽芯、滑块、热流道系统、油缸、二次顶出等。细节设计如支撑柱、排气槽、吊装块、锁模板、刻字、铭牌等。

（8）确定模架尺寸。是采用标准的还是定做的，如果是标准模架，则要严格按照标准来执行。

（9）核对模具尺寸与注塑机的匹配。如格林柱之间的距离、喷嘴球直径及中心孔径、定位圈直径、顶出孔位置及直径、开模行程、最大/最小模厚、锁模力、注射量等。

（三）设计评审与确认

当模具设计初步完成后，首先由设计部门内部对照“模具设计评审点检表”进行初审。然后在完成2D或3D装配图后，由技术总监或设计部长邀集公司评审专家对模具结构进行评审。对于结构简单及典型的、不复杂的模具由内部评审决定即可。模具设计评审点见图3-11。

设计师的模具设计自检标准基本上与模具设计评审点检表的项目内容相同，只是在对应的自检项目内容后面更为详细地注释模具设计的规定标准。

应该着重指出的是，专家设计评审主要关注的是模具结构方面的以及图面上已设计的内容，对于设计师遗漏的产品形状特征（如钩、槽、筋、柱、孔），顶块、滑块缺失，模穴1+1、1×1镜像错误，产品收缩率错误等问题则很难在评审时发现。这些问题主要还是依靠设计师依据自检表列明的要求，在自检时纠正。设计出错又不能被发现的状况称为“暗区现象”。在模具设计中暗区现象客观存在，关键是设计师要仔细谨慎，努力做到不出错或少出错。

听取专家设计评审意见，是设计人员借助团队经验，提升设计水平的最佳机会。设计人员必须认真倾听、记录，对于评审决定的所有改正优化项，必须认真履行更改。杜绝由于未改、漏改而在生产中造成损失的现象发生。

（四）输出BOM表

经部长确认已完成评审提出的修改内容，并经客户认可后，应尽快分批输出BOM表。为保证项目尽快投产，一般在模具结构方案确定后就应尽早提交模架和主料清单，以便及时备料。

序号	点检项目	点检内容
1	塑料缩水率	①测量两距离较大特征点，核实收缩率
		②校核塑料名称与特性
2	设计输入	①模型腔是否为最终数据
		②左右件是否镜像
		③检查左右件差别
		④壁厚是否能成型
		⑤是否做硬模
		⑥是否需要互换镶芯变换制品
		⑦模穴数和冷热流道是否符合
		⑧注塑机是否适用：注射量、模具外形安装、取件行程
3	脱模斜度	①型腔侧边
		②加强筋脱模斜度与大小端尺寸限制
		③前后模插穿处
		④是否易粘前模
		⑤皮纹面斜度对照皮纹等级
4	制品各种要求	①刻字凹凸、位置与顶针镶件干涉
		②侧面文字的出模
		③嵌件与塑件的连接
		④电镀件外观、皮纹面拼接线是否允许
		⑤满足自动取件或机械手
5	流道	①冷料井或冷料槽
		②主浇口套长度是否≤90mm
6	浇口和浇口位置	①是否通过模流分析
		②符合客户要求
6	浇口和浇口位置	③多点浇注、压力差在50MPa以内
		④不影响成型件外观
		⑤不要构成喷射
		⑥熔接线位置
		⑦浇口按规范造型，无死角
		⑧能否去浇口、料疤是否允许
		⑨深腔模要流动平衡
7	热流道	①热流道品牌和型式
		②热流道出线槽和插座位置是否正确
		③出线槽是否倒圆角
		④热嘴是否有热胀间隙
		⑤热嘴与产品间距，对冷却与强度影响
		⑥大于最短喷嘴长度
		⑦油气接头规格是否与图纸一致
8	分型面处理	①是否影响产品外观
		②避免锐角处理
		③拐角处理避免棱线、小侧碰
		④动定模面干涉检查
		⑤是否需要扩展面、分型面要光顺
9	分型面封胶面设计	①基准符号
		②封胶面宽度、粗糙度
		③避空面工艺性
		④排气槽是否畅通

图 3-11

序号	点检项目	点检内容
10	承压块设计	①周边分布
		②中心区域布置
		③校核承压面积
11	定位面设计	①定位面相对，限制*XY*轴移动
		②过定位要有目的、可调整
		③侧碰<3°或皮纹面需要直身或小角度定位块
		④定位面高厚比
		⑤耐磨板能否安装
		⑥尽量不单靠滑块作定位面
12	模板尺寸	①最薄弱截面位置能否补强
		②检查最外滑块锁紧面，优化滑块尺寸
		③模板厚度与水道、油路空间
		④外形是否符合客户要求
		⑤外围设备是否超出外形
13	外滑块结构	①滑动行程校核
		②滑块高度与压条长度之比
		③大滑块贴块与避空
		④斜导柱直径和角度
		⑤滑块宽>200mm，设导向块
		⑥滑块限位、注意下坠力
		⑦滑块高低或左右碰面平衡
		⑧压条要定位
		⑨是否会粘模
		⑩斜滑块不超过30°
14	斜顶结构	①脱模距
		②斜顶角度≤16°
		③斜顶块运动平面垂直于模板平面
		④斜顶杆直径≥16mm
		⑤斜顶杆顶出是否干涉产品
		⑥斜顶杆顶出是否相互干涉
		⑦滑脚形式符合要求
		⑧单杆防转
		⑨滑脚如何装配调整
15	油缸斜楔装置	①斜楔自锁角≤16°
		②支座螺钉大小
		③抽出行程和斜楔滑动长度
		④抽芯杆两头导向
		⑤行程开关
		⑥大于自锁角要校核油缸直径，建议采用液控单向阀
16	内抽芯结构	①抽芯距
		②抽芯块导滑长度
		③锁紧块角度、开模距
		④三板联动次序
		⑤拉杆是否布置
		⑥允许拉钩同步误差
17	推杆顶出机构	①加强筋脱模
		②孔位柱脱模和推管设计
		③顶出平衡
		④顶出行程
		⑤K、O孔与定位圈中心一致
		⑥推板导柱布置
		⑦推板厚度
		⑧推杆(管)的分布、防转
		⑨垃圾钉布置是否合理
18	冷却系统	①浇口冷却
		②镶件冷却
		③检查难冷死角
		④出水口方向

序号	点检项目	点检内容
18	冷却系统	⑤出水口接头规格
		⑥水路与型面距＞1.5d，最佳2d
		⑦无与螺钉、推杆、销钉干涉
		⑧水井深度检查
		⑨集水块规格、位置
		⑩密封圈槽尺寸
19	模架与吊装	①定位圈直径
		②定位圈中心与顶出系统中心重合
		③主吊环规格
20	动定模镶芯	①基准要一致并标识
		②直身装配要内部定位
		③片状的侧碰特征，设计镶件
		④圆形镶芯防转
		⑤深腔壁厚、刚性
		⑥高型芯要有裙边压紧
		⑦是否设工艺基准槽
		⑧工艺吊环孔是否合理
21	镶件结构	①薄筋深筋采用镶件
		②锐角处理、镶件是否要排气
		③镶件的装配、拆卸螺钉
		④相似镶件要刻上件号
		⑤镶件直角基准
22	先复位机构	①是否有碰撞
		②油缸是否平衡
		③机械式动作
		④标件差动机构安装是否正确
		⑤复位弹簧预紧10%、压缩比≤40%，配行程开关
		⑥行程开关是否设计
		⑦氮气弹簧
23	基本规范	①模具外形倒角符合公司标准
		②安装槽圆角要有避空间隙
		③镶芯装配避空R面要足够
		④阳角倒角，阴角倒圆
		⑤尽量避免小刀加工
		⑥斜顶、顶块等有再加工基准
		⑦轴类固定深度＞1倍直径
		⑧活动件导向长度＞1.2倍直径
		⑨不用$M5$及以下螺钉
		⑩重量＞10kg要设工艺吊环孔
24	防缩痕的预处理	①减薄壁厚
		②铍铜冷却
		③火山口
		④客户接受
25	控制变形预处理	①合理布置筋
		②加强冷却
		③顶出受力均匀
		④产品预变形
26	细长模芯增强设计	①防止模流对冲
		②插入定(动)模
		③减短或加粗
27	BOM表采购复查	①主材料采购及图纸下发齐全
		②标准件采购完整
		③是否有采购周期相对较长的标准件
28	干涉检查	①推杆和斜顶干涉
		②推杆和滑块干涉
		③斜顶、滑块和产品干涉
29	数据核对	开粗数据和加工数据核对

图 3-11　模具设计评审点检表

（五）零件图设计

模具结构设计评审确认后，模具 2D 设计员即可出模具零件图。

（1）加工工作量最多的主要零件如定模型腔、动模型芯及大滑块等先行出图。争取让生产周期长的零件尽早投产，然后再按加工工作量递减顺序绘制出所有成型件的零件图，如镶件、滑块、顶块、抽芯等。

（2）出顶板、底板、热流道套板、支撑柱、吊装块等结构零件图。

（3）需要出图的外部采购件零件图。

（4）冷却水图、热流道接线图，有明细表、技术要求的模具设计总装图。

（六）模具整改与设计更改

（1）内部发生的模具整改主要来自三个原因：一是设计出错；二是金工和钳工在加工过程中异常情况发生的补救措施；三是更改模调整。尽管我们的模具设计师在模具设计时，已经根据各种工艺条件和可能出现的状况做了预先的防范，但是模具加工完成以后，在试模验证时还是会产生需要更改模具的问题。

在修模前，对造成塑料产品缺陷的原因，应当进行细致的分析研究，包括开会讨论，找准造成塑料产品缺陷的原因后，才能对症下药制订模具整改方案。一般区别注塑原因和模具原因的做法是：在合适的工艺范围内，先变更成型条件，调整注塑工艺参数，当变更成型条件不能解决问题时，再考虑整改模具。

改动模具应该慎重，没有十分把握不可轻举妄动。其原因是，一旦变更了模具条件，就不能再恢复原状。尤其是外观位置，如皮纹面、高光面等。

模具的试模整改过程设计师应择机参与。一则有了设计师的参与，降低了整改模的风险，二则设计师又能在参与中丰富和积累实践经验。

当模具项目工程师下达模具整改单后，设计人员将根据要求做模具图的修改，包括 2D、3D 图，有时还需下达采购相关的零件和材料清单。

（2）客户设计更改主要来自两个方面：一是客户产品工程师在产品开发过程中，由于不断地追求更加完美的目标，即便是在模具的制造过程中还会有不断的产品更改，随之也给模具制造带来了不断的变化；二是客户产品工程师为纠正产品设计中不当之处的更改。

（七）资料管理和设计总结

模具验收合格后，整理 2D 和 3D 设计图，确保图形数据与模具实际状况一致，输入指定的文件夹归档。整理 BOM 表、客户更改模具资料、内部整改模等与设计相关的所有资料，输入指定的文件夹归档。总结在模具制造过程中与设计相关的亮点、优点，总结在试模和修模过程中出现的问题以及适宜的解决方案。要形成文件作为技术积累以指导今后的模具开发。

以上是关于模具设计流程的管理解读，按照流程进行模具设计的管理，可以提高模具的设计质量和设计效率。

二、模具设计成本管理

模具产业发展到今天，对企业实力的认定已不是企业能不能生产出模具，而是企业能不能生产出成本更低的模具。对于市场竞争四要素中的质量、交期、服务这三项，企业间的差距已越来越小，唯有价格这一项才是企业之间竞争力的核心要素。

因此，努力降低模具成本的重要意义在于，增强企业的市场竞争力，让企业有活干，继而才会有企业的生存、发展。设计部门要掌握好设计原则和千方百计缩短设计周期这两个影响模具成本的主要因素。

（一）坚持模具设计的适宜原则

企业在发展过程中，一方面需要持续创新，掌握先进的高端模具设计与制造技术，为未来的技术竞争做好准备；另一方面，在实际运营中，必须明确模具生产应以客户的产品接受标准为导向。适宜的设计和工艺过程直接决定了模具的生产效率和成本。需要注意的是，适宜的设计和工艺并不一定是最先进的，而是品质、成本与效率之间的最佳平衡点。模具设计对模具的直接成本有着决定性影响，因此，实现低成本的首要步骤就是采用适宜的设计原则。

（二）模具设计周期对成本的影响

除了设计阶段的人工成本外，模具制造的成本主要体现在制造周期和工序节奏的优化上。如今，许多模具企业已经对制造方式进行了革新，将热流道位、各类孔位、攻丝、滑块槽、顶块槽、平行块槽、耐磨块槽等与模具结构相关的机加工，以及动模、定模分型面和成型面的中、粗加工等，交由模架生产厂家与模架打包同步完成。

由于机加工费用与模架费用一同定价，这种模式显著降低了模具的加工成本。同时，通过将原本分散在多零件、多工序、多单位加工的复杂管理流程，简化为仅需对模架供应商进行集中管控的流程，极大地减少了加工生产环节的管理工作量。这种优化不仅提高了管理效率，还缩短了模具的整体制造周期，进一步降低了生产成本。

要实现这一目标，关键在于企业的模具设计周期是否能够在模架生产完成前，及时向模架生产厂提供完整的机加工图纸。如果无法做到这一点，就无法在模架生产厂实现模具工件的同步机加工，导致模具工件不得不在运回公司后，再根据设计进度陆续分发至厂内或外协单位进行加工。

因此，能否实现模具设计与模架生产厂的同步加工，是企业设计能力的重要验证标志之一。这不仅体现了企业在设计效率上的提升，也反映了企业对设计部门的最大期待——通过优化设计流程，降低制造成本，提升整体效益。

（三）建设好设计人员队伍

模具设计人员匮乏的瓶颈已困扰行业多年，企业设计人员不稳定的问题突出。尽管这些年企业也在着力培养设计人员，但是普遍的现象是技术人员流动过快。其中除了薪酬问题，原因应该是多方面的。总之，学校应加强对学生的品德教育，企业还是要继续坚持培养模具设计人员。只有想方设法稳定好设计队伍，企业才能最终突破模具设计的瓶颈。

要量才使用，根据设计人员的能力安排合适的岗位。在模具设计流程中要着重做好两个重要阶段的工作。

模具设计与制造的第一个阶段是模具制造工艺分析和模具结构方案设计。这一阶段至关重要，需要安排经验丰富的设计师主导，因为其成果直接关系到模具的制造成本和质量成本。只有在这一阶段奠定扎实的基础，才能为后续工作提供可靠的支持。

第二个阶段，即3D设计阶段，我们的目标是降低技术门槛并提升设计效率。为此，需要持续推进设计外挂标准库的建设和设计标准的优化工作。通过提供完善的外挂工具和标准化流程，3D设计人员可以更高效地完成设计任务，这不仅有助于提升设计效率，还可能成为稳定设计团队的重要因素之一。此外，随着设计门槛的降低，社会招聘渠道也会相应拓宽，为企业吸引更多优秀的设计人才创造有利条件。

（四）建立模具设计标准化平台

标准化是为提升设计质量和设计效益，帮助设计师有序地进行设计工作而制定并实施的各项规定。也就是以科学技术和实践成果的正确验证为基础，将在设计中重复性的事物和概念总结后编制成标准，供设计师共同使用和反复使用的规范性文件。

标准化的实现是企业进步的重要体现。它不但奠定了当前的基础，还决定了以后的发展，它始终和进步保持一致。我们务必要提高对标准化工作重要性的认识，为彻底改变模具设计的被动状况而加快标准化的步伐。

构建模块化组合零件设计平台将为企业带来先机，搭建好企业标准化设计平台项目有以下优势：

（1）降低设计门槛，按照平台化的经验指导快速完成设计过程。

（2）统一公司标准和规范。

（3）积累知识经验库，避免后续设计出错。

（4）通过建立标准化设计平台，实现信息技术与生产管理的高度融合。提高设计效率、减少出错率。

（5）增强了企业的设计研发能力、减少了设计师的重复性工作，以便将更多的时间和精力用在结构和质量上，确保设计一步到位。

标准化、信息化、智能化、自动化是企业发展方向和趋势，而标准化是关键基础。作为数据输出的源头，设计标准化水平的提升会大幅缩短设计周期，降低模具制造成本，同时也带动了后续部门的标准化发展。于是，企业可以站在更高的平台上确保竞争优势。

建立模具设计标准，实现模块化组合件设计，是设计转型进步的方向。作为企业中知识层次和高学历员工相对集中的设计部门，应该率先实现部门的设计标准化转型，为企业的标准化应用起到积极的标杆示范作用。

三、优秀模具设计师的成长

如何能够成为优秀的模具设计师？应遵循以下几点。

（1）对工作要倾注热情。有热情才能唤起追求进步的渴望。如果你喜欢你的工作，喜欢你设计的作品，就会为你的持续发展注入动力。

（2）发挥人之长，克服我之短。每个人总会有所能有所不能，要发现自己的长处，将自己的长处发挥到极致。在克服自己短处的同时，也要取人之长，补己之短。

（3）要有持续的执着精神。在我们的身边也有一些人不缺热情，不缺长处，但却缺少最重要的东西——执着。不少人都有一种“流行病”，叫急功近利。做一件事恨不得一天就成功，短时间没有出现成效就想放弃。不能踏实下来认认真真做事，缺少一种静下心来的执着。一个人要成功既要有巨大的热情，更要有持续的执着。

（4）实践是验证结果的标准。要坚信实践是验证设计结果的唯一标准。如果，设计师能在试模现场亲身体验试模中发现问题和解决问题的过程，那么他就会得到记忆深刻的、宝贵的实践经验。设计师需要经常到车间去学习加工工艺技术，到试模现场积累模具结构设计经验。如果至少能自觉做到半个月一次到现场，一副模具体验几个小时，那么基本上两年时间就可以完成一个优秀设计师起步的基本经验积累。

第三节 模具计划工艺管理

模具计划工艺管理的职能和服务范围，要深入到整个模具制造的生命周期中，包括：从模具设计前对客户产品数据的模具工艺分析，到模具设计时接受对模具加工工艺的必要咨询；从模具生产过程的工艺编制、工时核算，到模具生产计划的制订；从工装夹具的改革创新，到对试模样品的工艺分析和模具整改方案的确定。

企业实行计划工艺管理的目的就是要确保在最短的时间内，用最低的制造成本，生产出符合要求的合格模具。

不同企业的计划工艺部会有不同特色的管理模式，通常设定的计划工艺部主要具有以下七项管理职能。

一、技术文件的编制管理

模具制造工艺规程编制是指在模具制造前，根据模具结构设计 3D 数据，结合模具产品的技术要求，确定模具零件的加工工艺和加工设备，以及模具制造工艺顺序和流程，以标准格式生成工艺文件，使之指导制造工艺的有序实施，并能够控制模具制造精度和质量以及模具制造周期与费用。

模具制造工艺技术文件由工序规程、机床选择、工时定额以及材料等指标组成，它是模具生产计划、生产调度、加工实施、质量检验等管理工作的重要依据。

制造工艺规程是在模具制造过程中，指导每一道工序如何保证制造质量的工艺文件。制定工艺规程应有利于保证模具零件质量，缩短生产周期，节约生产成本，同时也为组织生产提供依据。

计划工艺部编制的工艺规程作为指导生产制造的工艺文件，决定了生产的制造成本，因此，为了尽可能地降低制造成本，工艺规程的编制就必须坚持奉行“模具制造的适宜原则”。在保证模具加工质量的前提下，可以用三轴数控机床完成的加工工序，就不允许使用五轴数控机床加工。中速机床可以满足的加工工序，就不用高速机床去加工。一般电火花机床可以满足的就不用镜面电火花机床。对于线切割快走丝、中走丝、慢走丝机床的选择也应该是可低不可高。

模具制造工艺规程技术文件的编制要实现标准化，要将企业沉淀的历史工艺资料进行梳理、筛选、优化，建立标准工艺数据库。这可为提高工艺编制的工作效率和降低模具制造成本提供保障。

二、工艺规划管理

（一）工艺规划要求

（1）技术部将完成的模具结构设计或达到 90% 可确定的设计数据发送至工艺部指定文件夹。

（2）收到模具设计数据后，工艺师要结合客户和项目要求，进行结构工艺性审查，发现问题需整理出文件反馈给技术部，并在设计评审时提出。

（3）充分理解项目、设计要求，分析模具结构，编制加工工艺规划。

（4）工艺规划要清晰描述模具总体加工路线、关键部位加工方法和工艺要求、资源选择等，交代不同加工方法的加工边界、零件组装后的加工部位等。

（5）要注意识别符合典型结构的部位，确定采用的典型工艺方案和相应工艺标准，并在工艺规划中说明。

（6）召集编程部、金工车间和钳工组评审拟定的工艺规划，同时贯彻规划意图和工艺要求。

（7）工艺评审通过后，将工艺规划放到指定文件夹共享，指导编程部、电极组和钳工组进行与工艺规划相关的工作。

（二）工艺编制要求

（1）理解工艺规划和要求，从技术部指定的文件夹中提取最终模具设计 3D 数据，了解装配关系和零件特征。

（2）从 MIS（管理信息系统）的 BOM 表中导出零件清单，在“工艺设计”页面输入工艺，包括工序内容、工时、生产资源等。工序内容描述要清楚、正确、完整，要明确加工基准、对刀基准、加工部位、加工方式、工序余量。

（3）工艺编制要根据加工要求和零件间加工关系，在工序内容中明确表示为后续工序预留的工艺凸台或工艺凹孔以及配备工艺块要求，编制后要主动交接。

（4）零件工艺编制后打印，经部长或工艺师审核后发给首道工序的部门（一般为编程部），模具主要零件（A 板、B 板、型芯、型腔、大滑块等）工艺文件同时复印一份发钳工组，文职人员做好文件发放记录。

（5）由于设备调整、工艺遗漏等因素，编程部在执行工艺中需要调整工序内容的，填写工艺联络单反馈给工艺师，工艺师确定是否调整工艺和工序内容，决定后立刻修改工艺。涉及后续新增工序、与工艺规划冲突的报告由工艺部长批准。

（6）加工过程中提出返工零件计划外插单的工序，凭不合格品处理单向工艺部提出增加工序申请，工艺部审核处理方案，及时添加工序；工艺师对不合格品处理单的方案有异议的，应立刻报告生产总监或工艺部长裁定。

（7）新模正常工艺发生工序变更，原则上要更换工艺卡。如工艺卡已经进入流转，则可以手工修改现场工艺卡；发生返工工序则在下一道工序栏标注工序名称和返工字样。

（8）对于因设计更改而引发的修改模工序，需依据技术部发放的“设计更改单”进行零件清单的更新，并据此制定相应的加工工艺。需要注意的是，新增的工艺无须纳入现场工艺卡中。

三、工时定额核定管理

核定模具制造过程中各零件、各工序的工时定额指标，是工艺部门的一项重要工作内容。有了工艺部门提供的定额生产指标，才能制订出相对准确的加工计划。

（一）工时定额核算要集中专职管理

生产工时定额核算工作应同时覆盖内部加工和外协加工，以确保全面性和准确性。为了理顺并高效完成定额核算工作，建议将其相对集中管理。考虑到定额核算与生产计划制订的紧密关联性，将这一职责划归计划工艺部更为合理。

制定好工时定额核算数据是做好生产计划的前提，也是生产部作为绩效考核指标进行绩效管理的依据。图 3-12 是每副模具所有零件、每道工序的工时定额核算汇总表模板，限于幅面原因只作局部示意。

（二）定额核算的几个关注点

核算工作分为外协加工定额核算和企业内部加工定额核算。外协加工定额核算一般是指在已给定好加工件加工质量要求和加工机床的前提下，核算人员根据核算标准作出工时核算后，换算成加工费的总金额予以外包。

公司内部对加工件的工时定额核算与外协加工的方式略有不同。以数控铣加工为例，首先由核算人员根据标准进行工时核算，随后由编程人员根据核算结果编制加工程序单。程序单中各加工程序的机加工时间汇总后，通常应在核算人员核定工时指标值的 10% 范围内浮动。如果浮动值超出这一范围，编程人员需优化程序或调整加工工艺参数，以尽可能使实际加工时间与核定工时指标值保持一致。对于特殊情况，则可通过特例方式灵活处理。

加工程序单中的工时，需结合加工机床的效率系数标准进行二次调整，最终得出的工时将作为员工业绩考核的工时指标。不同机床效率系数，则由经验人员根据实际验证调整确定。

零件名称	定模(定模框、定模芯)				定模镶块	动模(动模框、动模芯)				动模镶块	大滑块(1)				一次、二次顶出顶板(全套)			
加工工序/考核指标	深孔钻	线切割	数控铣	电火花	机加工	深孔钻	线切割	数控铣	电火花	机加工	深孔钻	线切割	数控铣	电火花	深孔钻	线切割	数控铣	电火花
定额工时																		
数量																		
计划交期																		
加工地(外协或内部)																		

零件名称	大镶件				小镶块	小滑块	斜顶块	直顶块	抽芯块	方顶杆	油缸联结轴	锁紧块	电极	其他	零件各类机床加工工时合计			
加工工序/考核指标	深孔钻	线切割	数控铣	电火花	机加工	深孔钻	线切割	数控铣	电火花	机加工	深孔钻	线切割	数控铣	电火花	深孔钻	线切割	数控铣	电火花
定额工时																		
数量																		
计划交期																		
加工地																		

图 3-12　工时定额核算表

对于各相关工序的工时核算标准，企业必须认真组织人员落实编制。按标准进行核算，一是提高核算工作效率，二是保证核算定额的公正性和权威性。

（三）主要工时定额核算标准清单

（1）钳工工序工时核算。

（2）钻孔攻丝作业工时核算。

（3）抛光作业工时核算。

（4）钳工修改模工时核算。

（5）合模作业工时核算。

（6）车床加工工时核算。

（7）磨床加工工时核算。

（8）大件加工工时核算。

（9）小件铣加工工时核算。

（10）电极材料及加工工时核算。

（11）线切割加工工时核算。

（12）EDM 加工工时核算。

（13）深孔钻床加工工时核算。

四、加工计划管理

加工计划的管理有的企业归到生产部门，也有企业归到计划工艺部门。制订加工计划，是保证模具制造过程有序进行的基础。根据部门能力并结合与工时定额核算的关联性，加工计划由计划工艺部门规划是比较切合实际的。

（一）加工计划编制原则

加工计划编制人员在工艺规划和编制的基础上，选择主要工件制订工序节点计划，生成模具工艺流程与主计划进度表，放到项目文件夹内共享，并发给相关部门。制定模具工艺流程与主计划进度表时，零件加工排序的优先条件如下：

（1）工艺路线最长。

（2）加工难度大。

（3）对模具整体进度影响较大。

（二）MES 系统的基础数据输入

根据项目开发计划和节点计划，明确模具的“加工完工时间”，并将其输入 MES 系统的“业务管理”模块，以完成 MES 系统的基础数据配置。这些基础数据包括生产资源分组、工作班制、转工序时间等关键信息。在输入过程中，须确保数据的准确性和时效性，并根据实际生产情况及时调整和更新。

（三）自动排程操作前需检查的事项

（1）零件的工艺相关性设置是否合理和完整。

（2）根据典型工艺的历史数据审核重点工序的预估工时，重点工序特点是：工时基数大或同类零件数量多、加工要求复杂、加工过程的不确定性大。

（四）启动自动排程运算前需注意的事项

要根据各项目的实际进度和重点项目的需求，动态调整模具的优先级。文员需每天查询“未提交工件”页面，及时提醒相关人员提交未完成的工件信息，避免遗漏。同时，根据实际采购入库时间以及材料到厂后的预加工进度，及时调整并更新系统中自动排程工件的排程起点，确保生产计划与实际进度保持一致。

（五）审核自动排程结果的合理性

一般在每天上午 9 时前审核排程结果的合理性，需要关注下列事项：

（1）主零件的计划是否脱节；

（2）影响计划执行的因素，如工件已加工完毕却未刷卡、工件还未完成预加工等；

（3）检查厂内资源在一周内的负荷，分析外协任务安排是否合理；

（4）检查发现影响加工件排程结果偏差的原因，应及时调整输入（如起始点调整、工时修改、资源修改、重设相关性等），再次启动排程；

（5）将排程结果导入 MES 及数控加工管理系统，再进行资源计划的人工优化（指定生产设备、调整外协任务、调整加工顺序等），生成 2 ～ 3 天滚动的计划。

（六）计划进度的日常监控

（1）每天上午 9 ～ 11 时，召开金工车间、编程部碰头会，检查上一次计划完成情况，反馈现场问题，随后打印下达本次车间计划；通知外协管理员安排落实外协计划（提前 3 天）。

（2）通知文员按照项目开发计划对新项目的采购进度进行跟踪，一般要求提前 1 天向采购部了解物料采购状态，确认能否按期到厂，并将延期信息及时报告部长和相关人员，部长和相关人员及时调整排程起点。

（3）通过 MES 系统的节点计划清单查询，了解当天和 2 ～ 3 天后处于具有节点计划工件的工序状态，工序状态包括未开工、未完工、已完工，及时调整生产计划。

（4）质量部在进货检验后发出不合格品单交工艺部会签，工艺部在必要时调整节点计划开始时间和排程起点。

（5）采购部需根据库存材料情况生成厂内采购单，并将其提交至工艺部进行核准，以确保供料时间的准确性。工艺部在核准后，需督促采购部按时完成备料工作，确保生产所需的材料能够及时到位。

五、部门日常运行管理

（一）参加项目启动会

计划工艺部负责人参加项目启动会议。一是听取、归纳各部门的意见，以便制定出更具合理性和可操作性的计划。二是各部门共同参与制订的节点计划，更能保证自觉遵照执行的主动性。三是通过会议的全程参与能够第一时间了解和交流项目相关的全部信息，以便顺利转入本部门的项目计划工艺后续工作中。

（二）项目任务启动开始

在接到设计部门的模具3D数据后，工艺部的计划负责人应按照项目主节点计划的时间框架，以模具零件工序加工工时核算数据为依据，制订主要零件工序节点计划表。并随同零件工时定额核算单，向生产部门、机加工车间和钳工车间负责人（计划员）交办，制订好模具零件机加工计划和模具零件钳加工计划。以上工作一般在2～3天内完成。

（三）督促制订小组计划

在车间模具零件加工计划及定额表的基础上，拆分制订各工种小组加工日程计划。

（四）机加工和钳加工的计划节点衔接

机加工进度计划要与钳工主工序的进度计划、合模计划、钻孔攻丝计划完成节点相衔接，机加工车间要确保交付的模具加工件不影响钳工的装配进度。

六、编制生产计划原则

制订生产计划时需遵循优先原则。

（1）按模具交货期紧迫优先顺序；

（2）按加工周期最长工件优先顺序；

（3）按不影响钳工装配进度的工件优先顺序；

（4）工件装配后再次机加工的装配优先顺序。

加工件由多道工序加工完成，而且下道工序必须待上道工序完成后才能进行的工序，称为工件的串行工序加工制造。在工时最长的工件的加工周期内，多个零件可同步加工的，称为并行工序制造。

首先要厘清模具工件的工序先后关系、加工周期和串、并行条件。在动模芯、定模型腔机加工的同时，并行排产与之配合的顶块、镶块、滑块等小件的机加工。实现配作零件先于动模芯、定模型腔主件完成，以达到尽量缩短模具生产周期的目的。

在一副模具中加工周期最长的工件（动模、定模）决定了整个模具的生产周期。设法确定串行工序的标准周期，同时不断缩短这一周期，是生产计划中需掌控的重要环节。

需特别指出的是，对于那些必须委外加工的零件，无论时间宽裕与否，都应尽快落实外发。在可能的情况下，尽量做到将时间留给加工商。

七、加工计划的调整

（1）内部生产计划的适度调整不可避免。如今模具的交付期已不具备待模具设计完整后再投产的条件。企业为了保证交期，模具制造的前期总是与模具设计并行，也就是按照优先顺序边设计边生产，设计进度对生产计划调整的影响较大。

（2）设计更改原因导致的计划调整。在模具制造过程中，客户的设计更改和企业内部的设计变更会产生新增的加工任务。而且，计划外任务的不确定性和优先级，往往会对预定的计划产生较大干扰。为了尽量不影响生产计划的执行，在制订计划时，一方面要预先考虑这些潜在要素，留出部分生产资源供应急任务使用；另一方面要尽量规划借助外协资源解决，确保内部加工计划不受影响。

（3）制订计划要周全。整个生产体系的计划，要从上至下地制订，从下而上地修正，将计划做得更实际、更具可操作性，才能成为员工共同认可的目标，他们执行起来也才会更自觉。

八、其他环节的管理

（1）深入现场，指导制造。工艺人员应到现场去了解自己编制的工艺，以及在实际制造过程中可能出现的问题。

模具制造的过程中涉及许多工（序）种，操作者对零件加工的理解、接受水平不同，工艺人员有责任到现场进行加工指导，讲清设计与工艺的意图，让操作者在短时间里理解加工工艺的要求，制造出合格的模具零件。尤其在模具零件加工中出现不正常的超差、超时（当然不排除设计人员和工艺人员的失误），工艺人员应组织相关设计人员、车间管理员、检验员等进行现场分析，找出原因并及时提出整改措施，协助现场解决质量问题，并督促有关人员明确职责，吸取教训。

（2）推广新技术，提高制造水平。模具制造技术的提高很大程度上依赖于新技术、新工艺的推广应用。目前，国内的模具制造水平在制造精度、制造周期、加工工艺设计、加工手段等方面还存在一定欠缺。就企业而言，需要组织工艺部门加强工艺信息交流，了解模具加工新技术、新工艺，结合企业的实际条件，把先进的技术应用到生产实践中，从而提高本企业的模具制造水平。

（3）监督员工遵守工艺纪律。模具工艺不同于产品加工工艺，模具加工零件一般不会多件生产。因此，工艺人员应深入现场指导操作者学习掌握模具工艺文件，了解工艺要求。

（4）对工艺方案的经济性评估。工艺方案的经济性评估是对模具制造成本最有效的评估方法，应遵循保证模具制造质量、降低制造成本的原则。

第四节　模具生产管理

一、生产部组织架构

根据模具制造的特殊性，结合企业的实际建立生产管理体系。图 3-13 是模具企业中较为多见的生产管理体系中生产部的管理组织架构简示图。组织架构明确了各生产管理层上下级的领导关系和职责分工。

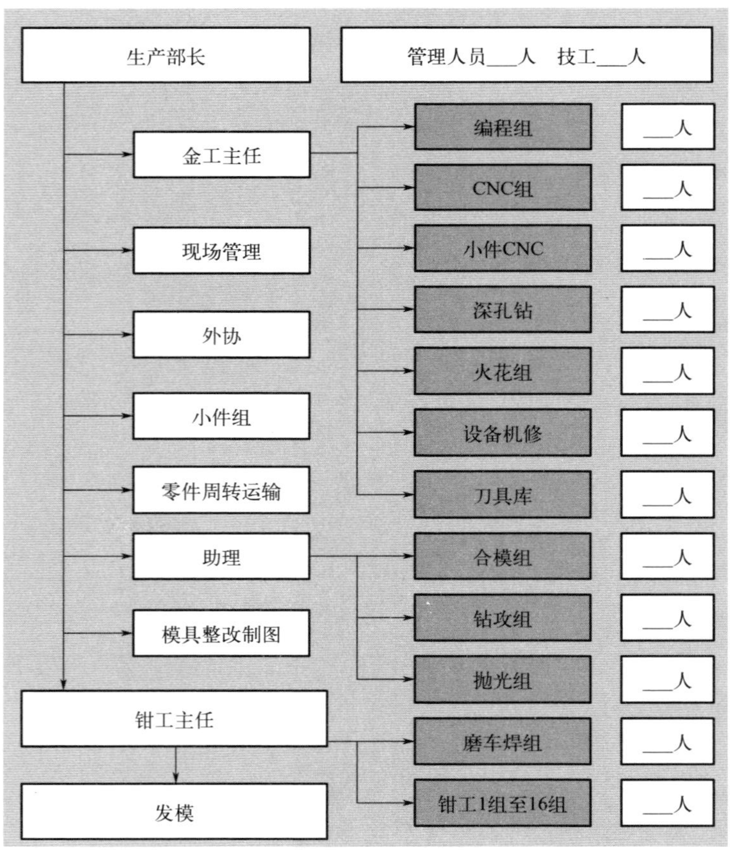

图 3-13　生产部组织架构

二、生产管理流程

企业可根据模具的工艺、工序、生产规律，制定组织结构中各部门的管理流程。图 3-14 是某企业的生产管理流程示例。

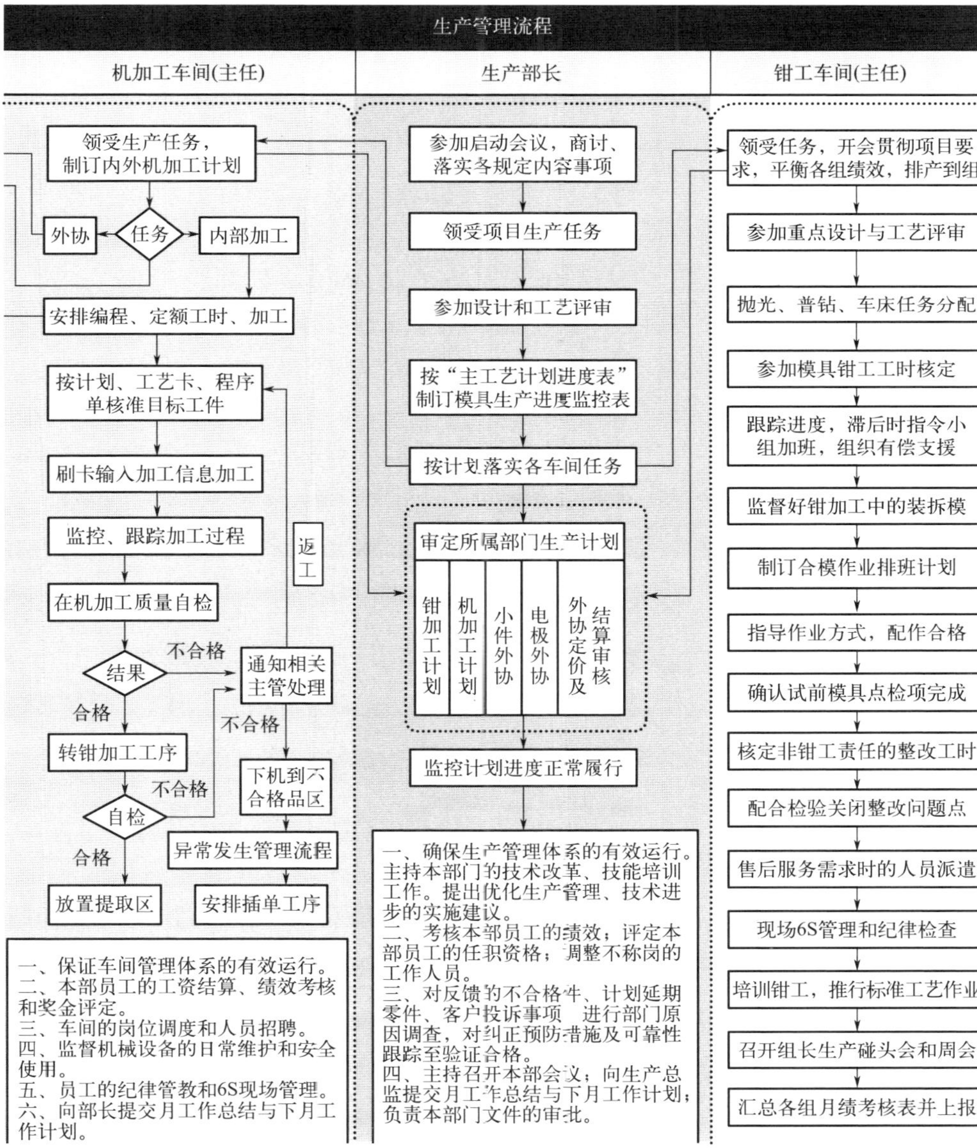

图 3-14　生产管理流程

（一）计划管理

生产计划管理在前面的计划工艺管理的相关章节中已有提及。鉴于有不少企业在组织结构设置中，将生产计划管理归由生产部门负责，有需要的可参考相关内容。

（二）生产绩效管理

绩效是反映人们在从事某一活动的时候所取得的成果。绩效可从两方面来衡量：一个是以结果为导向的绩效，是指在一定的时间段内人们从事企业经营活动后所取得的成果；另一个是以过程为导向的绩效，是指以完成企业的某个生产任务为目标，依据个人的能力和贡献大小进行衡量。

（1）绩效管理的意义。生产管理部门肩负着企业赋予的管理目标与任务。作为部门负责人，要在管理上取得成功，首先需要将企业的整体目标分解并清晰地传达给团队中的每一位员工，因为企业目标的实现依赖于全体员工的共同努力。同时，管理者还需明确传达企业对员工的期望，让员工清楚各项工作的衡量标准和要求。通过有效的绩效管理，生产管理部门的管理者能够为计划管理目标的实施提供有力保障。

员工在绩效管理中是被考核者，从消极面来看，考核对他们来说是一件有压力的事情，客观上常会与不愉快的情感联系在一起。但当理解了员工对工作的内在需要后，你就会发现绩效考核对于员工来说也是他们成长过程中所必需的。其实，每个员工在内心都希望能够了解自己的绩效，了解自己的工作做得怎样，了解别人对自己的评价。员工也希望自己的工作绩效能够得到他人的认可与尊重。因此，员工特别需要通过绩效管理来了解和提高自己的绩效，提高自己的技能，增强自己的竞争力，以提高自己的胜任能力。

通过对每位员工的绩效进行科学管理、持续改进和提升，企业能够显著提高整体绩效水平。绩效管理不仅能够客观反映被评价部门及员工在工作中的表现，还能激发员工的积极性和潜能，帮助他们更清晰地认识自身优势与不足，从而主动改进和提升工作能力。同时，绩效管理还为企业建立公平的薪酬分配制度提供了依据，真正实现“多劳多得、能者多得”的激励原则，进一步推动员工与企业共同成长。

（2）生产绩效指标是对过程有效性的衡量，绩效指标管理是对绩效指标的制定。绩效指标制定的原则是：其一，不可过高，这是因为管理的改善需要时间，管理的过程需要成本，企业应根据自身的条件，制定合适的绩效指标，让员工有通过努力可以实现的空间，在实践中逐步优化；其二，可测量，所有指标要量化，不可测量的绩效指标等同于虚设。

就生产部门来说，为了保证计划的执行，在制订生产计划的同时，绩效指标核算必须同步跟进，核定计划中各具体工序的加工工时指标，随同车间小组的生产计划同时发放。

实行生产绩效考核管理是确保生产计划任务顺利完成的重要管理环节。可以说，没有绩效考核的管理，就不会是正常的生产管理，生产计划的兑现就失去了可靠保证。

（三）计划监控调度管理

计划监控调度管理是为了提高生产率，合理地调度资源，保证计划完成率，使得整个企业生产处于高效、协调、有序的管理状态（图 3-15）。

序号	工序名	首试		定模		热流道衬板		动模		滑块		斜、直顶块		抽芯块		镶块		顶出板		配直斜顶等		配流道系统		冷却系统	
	模具编号	计划	实际	计划	状态	计划	状态	计划	状态	计划	状态	计划	状态	计划	状态	计划	状态	计划	状态	计划	状态	计划	状态	计划	状态
1																							完成		
2																									
3																									
4																									
5																									

图 3-15　模具生产进度监控表示例

生产调度是对企业的生产活动进行检查、控制、调节和指挥。即在生产作业计划执行过程中对已出现的和可能出现的偏差及时了解、掌握、预防和处理，保证整个生产活动协调进行。它是组织实际生产作业计划的一种重要手段，也是生产作业计划的补充和延续。

通过生产调度，解决日常生产中的矛盾和不平衡问题。要做到准确、及时、有效、有预见性，要把问题解决在萌芽状态，使生产保持均衡。生产调度工作一般包括以下内容。

（1）检查设备情况，了解设备的运行和负荷情况，调整设备的加工对象和任务，督促设备的维护修理。

（2）检查零件材料的准备及供货到位情况。

（3）调配劳动力和劳动组织，使各生产环节，各工种、工序之间按作业计划协调有序生产。

（4）调配生产资源，应对生产异常情况，如客户设计更改、内部模具整改任务的插单加工。虽然模具生产异常情况的发生具有不确定性，但却是不可避免的。由于客户设计更改和内部的更改任务一般均被列为优先级，因此是调度工作的重点。

三、生产管理的标准化

我们都知道麦当劳这个品牌，不管你在全球哪个国家的哪家麦当劳快餐店，都能吃到味道一致的食品。而且，不管你是谁，只要按照麦当劳食谱，用量具标准配放原料和作料，都能做出味道相同、符合标准的麦当劳食品。它告诉我们量化、标准化的东西就好操作、好管理。量化是一把快刀，斩断乱麻，事情就会变得简单、方便、明白、规范，便于操作。因此，在管理工作中，我们要想取得成效，就必须推行标准化管理，使每一项工作、指标、制度、方案、细则，都能在质量保证的前提下具有可行性和可操作性的量化指标，从而使我们的管理更加系统化、规范化。

标准化是系统工程，应用在企业的方方面面，例如管理类标准有生产部组织结构标准、各级的管理流程标准、各级的计划制定格式表单、各工种工序绩效指标核算标准、外协加工工时指标核算标准等。技术类的标准有模具设计标准、设备保养标准、钳工等各工种作业指导书、各类检验标准等。在这里侧重谈的是生产管理方面的内容。生产部门标准化工作的薄弱环节，主要体现在对标准的制定和对已有标准的自觉执行上。各级管理人员务必要提高对标准化工作重要性的认识，彻底改变生产管理效率低下的被动状况，加快标准化的步伐。

标准化、信息化、自动化、智能化是企业发展方向和趋势，而标准化是关键基础。生产部门要将其作为转型进步的重要战略，奋力赶上标准化趋势。

四、生产的信息化管理

生产管理者要维持好企业生产体系的高效正常运营，同时组织数十套模具的生产，安排成百上千道工序进行加工，就需要充分了解、精准掌握所有与生产相关的各类信息：

（1）物料的供货及到位状况。

（2）当前生产能力负荷状况。

（3）生产进度状况、工件加工情况、质量状况。

（4）能否按时完成制订的生产计划？

（5）订单的交货时间能否预测？ 会不会发生变化？

（6）生产现场的变动会给后续订单带来哪些变化？

（7）班组的生产任务负荷情况如何？

（8）如何最优化地分配任务，以便在客户交货期内完工？

（9）如何及时地得到目前的完工情况反馈？

（10）员工工作情况、员工绩效考核情况。

（11）设备运行状况、维修保养点检、设备利用率情况。

生产管理者面对大量繁杂的生产信息，如果还是单纯依赖人力管理来实现生产管理体系的正常运行几乎是不可想象的。而且生产管理者如果不能及时全面掌握车间生产实际情况和信息，对生产计划、生产调度、进度控制、进度反馈、质量反馈等就难以实现跟踪管理，因此也就无法做出快速有效的管理决策。

模具生产的信息化管理已开始被越来越多的企业所接受。模具生产管理MES系统是以现代网络、数据库技术为基础，将管理范围的各要素汇总至数据库，帮助管理者及员工提高工作效率、持续改进并辅助决策，是一种组合了相关信息的综合技术，它为我们提供了改变传统思维和习惯，使用系统数据来做管理决策的平台。企业在转型发展的过程中，适时使用该技术，可以极大地提高各种管理行为的效率，为推动企业管理提供强大的技术支撑。

系统中的生产管理模块，已经为我们提供了进行信息化管理的条件。生产管理人员只需要按照规定操作，进入自己岗位对应的模块页面，输入管理数据，通过系统来进行生产管理，或者从系统上获取管理需要的各种信息。这种方式使管理人员能从繁杂的重复工作中解放出来。生产部门要全员普及使用生产管理MES系统，将其列入部门和个人的绩效考核计划中。

要提升生产工人将生产数据输入MES系统的自觉性，一是机加工的工艺卡刷卡输入的方式要扩展到各工种，目的是让员工输入有导引、操作更便捷。二是做到薪酬与输入数据的绑定。如果不按规定将与自己相关的数据信息输入系统，系统就不会显示员工的绩效收入。

目前市场上有各种版本的模具生产管理系统信息化管理软件，可以从加工输入开始，一个模块一个模块地应用起来。众多的中小企业可以根据管理需要，借用快表、活字格、Excel服务器等低代码开发平台，自己开发相对容易操作使用又具实效的管理模块。

以上是对企业模具生产管理的详细解读，最后我们再总结强调以下几个重点：

（1）要精心制订好计划，并将计划指标量化到车间、班组、个人。制订计划要上下参与、民主集中。

（2）为确保生产计划的顺利完成，必须建立覆盖所有工种和工序的绩效考核指标体系。为实现这一目标，生产部门首先需要制定并完善各工种、各工序的绩效考核指标核算标准，特别是针对现有标准中缺失或不完善的部分进行补充和优化，以提升绩效考核指标核算的效率和准确性。其次，应合理调配专职人员，加强核算团队的力量，确保绩效考核工作能够高效、精准地执行。

（3）强力推进部门信息化是提升管理效率和管理效果的必要途径。要下决心，加大力度，督促部门上下全员应用；应该明白信息化系统只是一个帮助我们提升管理和工作效率的工具，关键还是要靠人去使用、去发挥。

（4）生产管理领导者要在领导岗位上发挥作用，要让团队懂得做什么、怎么做。切忌身体力行地去低头拉车，不然就成了一个普通的劳动力，就是失职。领导者要站高望远，拓宽视野，谋划把握好分管范围内的发展方略，不断发现管理中的薄弱环节，补齐管理的短板，提升管理效益。

第五节　模具的质量管理

在高度全球化的商业环境中，质量管理体系已逐渐成为企业运营不可或缺的核心部分。它代表着企业运用现代管理方法，对产品质量进行全面控制的先进管理手段。它既是一系列规章制度和流程，更是一种追求卓越品质、持续改进的现代管理理念。

ISO9001 质量管理体系认证是认证领域中应用广泛的基础认证之一，得到了众多企业的广泛认可。ISO9001 认证不仅证明了企业具备满足客户需求和遵守相关法规的能力，而且能够增进客户的满意度和信任度。随着商品经济的国际化发展，ISO9001 认证成为企业展示其管理系统已达到国际标准、能够持续稳定地为客户提供满意的合格产品的重要标志。这为提高产品的信誉、减少重复检验、削弱和消除贸易壁垒提供了积极的支持。

一、质量管理体系

企业在建立和实施质量管理体系时，需遵循其核心理念和基本原则。这些原则以客户的质量需求为中心，强调企业领导者的引领作用和全员的参与。它要求企业内部实现良好的沟通、流程管理、系统集成、持续改进和营造良好的工作环境，确保质量管理活动的有效性和一致性，为企业实现高质量管理和持续发展提供明确的方向。

（一）以客户需求为中心

客户是企业生存和发展的基石。满足客户的产品质量需求是质量管理体系的核心原则。企业应深入理解并努力满足客户的模具产品需求，制定涵盖设计、采购、工艺、制造、质检、产品交付、客户反馈等全过程的标准和执行方法，以及相关的管理制度。同时，通过对模具制造全过程的严密监控，力求实现甚至超越客户对模具质量的期望。这不仅涉及产品质量和服务水平的提升，还要求企业与客户保持密切沟通，精准把握客户需求，不断优化流程，确保提供的产品和服务与客户的期望高度契合。这不但能提升客户满意度，还能增强客户对企业的忠诚度。

（1）客户要求的确定。主要包括客户对产品性能和功能、交付数量、交付日期、价格、包装、标识、交付地点、运费、安装、培训、维护和维修等方面的具体要求。特别需要关注客户提出的特殊要求。

（2）对客户要求的评审。评审应在签订合同前进行，涉及产品的技术要求、数量、交付期、包装、运费、交付地点、标识、培训、安装、维护和售后服务等方面的内容。尤其要对制造的可行性和潜在风险进行全面分析。

（3）与客户沟通。包括提供产品信息、合同或订单的处理、应对客户的抱怨、收集和处理客户的反馈信息、定期走访客户等。

（二）领导层的决策与模范作用

领导层在质量管理体系的实施中发挥着关键作用。他们必须首先确立企业构建质量管理体系的宗旨和方向，为体系的有效运行提供必要的资源和支持。通过发挥自身的表率和引领作用，激发员工的积极性和主动性，鼓励全员参与质量管理活动，推动质量管理体系的不断完善和发展。

（三）全员参与

企业的每一位员工都是宝贵的资源，他们的智慧和才能是推动企业持续发展的重要动力。全员参与是质量管理体系成功的关键。每位员工都应充分认识到自己在质量管理中的责任和作用，认真履行自己的职责，积极参与质量改进活动。企业应建立完善的培训和沟通机制，提升员工的质量意识和技能水平。通过激励机制和认可制度，鼓励员工为质量管理体系的持续改进贡献智慧和力量。

（四）有效沟通

在质量管理运营中，管理者与员工之间的有效沟通对于激发和维持员工士气至关重要。沟通应涉及策略、方法和及时性。管理者不仅需要向员工明确任务要求，还应通过沟通指导员工如何完成任务、如何做得更好。在任务执行过程中，管理者应持续观察、检查和指导员工工作，确保正确的操作成为他们的工作习惯。同时，鼓励员工在工作中发现问题及时报告，并积极参与上下级之间的沟通。

（五）流程管理思维

企业管理涉及预测、计划、组织、指挥、协调和控制等多个方面。流程管理方法强调将活动和相关资源作为流程进行管理，以提高效率和效果。管理者应对各个流程进行深入分析、精心策划和持续优化。特别要关注关键流程的管理，确保流程之间的协调和衔接。通过理解和管理相互关联的流程，从整体上促进质量管理体系的健康运行。同时，积极采用先进的技术和工具，如自动化、数字化和智能化等手段，提升流程管理的效率和水平。

（六）系统化集成

为了提升企业的管理效率和水平，系统化集成显得尤为重要。通过实施系统化的管理策略，企业能够精细调配资源，进而提升管理效率和效果。这种管理方法强调将各个相互关联的过程视为一个整体，通过资源整合与结构优化来增强组织的效能。这有助于企业深入理解和高效应对复杂性挑战，提高决策质量和效率。

在企业的日常运营中，不同职能和专业往往构成垂直结构的部门，各自负责不同的流程。然而，全面质量管理的核心在于如何将这些职能横向地连接起来，将各个单一流程相互叠加，形成更大的业务流程，最终汇聚成支撑企业战略实施的关键系统流程。因此，每位员工都应深入理解企业的愿景、使命和指导原则，以及质量政策、目标和核心流程，从而确保企业整体目标的顺利实现。

（七）持续改进

持续改进是企业不可或缺的活动。无论是产品质量、服务水平还是运营效率，都需要不断优化和提升。企业应建立持续改进的文化和机制，运用统计技术和其他工具，深入剖析质量问题，找出根源并制定有效的解决方案。这不仅涉及产品和服务的改进，还包括对过程和质量管理体系本身的优化。通过持续改进，企业可以不断提升质量管理水平，满足市场和客户不断变化的需求，并在提高竞争力和满足客户期望方面展现出分析性和创造性。

（八）良好的工作环境和安全措施

工作环境是企业成功运营的关键因素之一。一个舒适、整洁、安全的工作环境不仅可以提高员工的工作效率和生产力，还能增强员工的归属感和满意度。为了营造一个良好的工作环境，企业需要关注多个方面，包括温度、湿度、光线、空气流动、卫生、清洁度、噪声、振动和污染等。同时，安全也是不可忽视的重要环节，包括易燃易爆品的贮存、运输和使用，剧毒品的存放和领用，安全操作规程、防火装置、安全通道以及安全措施的培训和演习也必不可少。企业需要定期进行安全和工作环境的督查，对不符合项进行整改和记录，并严格执行生产现场开展“5S[1]”活动和定置管理。通过这些措施，企业可以营造出一个整洁、舒适、安全的工作环境，为员工的身心健康和企业的可持续发展提供有力保障。

上述原则共同构成了质量管理体系的基本要素，为企业的质量管理活动指明了方向。在实际操作中，企业需结合自身特点和需求，灵活运用这些原则，建立起符合自身发展要求的质量管理体系。并且，随着市场环境和顾客需求的不断演变，企业应及时调整和完善质量管理体系，确保其与时俱进。这些基本原则是企业实现高质量管理和持续发展的坚实基础，为企业追求卓越品质提供了关键路径。通过深入理解和实践这些原则，企业可以持续提升质量管理水平，不断提高自身的竞争力和市场地位。

---

[1] 企业现场管理方法，包含整理（seiri）、整顿（seiton）、清扫（seiso）、清洁（seiketsu）、素养（shitsuke）五大核心要素。

二、质量管理计划

质量管理计划是用于指导项目经理及质量管理部门进行质量保证、质量控制和质量管理的文件。计划包括一系列质量标准要求、任务和指导原则，以确保项目的结果符合既定的质量标准。这个计划必须融入全面的项目管理活动中。质量管理关系到如何满足项目的目标和要求，以及达到客户的期望和需求。要达到项目质量目标，是需要专门规划和高水平执行的，而质量管理计划就是这一过程开始的重要一步。

（一）质量管理计划的重要性

质量管理计划是确保项目满足企业和客户质量期望的关键。它有助于维持客户对质量的一贯期待，并超越单一项目团队，关联整个管理组织。当全体员工都遵循这一计划时，企业的运行效率会显著提升。生产和制造人员需遵循计划，各部门通过熟悉计划提高效率，确保所有人对质量目标具备共同理解。质量管理计划能实现持续高质量发展，赢得客户信任，提升品牌价值和盈利。尽管无人能做到完美无误，但详细的质量管理计划能降低错误发生率，它为业务流程设定明确的准则和标准，提高效率，减少因错误造成的时间和成本损失。

（二）质量管理计划的主导

质量管理计划的制订，考虑到有利于客户对接的延续，还是由项目经理主导为宜。需要注意的是项目经理在计划的制订过程中，应该同团队相关成员、相关部门及客户沟通以寻求建议和指导。无论谁是质量管理计划的主导者，项目团队的成员均对管理计划任务的管控执行、确保项目的交付成果达到预定的质量标准，负有不可推卸的责任。

（三）项目质量管理计划内容

质量管理计划通常包括以下几个主要部分：质量目标和标准、质量管理角色和责任、质量控制和质量保证方法、质量审计计划、风险和应对措施、资源和预算、时间表。

在制订质量管理计划之前，需要透彻识别和领会项目的主要交付成果和流程；知道需要实施质量控制的每个环节，如物料采购、机加工、钳工装配、加热系统、冷却系统、单项测试及上机试样等；要明确将用于评估项目交付成果质量的每一项具体标准，还需要确定用于衡量客户满意度的准则或指标；要列出质量控制活动、流程质量标准、利益相关者的期望、质量保证活动等。

（四）质量管理计划格式

模具项目质量管理计划格式应该编制成标准模板，由于模具项目制造过程的质量管理环节及控制流程基本相同，这就使得编制标准文本相对比较容易。文本格式以标准通用部分内容为主体，再补充项目个性化内容部分。进一步细化则可以按不同客户定制格式。质量管理计划实现标准化编制，会大大降低编制门槛和提升编制效率。而且通过不断地实践，计划的编制质量自然也会得到持续优化，其可行性也更切合管理实际。

（五）质量管理计划的制订、执行、检查及纠正

在这一阶段，项目经理或负责人需要识别客户的质量目标，这通常通过合同约定和模具设计制造规格书来体现。此外，项目经理还要积极地与客户沟通，目的是让客户以清晰和客观的方式充分表达他们的需求。在理解了客户的质量期望后，项目经理将根据与产品及服务相关的各种专业标准，集中在质量管理计划中予以采用。

重要的是项目经理需要在客户的质量要求和项目的成本、时间以及其他专业标准之间权衡出一个适宜的平衡点。然后，开始制订实现质量目标的计划和流程。项目经理还需要确定具体的性能指标或度量标准，以确保项目团队和客户对质量目标的一致认可。

有了明确的质量管理计划，管理者就要按照这个计划来执行，以确保质量标准被遵循。在执行阶段，管理者与员工之间的沟通极其重要。管理者需要对项目中可能出现的各种变化动态作出快速响应，以确保项目计划和项目质量不受影响。

管理者还需记录所有与项目质量有关的事项，包括问题、决策、变更和诸如此类的事项。在项目完成之后，应当进行经验总结，探讨分析项目中关于质量管理的成功和失败经验。

在项目的质量监控阶段，一旦发现任何不符合预定质量标准的情况，项目经理和团队必须迅速采取行动，纠正异常或偏差，确保项目重回预设的质量轨道。所有与质量相关的纠正措施和变动都应详细记录，这不仅有助于追溯问题根源，还为未来审计和复查提供了便利。纠正措施可能会导致项目质量管理计划、流程和资源分配的调整，这些变化也必须及时更新到项目文档和计划中。

三、模具质量检验

质量检验是为了验证模具及零部件是否达到预定的质量目标和标准，通常涉及技术审查、管理监督以及验证是否符合质量标准等。将检查结果与设定的质量目标进行对比，以确认是否满足或超过了质量目标。

企业质量管理的核心在于确保产品质量的生命线，而质检工作则是其中的关键环节。质检工作虽然不直接产生经济效益，但它是确保产品准时交付且品质卓越的关键环节。

有人认为检验步骤越多代表产品质量越好，但实际上，这倒暴露了生产流程控制的不足。因此，在坚守质量标准的同时，我们需要科学地减少不必要的质检环节，对于一般常规加工件采用自检、互检和下道工序验收上道工序等管理办法，对于质量计划列出的质检项目则由专业人员负责检查，以使质量管理更加集中和高效。在制造业中，任何人在生产过程中都可能犯错。我们应减少人为因素对质量的潜在影响，质量管理的一个核心目标是有效防止同一错误的再次发生。

（一）质量检验管理流程

质量检验管理流程如图 3-16 所示。

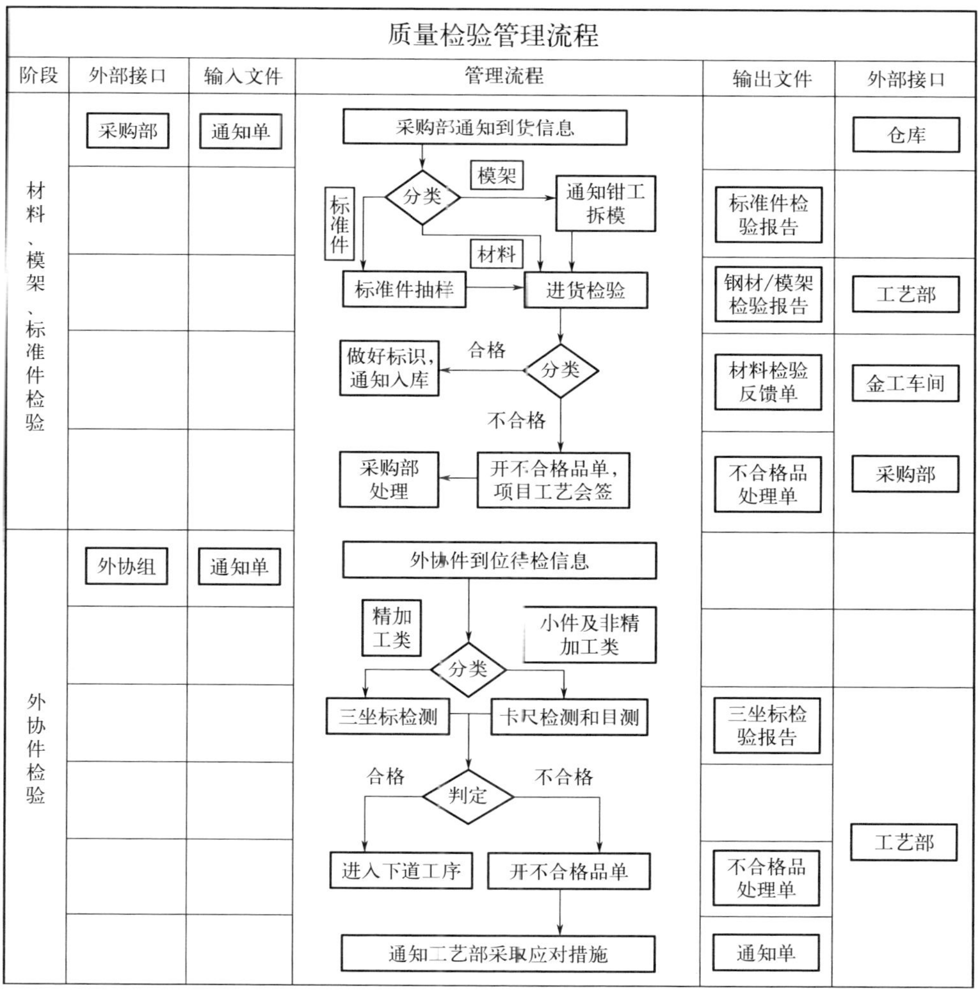

图 3-16

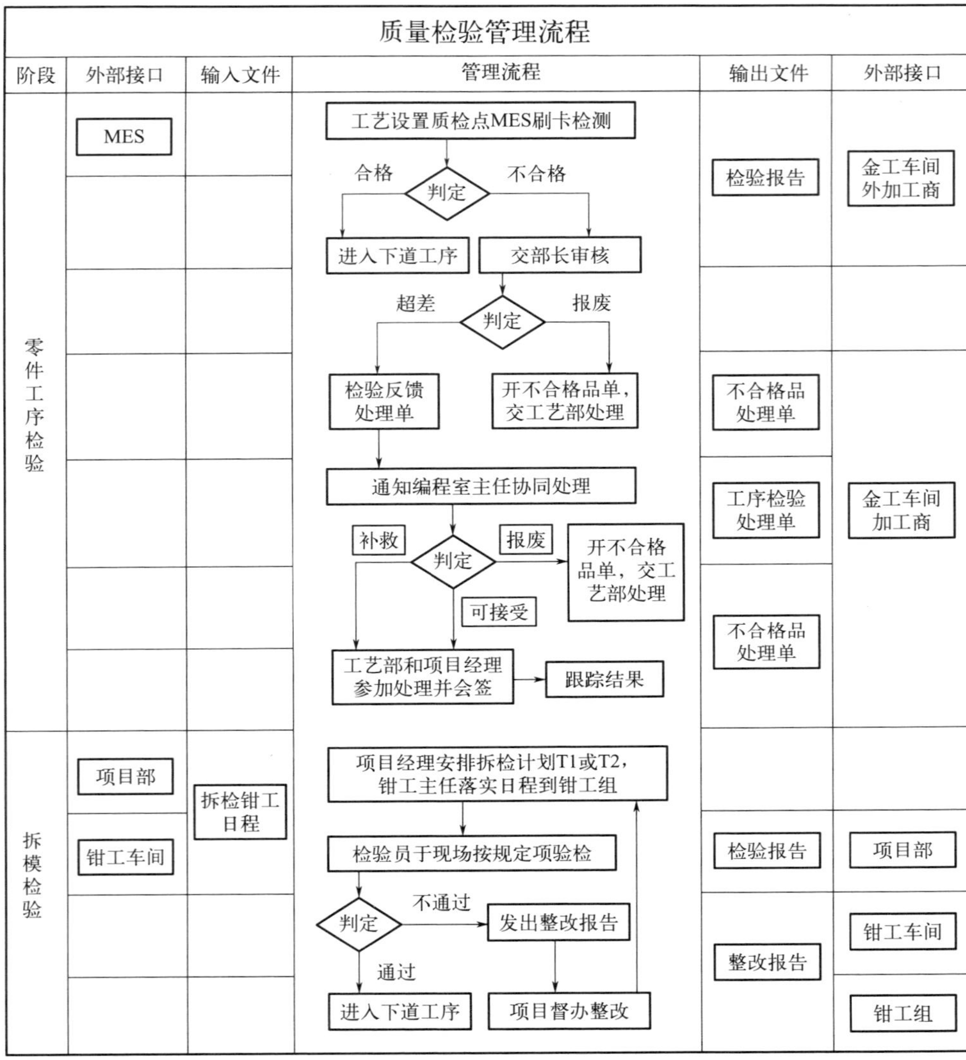

图 3-16　质量检验管理流程

（二）质检部门岗位职责

（1）部长

① 负责公司 ISO 质量管理体系的持续优化运行和内审，主持开展质量创新、质量管理、质量培训工作，提出和编制不断推进企业质量进步的实施方案。

② 监管执行质量部岗位责任制，培训和指导质检员，考核质检员的绩效，评定质检员的任职资格，确保质量部工作的高效运行。

③ 持续优化模具进料、加工、试模、出模等各工序的检验标准和方法，保证各质量控制点的品质达标。

④ 对不合格件和客户投诉事项，会同项目部进行原因分析调查；对重大质量问题召开专题会总结，杜绝再次发生。

⑤ 对日常检验结果进行统计分析，定期向总经理汇报公司品质状况，并提出持续改进建议供公司决策。

⑥ 向采购部提供年度供应商评估资料，负责计量设备、量具的年度检定及管理。

⑦ 参加模具项目启动会，了解新项目模具检验重点；提交月工作计划与总结。

⑧ 负责本部门文件的审批。

（2）部长助理

① 接受部长委派的管理事务，部长不在时代理行使部长职权。

② 负责对模具零件加工过程中品质异常的认定立案；做好不合格件处置工作；对质量进行月、季、年统计分析；对品质未达标的项目，约集相关部门作出解决对策。

③ 建立计量设备、量具的编号和履历登记，定期进行内外部检验，监督测量设备的日常维护和定期保养。

④ 负责模具出货前的质量检验，依据模具验收标准、技术要求、出运检验表，对模具的所有零部件和总体装配质量进行全面验收。

⑤ 在 T2（模具整改第二次试模）后及发运模具前对拆开的模具零部件进行检验，特别关注隐蔽部件的装配质量。不合格的发钳工组立即改正。

⑥ 对一般性质量问题作出处理决定，对严重的问题及时提交部长处理，并跟踪到解决为止。

⑦ 确保产品符合质量标准并按时交货，定期接受教育培训和考核，做好负责区域的“6S[1]”工作。

（3）进货检验岗

① 遵循检验标准、BOM 表、送货清单和零件图纸，对模架、模坯、标准件、非标准定制件等外采购件及时进行严格检测，认真填制检查验收报告。

② 钢材在热处理回厂后须及时检测，确认热处理后的材料硬度等各项指标是否符合设计的质量要求。

③ 检测发现材料尺寸、材质硬度、组织结构异常时，及时反馈项目部进行裁定，并开出不合格品处理单，送交采购部和相关部门进行后续处理。

[1] 企业现场管理方法，包含整理（seiri）、整顿（seiton）、清扫（seiso）、清洁（seiketsu）、素养（shitsuke）、安全（security）六大核心要素。

④ 将质检信息输入 MES 系统，并传递至相关部门；对钢材标准件的进货合格率状况进行月统计，并提交给部长。

⑤ 掌握量具、仪器设备的操作及保养维护方法。

⑥ 执行公司保密规定，严禁从公司电脑中下载公司资料。

⑦ 严禁在工作电脑上安装未经公司批准的软件。

（4）CMM（三坐标测量机）检测岗

① 主要负责模具零件加工工序过程中的检测和外加工件验收测量以及试件样品测量等工作，及时完成检测任务。

② 内部加工件的检验：CMM 检测员依据工艺部编制的 CMM 工序和检测技术要求、3D 图进行检测；制定检测报告并送交一份给工艺部备份，督促钳工组送检检测件。

③ 外协加工回厂验收：检验人员验收外协单位送回的零件、随同的施工单和图纸；依据图纸检查尺寸精度、粗糙度、硬度和是否漏做、碰伤等，制定检测报告并送交一份给工艺部备案；在施工单上作出验收结论并签名，交由外协商作为加工费结算依据。

④ 对送检产品及时进行检测，检测报告提交部长审核后分送相关部门；对于难以判定的质量异常状况，上报部长决定。

⑤ 遵循 HMQ 测量机使用与安全规则，规范操作、维护、保养测量机；定期验证测量设备的精准度；做好 6S 工作。

四、进货检验作业规范

进货检验作业包括以下内容。

目的：规范进货检验操作，确保检验质量满足模具生产要求。

范围：适用于采购的模具钢材、模架、标准件、非标定制件和工艺电极料，也包括外协加工零件。

职责：质量部负责接收模具钢材、模架，并负责对钢材、模架、标准件和其他生产用物料的检验，做好合格标识和检验记录。仓库负责接收除模具钢材外的所有物料，负责核对数量规格，并及时通知质量部检验。

（一）模具材料检验

（1）模具生产用钢材、铍铜、石墨等毛坯料，检测项目为材料尺寸测量、外观缺陷目测、硬度检验。

① 六面光铣削料尺寸用卡尺测量，允差 ±0.1mm，其垂直度采用直角尺检查，

同一批次允许抽查；毛坯料允许用钢卷尺测量。

② 粗加工毛坯料目测是否有外观缺陷，不允许有裂纹、黑皮、塌角、不平、烧焊等，发现明显形状偏斜，要用直角尺检验，单边最大不超过 2mm。

③ 材料硬度检验一般采用便携式硬度仪。出厂为退火状态的材料不需要检验硬度。如果毛坯料或表面很粗糙，要先用磨光机磨平测量处。大料必须测量多点的硬度，小于 100mm 的同一批次材料，如果数量很大，随机抽检 25% 以上的比例，抽检的最小数量不小于 3 个。

（2）材料检验过程中，要仔细核对供应商标识是否正确清楚，发现模糊错误要立刻重新标注；小件材料要按模具编号分类集中摆放。

（3）车床加工的圆棒料，多为外围零件，可以免检，由车床工车前自测尺寸。

（二）模具标准件检验

（1）品牌的标准推杆、推管的检测可按同一批次 10% 比例（最少 3 件）抽查，检验外观和尺寸，尺寸公差按照技术部选用的标准件手册规定；表面硬度检查用 T10（优质碳素工具钢）材质的什锦锉在表面锉削时打滑即可。

（2）螺钉、O 形圈、弹簧、水嘴、堵头、油缸等标准件，采用品牌供应商的，不另作质量检验，允许由仓管员目测外观、核对规格后清点数量入库。

（3）自制标准件按技术部图纸检验。

（三）热处理零件检验

淬火零件在发出前要检验，外观不得有尖角，螺纹孔、冷却水孔应完成加工，毛刺清理干净；回厂要检验硬度，检查变形是否在工艺范围内，不得有崩角、裂纹和其他损伤。

常用模具钢热处理的质量标准如表 3-1 所示。

表 3-1　常用模具钢热处理的质量标准

序号	材料名称	硬度标准（HRC）	调质淬火标准	备注
1	P20 预硬供货	28 ～ 32	—	—
2	P20 退火状态、粗加工后调质	28 ～ 32	调质变形余量根据零件形状大小，控制在 2 ～ 6mm	P20 锻件、718 锻件类似
3	718 预硬供货	28 ～ 32	—	—
4	2738 预硬供货	28 ～ 31	—	—
5	2344 淬火	48 ～ 52	变形余量 0.8 ～ 1mm	—

续表

序号	材料名称	硬度标准（HRC）	调质淬火标准	备注
6	2343 淬火	48 ～ 52	变形余量 0.8 ～ 1mm	2316 类似
7	2767 淬火	48 ～ 52	变形余量 0.8 ～ 1mm	
8	S136 淬火	48 ～ 52	变形余量 0.8 ～ 1mm	8407 类似
9	NAK80 预硬供货	38 ～ 42	—	—
10	H13 淬火	48 ～ 52	变形余量 1mm 内	—

（四）电极检验

（1）每批次电极要进行三坐标抽检，抽查比例 15% ～ 30%，每周转盒都要抽取至少 3 个，尺寸公差要求按公司公差内控标准；如果某一盒抽查不合格，则在该盒中抽取相同数量再检验，如果仍然有不合格，则判定该盒为不合格品。

（2）逐个目测电极外观，按样板检查加工表面粗糙度，电极加工表面不得有段差、特征遗漏和破损；发现电极破损要及时通知供应商重做。

（五）模架检验

模架检验包括模架散件检验，按照模架进货检验报告规定的各项检验方法进行检验。具体内容包括模板外观、基准角、外形尺寸、A 板或 B 板材质硬度、吊环孔、粗加工余量、精加工部位尺寸、模板平行度等。

（1）模架吊环孔检验采用标准吊环，吊环位置尺寸检查采用钢卷尺。精加工部位要按 3D 数据和公司公差标准进行检验。

（2）A、B 板精加工后模框尺寸要采用三坐标检测，检测模板平行度可采用标准平台 + 塞尺的检测方式。模具支脚高度要放在平板上检测，高度尺寸公差为 0 ～ 0.1mm，同一模具要求等高。

（3）部分粗加工余量无法直接简单测量，可按照供应商的报告核对。

（4）核对 A、B 板材质是否与送货单相符，同时通过硬度检测复核。

（5）A、B 板邻面垂直度直接影响模具后续加工基准的重复准确性。模板之间的定位孔或定位槽要满足装配定位要求。开框模件粗加工余量复检，一般采用卡尺测量或中加工试切，不必用三坐标检测方法。

（6）根据企业模具零件尺寸公差和表面粗糙度内控标准，A、B 板的尺寸公差和表面粗糙度规定如表 3-2 所示。

表 3-2　A、B 板的尺寸公差和表面粗糙度规定　　单位：mm

检查项目	长边尺寸	精度指标	
厚度平行度、平面度	≤ 1000	0.03（磨后），*Ra*0.8；	0.05（铣），*Ra*1.6
	＞ 1000	0.05/1000，*Ra*1.6（铣）或 *Ra*0.8（磨）	
基准角邻边垂直度	≤ 1000	0.03/500	
	＞ 1000	0.05/1000	
侧壁垂直度	—	相对于底面垂直度达到 0.02/100（最大值 0.03）	
导柱孔位置度	≤ 1000	ϕ 0.03	
	＞ 1000	ϕ 0.05	
导柱孔垂直度	—	0.02/100	
承压块槽底面平行度	≤ 1000	0.02，*Ra*1.6 以上	
	＞ 1000	0.03，*Ra*1.6 以上	

散件供应状态的模架需要完成以上检验，才能判定其是否合格。

（7）模架精加工部位按技术部提供的 3D 数据和技术要求检验。

（8）模架的装配综合精度可不作为必检项目。

（9）A、B 板（非成型零件）的加工工序检验。检验要点见图 3-17。

① 模框长、宽、高尺寸和垂直度、底面平面度（三坐标测量）。

② 模具定位面。

③ 承压块安装面。

④ 滑块安装基准面。

⑤ 导柱孔位置尺寸和垂直度。

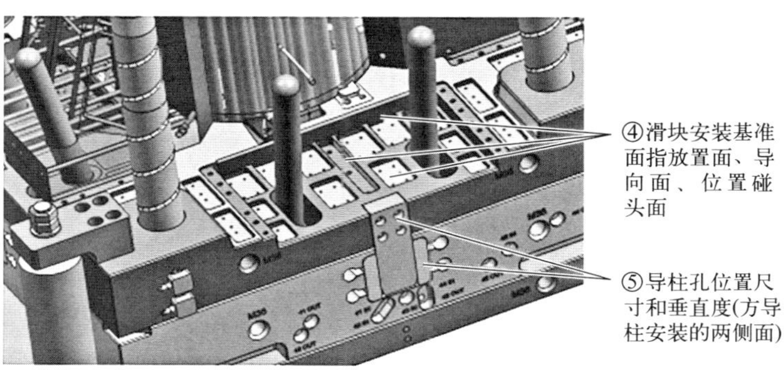

(a)

图 3-17

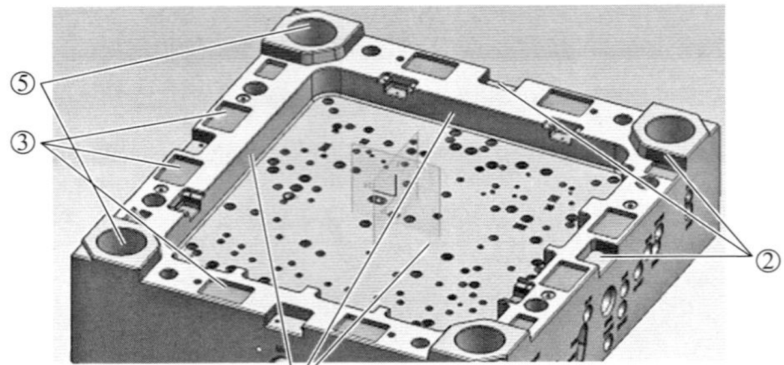

(b)

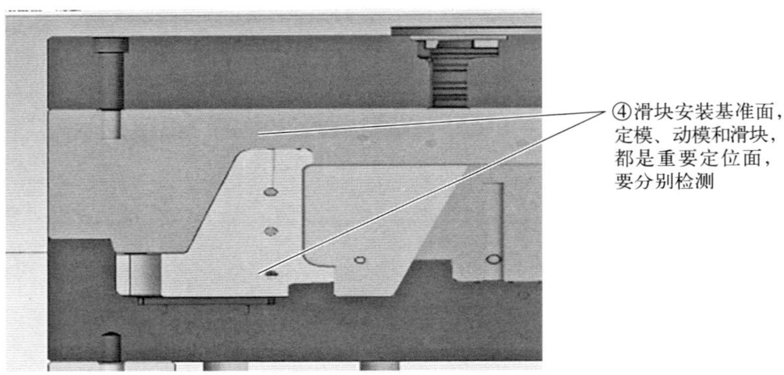

(c)

图 3-17　A、B 板的加工工序检验

（六）模具型芯的机加工工序检验

检验要点见图 3-18。

① 模具型芯装配面长、宽、高尺寸和侧面垂直度。

② 模具型芯定位面。

③ 滑块、顶块碰头基准面，动、定模擦碰面。

④ 设计给定的工艺基准面。

⑤ 分型面的轮廓测量（与 3D 比对）。

⑥ 重要产品轮廓面坐标测量（与 3D 比对）。

（七）分级检验的具体规定

为合理利用资源，根据不同制造等级，划分必检零件范围，应优先安排检验以下内容。

（1）构成模具装配和加工基准重合精度的零件，如模架、动模板、定模板、动模镶芯、定模镶芯等。

（2）与产品成型主要尺寸精度相关的零件，如成型零件、滑块、成型面电极、镶件等。

（3）对模具装配的精度和变形有很大影响的零件，如模脚、支撑柱。

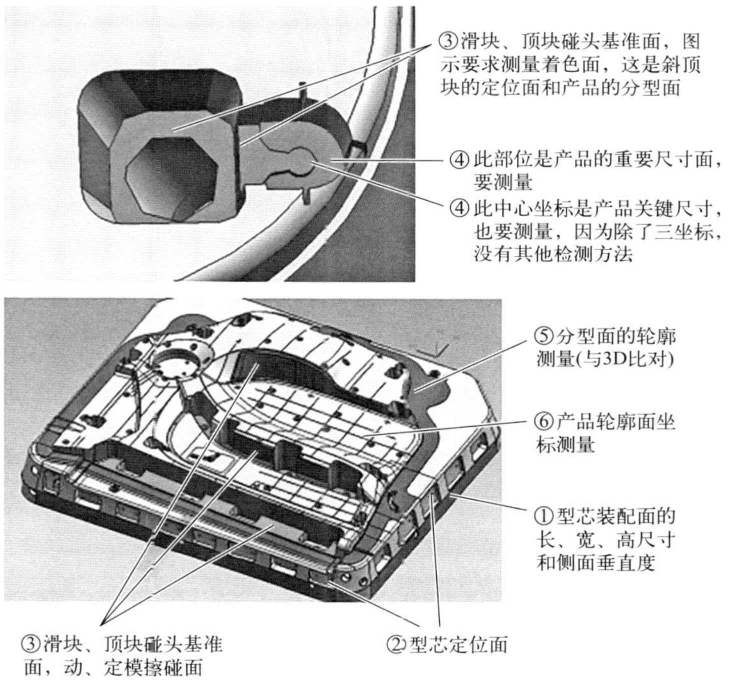

图 3-18　模具型芯的机加工工序检验

主要检测项目如表 3-3 所示。

表 3-3　分级检验的主要检测项目

序号	零件名称	模具等级		检测设备	备注
		B	A		
1	定制模架	三坐标检测	简易测量		
2	动模板	●	●	三坐标	
3	定模板	●	●	三坐标	
4	动、定模镶芯	●	●	三坐标	

续表

序号	零件名称	模具等级		检测设备	备注
		B	A		
5	模脚、支撑柱	●	有选择	三坐标	
6	底板	有选择	—	三坐标	大型模具
7	推板	有选择	—	三坐标	大型模具
8	推杆固定板	有选择	—		
9	镶件装配面	●	有选择	卡尺	
10	成型面电极	●	●	三坐标	
12	其他电极	●	有选择	三坐标或卡尺	
13	滑块	●	有选择	三坐标或卡尺	
14	斜顶	●	有选择	三坐标或卡尺	

注：“●”表示需要，“—”表示不必。

（八）模具零件的检验项目

（1）模具标准件进货检验按照供应商标准进行。零件采购的坯料检验按照公司制定的模具钢材采购标准执行。

（2）零件的检验项目如表 3-4 所示。

表 3-4　零件的检验项目

序号	零件	检测内容	检测设备	备注
1	A、B 板	模框长、宽、高尺寸和垂直度、底面平面度	三坐标	
		模具定位面	三坐标	
		承压块安装面	三坐标	
		滑块安装基准面	三坐标	
		导柱、导套孔位置尺寸和垂直度	三坐标	
2	动、定模镶芯	型芯装配面的长、宽、高尺寸和侧面垂直度	三坐标	
		分型面的轮廓测量	三坐标	
		重要产品轮廓面坐标测量	三坐标	
		滑块、顶块碰头基准面，动、定模擦碰面	三坐标	
		设计给定工艺基准面	三坐标	
3	模脚	模脚高度 + 平行度	三坐标	
4	底板、推板	底板厚度、平行度和平面度评价	三坐标	

（九）其他要求

（1）外协工序检验按照模架和模具零件检验规范的流程和要求进行。

（2）小件的外协工序检验，规定中间工序由小件管理员目测检查，精加工后的装配表面尺寸要用三坐标设备测量。如果同一批次数量较多，采用全数目测 + 抽检方式，抽检比例为 30% 左右，同一类型零件至少抽检 1 件，尺寸公差要求按照公司公差内控标准。

（3）进货检验要有检验记录，记录中必须有供应商名称、模具编号、零件名称、规格、检验员、检验日期等基本信息。记录要填写实测值和合格结论。现场检验的原始记录用照片和扫描的方式转化为电子档案。

（4）进货检验发现不合格品要及时移入不合格品区隔离，贴上醒目的红色不合格标志，同时报告不合格品处理员，质量部按不合格品管理流程处理。

五、模具零件检验规范

（一）平行块、耐模块配合红丹检查

（1）检查前的准备工作（工具：红丹、毛刷、手电筒、相机）。

（2）检查前后模时，需确保其配合面与 3D 数据一致，模具表面无胶水、污渍、铁屑、毛刺，零部件无漏装（耐磨块、平行块螺钉必须装齐全）。

（3）动、定模配合面打磨痕迹要用油石修光至 240# ～ 400# 标准。定模分型面不能有打磨痕（特殊情况除外）。

（4）用毛刷在定模分型面、平行块、耐磨块上均匀淡淡地涂上红丹。

（5）第一次合模用低压力查看平行块、耐磨块，红丹面积要达到 95% 以上。在平行块、耐磨块红丹均匀的情况下加大合模压力，查看滑块、动模分型面、插穿位、碰穿位的红丹面积是否达到 85% 以上。在加大合模压力下，平行块处红丹要比分型面略浓。

（6）采用相机清晰地记录检查照片，将不合格零件编辑在模具合模报告中通知生产部返修。

（二）顶块配模检查

（1）检查前的准备工作（工具：红丹、毛刷、铜锤、塞尺、相机）。

（2）检查顶块是否有毛刺、胶水、脏污，如果有需要去除，检查非封胶面是否倒角。

（3）检查所有零件是否有零件编号，研配面是否用油石修至 240# ～ 400#，包

括顶块槽。

（4）把模板平放，用清洗剂把顶块槽位清洗干净，均匀涂上红丹。

（5）单独配顶块时，应能顺畅地把顶块放进顶块槽，大拇指能轻松推动顶块滑动，使其与模具面平齐，无干涉、无异响。

（6）用手掌从顶块底部往上推动，顶块能够推动自如证明配合较松，推动比较费力或推不动的证明配合较紧。按此操作方法一个一个确认配合的松紧度。

（7）顶块底面及顶块四周封胶面接触面积要达到85%以上，封胶面口部0～10mm区域必须到丹。到丹指红丹涂色检查后的全接触状态，到丹面积检查方式为目测，检测完成输出报告。

（8）所有顶块的配模均按上述验收标准检查，如有一项不符合标准，即判定为不合格。

（三）滑块配合检查

（1）检查前的准备工作（工具：红丹、毛刷、塞尺、相机）。

（2）检查滑块、镶件是否有毛刺、胶水、脏污，如果有需要去除，检查非封胶位是否倒角。

（3）检测所有零件是否有零件编号，配合面是否用油石修至240#～400#标准。

（4）单配滑块，单手能推动滑块使其滑动自如，无干涉、无异响，左右晃动用塞尺测量滑块压条与滑块槽上下左右配合间隙是否在0.01～0.03mm。

（5）滑块与模芯配合面的红丹接触面积要达到75%～95%；封胶面口部0～10mm区域必须到丹。

（6）采用相机清晰地记录检查照片，并将照片编辑在巡检报告里。

（7）所有滑块配合如有一项不符合上述标准，即判定为不合格。

（四）模具吊装平衡检查（模具整体，定模、动模分别测试）

（1）为保证起吊平衡准确性，起吊有2个吊环以上时不得采用吊带起吊，需要采用钢索、吊钩起吊。

（2）整幅模具起吊，逆时针旋转角度不得超过3°，顺时针旋转视为不合格，目测如果发现有倾斜，采用水平仪测量角度。

（3）动、定模起吊时顺时针、逆时针旋转不得超过3°，超过则视为不合格，目测如果发现有倾斜，采用水平仪测量角度。

（五）模具空运行测试（试模状态模具测试）

（1）检查油压机是否正常工作、机器温度是否正常、油管是否完好无损。

（2）检查模温机工作是否正常。

（3）确保模具按照试模状态摆放，连接油管。模具与模温机相连，温度设定比正常工艺高出 5 ～ 10℃。

（4）将油压调整至最小，然后逐渐增加，避免损坏模具。

（5）手动将顶针、顶块顶出后锁定，检查顶块与防转的顶针是否旋转，无防转的顶针要能够 360° 旋转。

（6）开启自动模式，检查顶板是否回退（顶出）到位，检测行程开关是否有信号、顶块与产品面是否平齐、顶出是否有干涉，拍照记录。

（7）将油压调节为 120bar（1bar ＝ 100000Pa），持续运行 50 次，检查油路系统是否漏油。

（8）将油压调整为正常压力，持续空运行 2000 次，注意观察顶出是否有异响，异响严重即停止测试，避免损坏。

（9）当模温均匀后，用模温测量仪测量产品型面每个点，特别是镶件。点与点之间温差不得超过 5℃，如果超过，则检查水路水流量是否满足设计要求或水路设计是否合理。

（10）放置危险警告标识，防止无关人员进入区域发生事故。

（11）记录与输出报告（模具 T0 状态检查报告）。

（六）模具外围检查（是否与客户标准一致）

（1）水路接头是否符合客户标准。

（2）水路快插公母接头是否按照客户标准安装，热流道水路是否按照客户标准连接在总成上，水路总成是否与模板有对应的标识。

（3）水路、油路是否刻有进出标识，标识是否符合客户标准。

（4）水管颜色、集水块喷漆是否符合客户标准，水管接头上是否刻有安装位置标识。

（5）水管与其他零部件无干涉，整齐美观，无污渍。

（6）存在摩擦风险的水管应加装尼龙保护套。

（7）模板刻字详细标识完成，吊环能拧到底。

（8）油接头、安装连接方式是否符合客户标准，油路禁止缠生料带。

（9）检查锁模销是否安装，锁模块需要喷红漆，锁模销是否到底，锁模块安装位置与其他零部件是否有干涉，锁模块要刻零件标识。

（10）所有零件不得高出面板。

（七）动模侧检查

（1）动模分型面无划伤、碰伤、生锈、砂孔，抛光纹路一致，锉刀痕去除，不可刮手；模具非胶位无利角，倒角美观。

（2）无烧焊痕，关注镶件、顶针、行位以及所有活动部位的底部、角落是否有焊痕，模具上不允许有，如果有，必须除去。

（3）动模模板上有基准标识，动模模具外围有模具编号。

（4）成型面的所有螺钉孔用铜堵平。距离胶位面 25mm，深度少于 10mm 时可以不堵。

（5）平行块、耐磨块固定螺钉长度是否是螺钉直径的 1.5 ～ 2.0 倍。耐磨块油槽加工符合客户要求。

（6）主导套符合客户要求，无拉伤现象。

（7）所有零件编号有刻字，并且相应的安装位置也有刻字标识（承压块、耐磨块、滑块压条）。采用激光或机床加工刻字，不得打磨。

（8）字体正确、清晰可见，日期章能转动。

（八）滑块检查

（1）滑块动作顺畅，2000 次空运行测试后检查滑块无擦伤现象。

（2）小滑块需要进行氮化处理。

（3）滑块有可靠的定位和限位装置。

（4）有油缸的滑块要加行程开关。

（5）滑块底部和背面耐磨板安装正确，并有油槽，无垫片，耐磨板运动方向无间隙、无窜动。

（6）滑块有锁紧机构，锁紧可靠、够力。大滑块中间须增加导向块。

（7）所有滑块都能从正面装卸。

（8）大滑块是否有起吊螺钉孔并刻有标识。

（9）滑块压条有镶石墨，开油槽要符合客户标准。压条定位销安装正确，无晃动。

（10）滑块斜导柱孔要去除线割痕。

（九）下底板、支撑柱检查

（1）下底板固定螺钉长度是否是螺钉直径的 1.5 ～ 2.0 倍，螺钉分布合理，定位销有安装。

（2）定位圈直径大小符合客户标准，倒角美观、配合良好。有起拔螺钉孔，并刻有螺钉大小标识与模号刻字（特殊要求定位圈有正反两用功能）。

（3）核对 3D 面板所有孔、零部件不能有漏加工。

（4）加工有调节顶块、顶杆长度的工艺螺钉孔，并刻有固定螺钉规格标识。

（5）模板规格型号符合客户要求。

（6）模板正面设计有起吊吊环孔，并刻有大小标识。

（7）支撑柱表面无锈迹、无污渍，排列、大小规格设计合理，高度符合公司或客户标准。技术标准参见表 3-5。

表 3-5　技术标准

序号	模具长向 L/mm	A 尺寸公差 /mm	B 尺寸公差 /mm	备注
1	$L \leqslant 500$	0 ～ +0.02	A+(0.03 ～ 0.05)	支撑柱比模脚高 0.03 ～ 0.05mm
2	$500 < L \leqslant 1400$	0 ～ +0.03	A+(0.06 ～ 0.08)	支撑柱比模脚高 0.06 ～ 0.08mm
3	$L > 1400$	0 ～ +0.03	A+(0.08 ～ 0.12)	支撑柱比模脚高 0.08 ～ 0.12mm

（十）顶板、顶杆检查

（1）垃圾钉位置分布合理、高度一致，螺钉拧紧。

（2）顶板导套与导柱的配合间隙是否符合设计标准，参考表 3-6。

表 3-6　顶板导柱与导套的配合间隙

导柱、导套直径 /mm	ϕ30	ϕ35	ϕ40	ϕ50	ϕ60
双面间隙 /mm	0.06 ～ 0.10	0.07 ～ 0.12	0.08 ～ 0.14	0.10 ～ 0.16	0.12 ～ 0.18

（3）顶板固定螺钉分布合理，螺钉长度符合 1.5 ～ 2.0 倍的要求，支撑柱有避空孔，无干涉。

（4）顶板与顶杆板之间有撬模槽，四周有吊模孔，大小标识有刻字。

（5）顶杆尾端台肩平面间隙符合设计要求，顶杆不得压死。

（6）顶杆与顶杆板有相对应的记号标识。

（7）顶杆孔配合顺畅，无卡死、异响、偏心现象。

（8）顶杆防转配合面间隙应用塞规检查，配合间隙为 0.02 ～ 0.05mm。

（9）滑脚能够正常滑动，无卡死、异响。滑脚定位销已加工。

（10）滑脚硬度符合客户标准，滑脚芯有开油槽，镶石墨，滑动面粗糙度 *Ra* 达到 0.8mm。滑脚有详细的刻字标识。

（十一）动模板底面检查

（1）动模板底面导柱排气槽要开通。

（2）所有孔位口部不能有利角，倒角美观。

（3）顶块导套不能上下窜动。

（4）所有顶杆导套压块安装正确，有限位功能。限位块与顶杆配合间隙为 0.05 ～ 0.10mm。

（5）水路连接块有刻字标识，安装拆卸快捷方便，水路连接块与面板高度一致，固定螺钉符合技术要求。

（6）隔水片有安装方向标识。

（7）拆出隔水片，检查是否符合客户标准。

（8）密封槽尺寸正确、深度到位、表面光滑，技术尺寸符合要求。技术标准参考图 3-19。

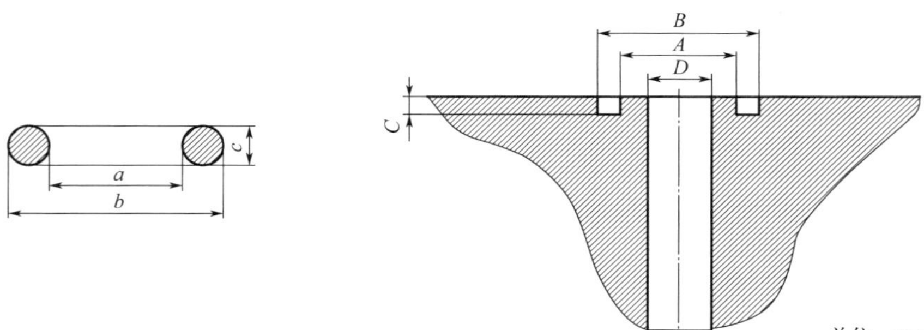

单位：mm

O形圈编号	*a*	*b*	*c*	*A*	*B*	*C*	*D*
992-9	10.50	15.90	2.70	10	16.40	1.95±0.05	6
992-10	12.10	17.50	2.70	11.60	18.00		8
992-12	15.10	20.50	2.70	14.60	21.00		10
992-15	18.30	25.50	3.60	17.60	26.20	2.55±0.05	12
992-17	21.30	28.50	3.60	20.60	29.20		16
992-20	26.20	33.40	3.60	25.50	34.10		20

图 3-19　密封槽技术标准

（9）密封圈标准，无破裂老化，为耐高温型。

（十二）定模侧检查

（1）定模分型面无划伤、碰伤、生锈、砂孔，抛光纹路一致，定模非胶位无利角，倒角美观。

（2）定模产品面不得烧焊，如需烧焊必须有书面批准依据。

（3）封胶面和产品面不能存在塌角、圆角、过切、变形和砂孔等缺陷。

（4）定模产品面刀纹等加工痕、毛刺是否已经去除。

（5）产品面应有的轮廓度不能被破坏。

（6）抛光纹路一致，表面抛光粗糙度达到标准要求。

（7）产品皮纹面完好，符合客户要求。

（8）定模模板上有基准标识，定模模具外围有模号，排气开通，排气槽加工光滑、深度符合要求。

（9）在成型面的所有螺钉孔用铜堵平，离胶位面 25mm，深度少于 10mm 可以不堵铜。

（10）耐磨块固定螺钉的抽检长度为螺钉直径的 1.5 ～ 2.0 倍。耐磨块油槽有加工，符合客户要求。

（11）斜导柱固定可靠、不松动，能从正面拆卸。斜导柱为标准件，不得打磨。

（12）合模时主导柱要比斜导柱先接触。

（13）所有零件编号有刻字，并且相应的安装位置也有刻字标识。采用机加工刻字，不得打磨。

（14）用三坐标测量机进行检测的工件，分中孔需经过精加工并刻上坐标数值。

（十三）上底板检查

（1）上底板固定螺钉长度是否是螺纹直径的 1.5 ～ 2.0 倍，螺钉分布是否合理。

（2）定位圈直径大小符合客户标准，倒角美观、配合良好。有起拔螺钉孔，并刻有螺钉大小标识与模号。

（3）核对 3D 面板所有孔、零部件，不能有漏加工。

（4）模板规格符合客户要求。

（5）模板正面设计有起吊吊环孔，并刻有标识。

（十四）热流道板检查

（1）检查热流道系统内是否有铁渣、杂物、螺纹未拧紧等现象。

（2）热流道板上有拆卸起吊螺钉孔，并刻有标识。

（3）热流道针阀完好，无变形、破损。

（4）热流道感温线或其他线无破损、无油污、无裸露、无拼接。

（5）热流道球头半径符合客户标准。

（6）浇口套入口直径符合客户标准。

（7）热流道定位销是否安装。

（十五）定模板底面检查

（1）隔水片要有安装方向标识。

（2）隔水片规格型号符合客户标准。

（3）所有孔位口部不得有利角，倒角要美观。

（4）感温线安装正确。

（十六）顶针、顶杆的变形、硬度检查

将大理石平台用酒精擦拭干净；把擦拭干净的顶针、顶杆整齐地放置在大理石检测台面上，放置时注意不要碰伤顶块、顶针口部；滚动顶针、顶杆，目测其是否变形，变形量可采用塞尺测量；用洛氏硬度计对顶针、顶杆进行硬度检测，确定其是否符合技术要求；拍照记录不合格项，反馈给生产部更换。

（十七）材质硬度检测

（1）检查硬度计（里氏硬度计、洛氏硬度计）的精准度时，通常采用测量标准块进行对比校正。

（2）测量零件为 A、B 板，以及定动模镶件、顶块、滑块、耐磨块、承压块、滑块压条。

（3）零部件不能有脏污。

（4）不可在同一位置重复测量，重复测量会影响测量的准确性。

（5）被测工件厚度小于 12mm 时，采用洛氏硬度计测量。

（6）核对标准零件实测值是否符合技术要求。

模具常用材料硬度如表 3-7 所示。

表 3-7 模具常用材料硬度

材料名称	原厂商	出厂硬度	淬火硬度	材质特性
2738	布德鲁斯 / 葛利兹	28 ～ 32HRC		已进行预硬处理，无须淬火处理
BPM	布德鲁斯	34 ～ 38HRC		良好抛光性和蚀刻性能
2343	布德鲁斯	230 ～ 250HB	48 ～ 52HRC	良好的热处理淬透性
2344	布德鲁斯	230 ～ 250HB	48 ～ 52HRC	良好的热处理淬透性
2316	布德鲁斯	27 ～ 31HRC	48 ～ 52HRC	高抗腐蚀、高抛光性能
2311	布德鲁斯	28 ～ 32HRC		抛光性好，可氮化或镀层
2738HH	葛利兹	33 ～ 37HRC		优良的抛光性及蚀刻性能
XPM	葛利兹	38 ～ 42HRC		优良的抛光性

续表

材料名称	原厂商	出厂硬度	淬火硬度	材质特性
2083ESR	葛利兹	180 ～ 210HB	48 ～ 52HRC	优良的耐磨性、抛光性能
S136	一胜百	180 ～ 210HB	48 ～ 54HRC	优良的耐磨性、抛光性能
NIMAX	一胜百	360 ～ 400HB		优良的抛光性、蚀刻性能
UNIMAX	一胜百	170 ～ 220HB	56 ～ 58HRC	优良淬透性，抛光性能佳
NAK80	大同	37 ～ 43HRC		抛光性能好，预硬处理
SKD61	大同	220 ～ 240HB	52 ～ 54HRC	良好的淬透性，变形小
SKD61ESR	大同	220 ～ 240HB	52 ～ 54HRC	淬透性好，热处理变形小
PXA30	大同	30 ～ 33HRC		优良的抛光性及蚀刻性
1.2510	国产	20 ～ 24HRC	55 ～ 58HRC	较好的热处理性能
H13	国产	150 ～ 220HB	48 ～ 52HRC	良好的淬火性能
S45C	国产	170 ～ 180HB		力学性能好，淬透性差
S50C	国产	170 ～ 180HB		力学性能好，淬透性差
P20	国产	28 ～ 32HRC		预硬处理
718	国产	28 ～ 32HRC		预硬处理
Cr12MoV	国产	170 ～ 180HB	60 ～ 62HRC	良好的淬火性能
国产铍铜	国产	38 ～ 39HRC		好的热传导性能，高硬度
94 锡青铜	国产	18±5HRC		高力学性能、耐磨、耐蚀
安博科 9404	国产	294±10HB		铍青铜，高导热、导电性能，良好的耐磨性和力学性能

（十八）模具水路、油路检查

（1）用风枪将每一组水路内的铁渣吹干净，同时检查是否有串水路现象。

（2）检查流量计是否正常，流量计干净、内无杂物，流量计刻度清晰可见。

（3）将水压调节为 0.8MPa，并按一个进水口、一个出水口为一组进行测量，以此类推，直至全面水路测量完成。判定标准如表 3-8 所示。

表 3-8　模具水路流量

压力	冷却孔直径 ϕ/mm				
	6	8	10	12	15
0.8MPa	5 ～ 8L/min	8 ～ 10L/min	10 ～ 12L/min	15 ～ 20L/min	15 ～ 25L/min

（4）测试过程记录：为保证测量结果的可追溯性，对每一组测量过程进行拍照记录。

（5）测量结果输出：完成水流量测试后，填写模具水流量测试报告。

（6）测好水流量后，将所有水路串联，将水压调节为 1.2MPa，保压 15min，测试所有水路是否渗水。

（7）密封测试结束后，将模具水道里的残留水吹干净。

（8）将油缸活塞拆出，检查油缸内部是否有铁屑。如果有铁屑，应将模具所有油堵拆出，用高压水枪将油路重新冲洗干净。

（十九）发模交货检查

（1）发模资料是否齐全、刻有光盘（光盘、2D 图纸、3D 数据、配件清单、流量报告、材质证明、产品检测报告）。

（2）发模资料要有单独的包装。

（3）备件是否完整，互换零件测量是否合格，并有相应的检测报告。

（4）定、动模成型面要喷防锈剂。如果模具海运，无论是否真空包装，成型面必须用黄油封口，防止生锈。

（5）模具用塑料薄膜打包，不得在薄膜上留有脚印、污渍。

（6）检查包装箱与模具是否固定可靠。

第四章

模具生产车间管控与考核

第一节　车间管理的任务与目标

车间生产管理是指根据企业战略目标分解到车间的生产计划，通过合理的生产组织，从模具零件加工品种、质量、数量、成本、交货期等方面出发，对本部门的人力、材料、设备、资金等资源进行计划、组织、指挥、协调和控制，构建技术上可行、经济上合理且符合资源条件的生产管理体系。在确保安全的前提下，以最小资源投入实现质量、成本、交期的最优平衡。具体要做到以下六个重点。

一、确保安全零事故

生产安全管理就是为了保护员工的人身安全与健康，保护财产免遭损失，确保生产安全地运行。组长每天查、车间主任每周查，发现问题当天解决。设备贴操作指南，危险机器加防护锁。

二、促进员工持续的工作积极性

员工士气主要体现在出勤率、工作满意度、主人翁意识等方面。高昂的士气是企业生命活力的表现，只有不断提高员工士气，才能充分发挥人的积极性。

三、保证模具品质

监控生产过程，每批货要开机首检、中途抽检、完工全检，出现质量问题能倒查追溯原因，把客户的产品要求分解转化成具体的预期目标，最终生产出性能稳定、质量可靠的模具零件及产品。

四、最低生产成本

企业的经济效益在很大程度上取决于相对成本的高低，从内部千方百计降低成本非常重要。重点是要避免各种浪费，改善加工工艺，提升工作效率。在相同的资源条件下采用最适合的并被充分利用的工具及方法，实现单位时间人均产量提高。

五、确保生产计划准时完成

在当今的市场竞争中，准时交货是非常重要的。如果车间生产不能按计划完成，将影响最终交货，影响到企业的信誉。

六、人员培训

每个工人有技能档案，组长要教新人、管纪律、改流程、保安全。每个员工每年应有不少于十次的职业培训。部门所有人员通过不断地丰富知识、提高技能、改善工作，以达到提高生产效率、提高产品质量、降低成本的目的。

第二节 机加工车间管理

模具的机加工生产管理在于以最低的加工成本，确保每一项加工任务都能按照计划的时间完成，保质、保量地向下道工序交付合格的机加工件。

一、机加工车间组织结构

组织结构（图 4-1）是根据管理构成要素设计的，是部门各有机构成要素相互作用的联系方式和关联形式，是依据管理流程对部门层次间决策权的划分及分工协作体系的构建，也是企业流程运转、部门设置及职能规划等最基本的结构依据。

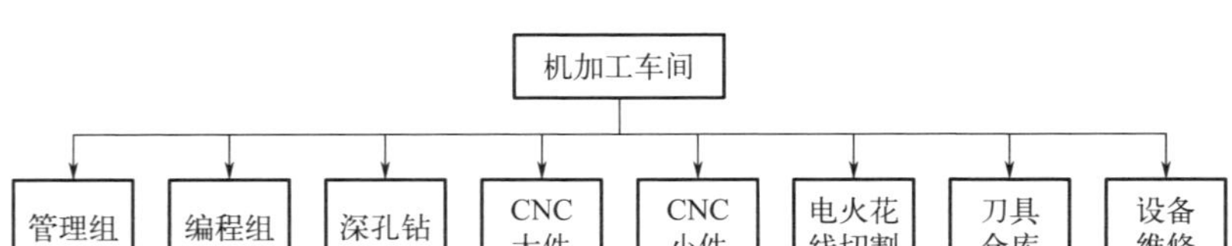

图 4-1 机加工车间组织结构图

一个结合企业特色合理制定的车间管理体系，能调动起员工积极向上的进取心，能让平凡的员工做出不平凡的业绩，能高效地发挥协同精神，形成团队力量的汇聚和放大效应，从而释放出企业资源的最大能量。

二、机加工车间标准化管理

机加工车间的标准管理工具主要有下列几项。

（一）加工工艺规划标准

虽然模具制造的特点是产品重复性小，但从模具总体结构来分析，其零件名称、工序、工艺基本一致。所以工序工艺编制标准就是从模具零件归类做起，将每个零件的加工工序、加工方式、加工工艺编制成典型标准模板库。在使用过程中调出同类零件的模板，略作调整即可快速完成工艺单的编制。这样，工艺编制就变得更加容易，技能门槛降低，工作效率大幅提升。

（二）机床加工工艺参数自动生成标准

在模具企业中经常会出现相同的加工零件，由于编程员经验不同，在编制程序时所需加工工时会有较大的差别。也就是说加工一个工件，有经验的编程员编制加工程序需要 40 小时完成；如果由经验少的编程员来编制，有可能编出 70 小时的加工程序。

所以，这就需要将经过验证的最佳加工工艺参数汇集，编制成标准。编程员在使用中只要输入材料硬度、机床类别、刀具规格等要素，即可自动生成各项加工工艺参数。

工艺正确、程序优化、刀路得当是影响机床加工效率的重要因素，也是车间降低加工成本的管理重点。

（三）生产工时定额核算标准

实现工时定额核算是做好、做准生产计划的前置要素，更是车间实行责任制管理的重要管理模式，使业绩与收入挂钩，让能者多得，激发员工积极性。因此，做好“工时定额核算标准”是实现车间有效管理的基础条件（表 4-1）。

表 4-1　机加工车间工时定额核算标准（常用）

序号	标准名称	序号	标准名称
1	大工件 CNC 定额工时核算	5	线切割定额工时核算
2	小工件 CNC 定额工时核算	6	深孔钻定额工时核算
3	电极精雕定额工时核算	7	车床定额工时核算
4	EDM 定额工时核算	8	钻孔攻丝定额工时核算

（四）刀具消耗定额标准

可以依据不同规格的刀具和加工不同硬度材料时的寿命指标，结合加工工时制定计算标准。

三、机床刀具管理系统

采用计算机刀具管理系统实现刀具使用透明化管理，能降低 20% 以上的刀具及刀具管理成本，提升车间信息化管理水平。

在一个具有多台数控机床的系统中，需要配置较多种类的刀具。要将如此大量的刀具及其相关信息管理好，必须有一个完善的计算机刀具管理系统，才能解决多品种零件加工对刀具的使用问题。

刀具管理就是及时而准确地对指定的机床提供适用的刀具，以便在维持较好的设备利用率的情况下，生产出所需数量的合格零件。因此刀具管理最重要的准则是：刀具供应及时、通过时间短、刀库存储量少及组织费用少。

关于刀具管理系统的更多细节将在后面内容中介绍。

四、目视管理和管理看板

通过视觉来改变人的意识的管理方法叫作目视管理。其特点是：谁都能直观地判明是非曲直，能及时地发现问题并迅速处置，判断结果不会因人而异。目视管理实施的深度，在一定程度上反映了车间现场的管理水平。

管理看板是管理可视化的重要工具，能够清晰展示计划、进度、定额、业绩、开机率等生产运行信息。它通过电子屏实时呈现管理系统的文件信息、现场数据等内容，实现透明化管理，确保相关人员及时共享管理现状，快速制定并实施应对措施。作为发现问题、解决问题的直观手段，管理看板是现场管理中不可或缺的工具。

五、机加工车间流程管理

管理者在实际工作中，担负着正确把控管理过程的职责，每一位组织成员都应该是流程管理的坚定执行者和推动者。

为了让管理者学习理解，图 4-2 介绍了典型的车间 CNC 加工的管理流程图。其他加工机床的管理流程基本与此相似，不在此一一描述。

（一）流程中排程计划工作细则

每日早上，车间负责人上班须先检查昨天生产计划的完成情况、主零件的计划是否脱节，分析影响计划执行的因素，比如工件已加工完毕却忘了刷卡、坯件未完成预加工等。然后按照可能出现的如备料耽误、设计延期、工序延期、客改、内改、模具交付计划提前、工件报废或返工等计划外的插单需求，对 MES 系统的加工任务排程进行一次更为精准的细化调整。一般要求在每天上午 9 时前调整完毕，更新生成包括当日及之后 2 ～ 3 天滚动的计划任务。然后按计划提前落实编程任务。

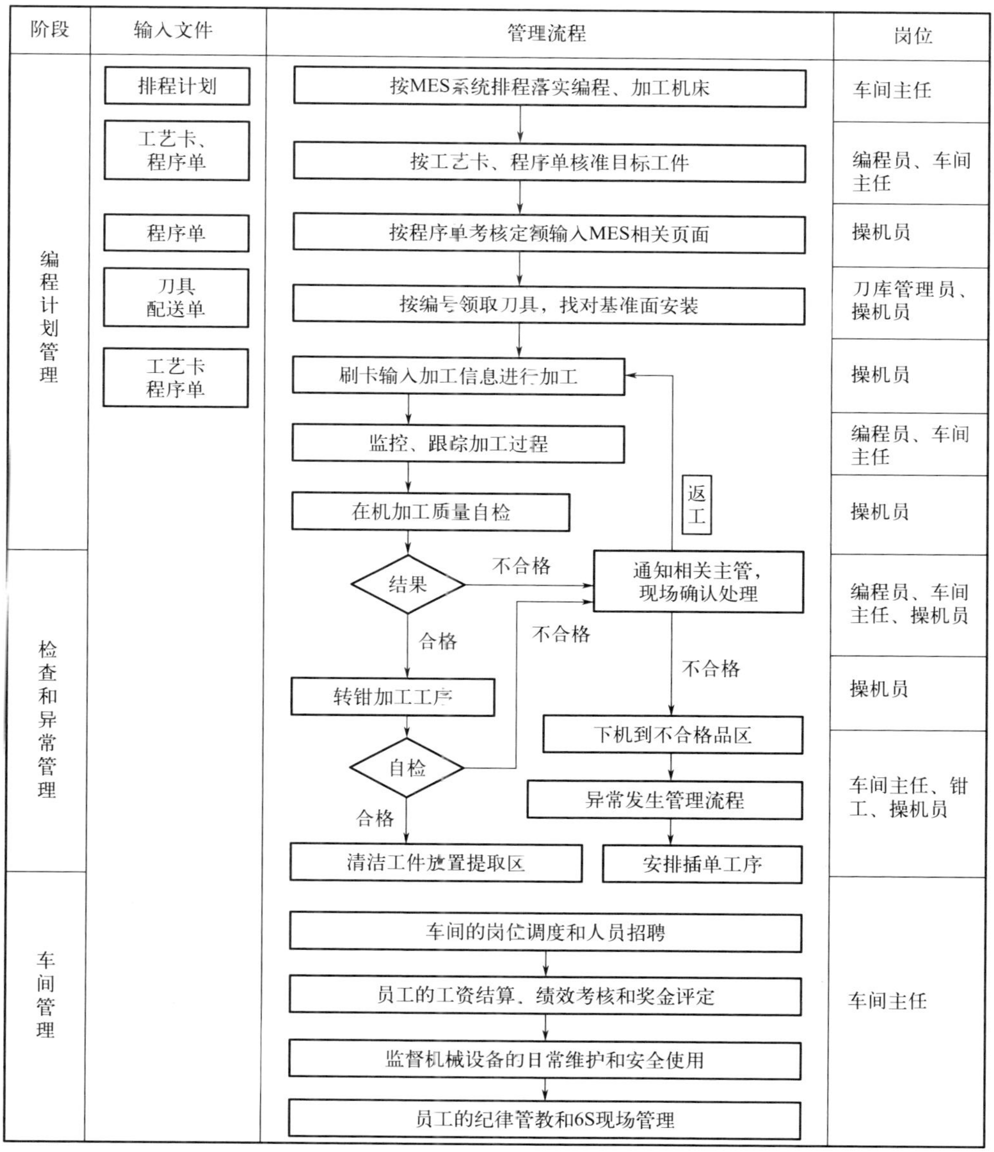

图 4-2　CNC 加工管理流程图

对加工量大的插单任务，如安排内部加工会影响模具主计划完成时间的，一般情况下尽量以外协资源解决为宜。

（二）工件上机加工

编程员按工艺卡、程序单核对工件。操机工按编号领取刀具，找对基准安装工件，刷卡输入加工信息后进行加工。加工过程中，操机工对工艺排定的工序、有问题的编程程序或加工中的尺寸等问题有调整要求时，必须尽快与主管或相关人员沟通解决。

（三）加工件的质量自检与交付

工件加工完成后，操机工必须对完工件进行在机的加工质量检查，确认无误后下机交由质检部门检查或转入钳工工序，检查合格后交付下道工序。如果在机检查不合格，操机工须报告相关主管到现场处理，尽量采取在机补救措施或返工处理。确实需下机处理的，则吊装到不合格品区，进入“异常发生管理流程”程序。

六、机加工车间管理要点

（1）业绩必须与报酬挂钩。必须对员工实行定额工时、按实绩考核支付薪酬的管理模式。执行业绩与报酬挂钩、多劳多得、能者多得的分配制度，激发员工不甘居人后的自尊心，促使员工的工作热情从被动转变成主动。改变员工原来“是为老板干”的想法，转换到现在“当小老板为自己干”的观念。通过看板屏幕显示，员工每天干了多少活、能拿多少钱，一目了然。车间管理者只要交代清楚任务、定额、交期、质量，也就是告诉员工做什么、怎么做，员工就会主动接受车间生产任务，并按要求完成任务，取得报酬。

让员工自己管理自己是最好的管理，员工积极性的调动充分提升了机床的使用效率，从而降低了工件的加工成本。

（2）定额核算要尽量做到公平合理。定额的松紧度会关系到员工积极性的持续。所以，我们要在定额核算合理准确的标准下，推出适宜考核的指标值。

考核工时是按程序单工时、工件装机等辅助工时进行考核。

（3）定工序要与加工机床相适宜，同一工序选择不同加工机床进行加工，比如大机床干小件、高速机床干亚高速、五轴机床干三轴的活，会导致成本差异较大。因此，需严格控制舍低求高的工艺配置，避免因浪费资源而增加生产成本。

（4）控制编程工时。模具编程经常会出现这样的情况，即相同的加工零件，在不同编程员编制的程序单中，其加工工时会有较大的差别。如何减少因编程经验少导致的浪费工时现象，这就需要编程人员借助“加工工艺参数编程标准”，不断提升专业水准，编制出合理的加工程序。

在生产流程中，职能部门会对每个加工件，给出加工工时的定额核算。在需要对外协作加工时，外协人员就以此定额为依据与加工商成交。在企业内部加工的加工件，此核算工时是作为编程人员编程时的控制指标值，起到约束编程人员编程的工时和机加工总费用，并控制在核算定额内适度浮动的作用。员工业绩考核依据还是按程序单工时考核，正常情况下核算与编程两方面的定额工时和加工费用指标应接近，如果出入偏大，编程人员就得着重检查工艺参数，调整到双方定额接近的数值。

客观上，定额核算部门给的“验证核算工时”，对于编程人员来说也是一种促进编程优化、促使自身进步的动力和压力。

（5）用好机床刀库自动换刀功能。刀库按程序指令自动换刀的工艺，是车间实现自动化生产的基本做法之一。在当今高昂的人工成本下，自动换刀工艺是企业必做的一项降本功课，模具生产少人化、智能化是企业追求的目标。

数控机床刀库的作用是储备一定数量的刀具，通过机械手实现与主轴上刀具的互换。刀库的类型有盘式刀库、链式刀库等多种形式，刀库的形式和容量要根据机床的工艺范围来确定。20 世纪 90 年代采购的台湾数控加工中心机床就已经有刀具库的配置。这说明至少在那个时候，先进企业就已经在应用“刀库自动换刀”的工艺。时至数控加工技术已经普及的今天，仍有不少企业还在依赖人工换刀。

如果说当时是劳动力成本相对较低的条件，影响了使用机床刀具库自动换刀的积极性，那么面对近十年来用工成本不断攀升的情况，继续以人工进行机加工换刀，则是企业落后的表现。

（6）生产过程的信息化、数字化管理已经被越来越多的模具企业认识和应用。对于中小型企业的机加工管理，市面上有多款为数控加工管理开发的专用软件。它包括计划排程、工时定额、绩效考核、统计结算等模块。应用管理系统可以提升车间管理效率和机加工效率，此类软件易用易上线，十分适合中小型企业应用。其中系统绩效考核模块，绩效工资结算统计是由管理软件自动统计的，员工及时刷卡输入加工信息就会有业绩记录，财务会根据链接的网上业绩记录支出员工薪酬。操机工也能在连接的屏幕看板上看到自己每天的业绩数据。规模以上企业的车间信息化管理应与企业整体的信息化系统相融合。

七、机加工车间制度与作业规范

（一）机加工员工须知

（1）遵守企业规章制度，服从相关主管的领导和调度。严格按“MES 模具生产管理系统”规定，及时输入岗位的相关管理信息。

（2）严禁串岗、离岗、玩电子游戏、吃零食，或浏览与工作无关的网站。禁烟区严禁吸烟。严禁在工作期间饮酒、在工作场所穿拖鞋。

（3）遵守考勤制度，穿着工作服，按时上下班，不迟到、不早退、不缺勤。提前到岗，做好交接班。缺勤、早退、中途外出、请假，应服从相关主管的调度。

（4）理解并按工艺文件加工，服从编程员指导，不明白之处及时与编程员沟通。核对完工件并自检后转入下道工序。按定额工时保质、保量完成各项任务。无质量事故发生。

（5）安全用电，安全使用设备，遵守操作规程。严禁戴手套操作旋转机床。机床停用时须切断电源。禁止用铁销等代替吊环吊装模具。吊环、吊绳用后放回指定位置。无工伤事故发生。

（6）工件在机床上装夹完毕后，机床内禁止放其他东西。机床加工铁屑要随时清理，以防止因铁屑滞留导致刀具产生二次切削，影响工作台运动或损坏机床排屑系统。

（7）机床的通风网需要及时清理。对导轨油及冷却油必须每班按照设备保养规定，定时维护，有故障及异常情况应马上向有关部门报告，严禁带故障运转。正确使用工具、量具。

（8）做好车间现场“6S”管理。机床、稳压器、冷却器及周边要保持干净。工件在机床内清理干净后下机，主轴孔与刀柄必须擦拭干净后装夹。刀具要放在刀具库定点的位置。

（二）CNC 操作员作业规定

CNC 操作员作业规定详见表 4-2。

表 4-2 CNC 操作员作业规定

阶段	作业步骤	作业要求或注意事项
加工前准备	开通外部电源开关→打开机床电源开关→打开系统绿色按钮开关→解除急停报警→打开系统按钮上电→机床返回参考点（ZERO）→进行机床暖机（20min）→读懂加工图→核对基准→明确加工要求→检查工件表面状态→清理工作台面	1. 停机后的机床开机必须先经暖机后再加工，以避免因机床温度变化影响加工精度 2. 返回参考点的速度为波特率开关 25% 速率（减少冲击）并保证 Z 轴优先返回 3. 核准程序单加工图与待加工工件的基准、形状、监控号，确定一致
安装工件	1. 安全起吊工件，检查清洁工件底面 2. 将工件基准角校正平行度的一侧正对操作侧 3. 找正工件 X 轴平行度，允差 0.01∶1000 4. 以工件底面为基准校平，平面度误差小于 0.01∶800 5. 磁盘吸合固定或用桥式压板装夹固定	1. 起吊工件必须用吊环，检查吊环吊带完好性 2. 用千分表检查磁盘平面度在 0.005mm 以内 3. 使用压板固定时须以对角方式拧紧 4. 刷工件卡号

续表

阶段	作业步骤	作业要求或注意事项
对刀模拟	1. 核对程序名、刀具规格及装夹长度 2. 擦洗清洁刀柄、主轴内孔 3. 清洁机床刀具库，按刀具排序规格放入刀具库 4. 加工的程序用软件进行模拟	1. 必须做到刀具编号与程序名对应（刀具寿命控制好是保证质量的前提之一） 2. 确保刀具为锁紧状态 3. 务必做好程序加工模拟，避免编程过切等
尺寸基准定位	1. 在工件的 X、Y 轴方向，用寻边器按加工图指定位置分中定位或单碰定位，用计算器取数 2. 按加工图指定位置，Z 轴方向用对刀棒辅助碰数 3. 各轴取数后依次在机床绝对坐标处输入碰数值 4. 依照加工单输入工件三轴坐标	1. 取数前，要确保工件测碰面光滑、清洁、无污 2. 寻边器转速控制在 500r/s 3. 绝对坐标输入，海德汉数控系统机床正值输正，负值输负；法兰克、三菱、西门子数控系统机床正值输负，负值输正
试切削加工	1. 对照加工图，核对电脑中的程序名，利用传输软件将程序输送到本机床对应的编程名下的文件夹 2. 按下面板下方的程序键（PROG），选取程序，对应加工单及刀具库的刀具装夹位置编制刀具号（1 号刀为 T1，以此类推） 3. 将切削进给波特率调至 0% 自动方式（AUTO）→选定第一检测程序→再将切削进给波特率逐渐调高至 100% →密切关注检测状况→加工状况显示“OK”后自动调取第二加工程序	1. 编制刀具号须特别谨慎，必须做到万无一失（弄错将导致撞机、主轴报废） 2. 执行四点或试切程序必须观察四点碰到工件的数值或试切削的量是否一致（此举不仅可以验证第一次取数的正确性，同时能发现编程提供的坐标值是否正确） 3. 对刀辅助工具采用 10mm 整数规格的标准棒
正式切削	1. 调取第二程序前按下面板单节键→同样将切削进给波特率调至 0% →自动方式（AUTO）慢慢调至 20% →密切关注检测状况→加工状况显示“OK”后自动调取下面加工程序 2. 切削进给波特率调至 100%，转速调至 100% 3. 冷却方式为切削油，水油配比为 1∶10 4. 保证各部位润滑油充足（油箱标有红色上下限线）	1. 务必慢慢下刀观察切削量、干涉状况，保证下道程序的正常切削 2. 切削配比以编程提供为准，如确需调整，必须经车间管理同意 3. 严格水油配比率，水多易锈，损坏机器 4. 主轴冷却油为 32 号，导轨油为 68 号（一般要求为美孚牌）
加工中	1. 加工中机床门必须为关闭状态 2. 操机员须在机旁监控机床运转及切削声是否正常 3. 观察加工效果须按暂停键停止主轴旋转并将波特键调至手轮标志处 4. 出现异常断刀或异常声音立即停机报告主管处理	1. 不得离岗，特殊时须委托专人照看 2. 依照加工单输入工件三轴坐标 3. 观察机内工件时，必须扣好工装纽扣，束好头发，不得戴手套（以免在主轴旋转时卷入）
工件加工完成	1. 工件下机前自检试切后的状况，试切量不超过 0.02mm 2. 观察加工面是否有弹刀痕、漏加工或可疑形状存在 3. 磁盘须退磁后下工件，压板的对角松螺母下工件 4. 清洁工件，记录好工艺卡，安全吊到下道工序 5. 填好自检结果表并刷结束卡	1. 判断试切量要正确（1 张 A4 纸为 0.08mm） 2. 有异常必须向车间主任报告，及时处置 3. 加工完毕下机前，须清洁工件，要求无铁屑、油污并上油。下机起吊必须谨慎，查看起吊工件与机床及对刀仪等有无干涉

（三）CNC 机床常规项目点检记录

CNC 机床常规项目点检内容详见表 4-3。

表 4-3　CNC 机床常规项目点检表

<table>
<tr><td>机床型号</td><td></td><td>设备编号</td><td></td></tr>
<tr><td colspan="3">日点检项目</td><td>方式</td></tr>
<tr><td colspan="3">1. 操作面板按钮指示灯清洁有效</td><td>看</td></tr>
<tr><td colspan="3">2. 系统面板上有无报警信息</td><td>看</td></tr>
<tr><td colspan="3">3. 气源压力表，不低于 0.6MPa</td><td>看</td></tr>
<tr><td colspan="3">4. 切削液液位高度是否正常</td><td>看 / 做</td></tr>
<tr><td colspan="3">5. 油冷机温度正常，不高于 40℃</td><td>看</td></tr>
<tr><td colspan="3">6. 导轨油油位是否在正常范围</td><td>看 / 做</td></tr>
<tr><td colspan="3">7. 主轴转动是否有异响</td><td>听</td></tr>
<tr><td colspan="3">8. X、Y 轴向移动机床声音是否正常</td><td>听</td></tr>
<tr><td colspan="3">9. 主轴装拆刀具是否正常</td><td>做</td></tr>
<tr><td colspan="3">10. 机床有无漏油、漏切削液</td><td>看 / 做</td></tr>
<tr><td colspan="3">11. 工作台表面干净，无手套、垫块等</td><td>看 / 做</td></tr>
<tr><td colspan="3">12. 油箱液压泵是否有异响噪声</td><td>听</td></tr>
<tr><td colspan="3">13. 导轨机床防护罩有无松动</td><td>看</td></tr>
<tr><td colspan="3">14. 风道过滤网有无堵塞</td><td>看 / 做</td></tr>
<tr><td colspan="3">15. 铁屑运输机是否正常运转</td><td>看 / 做</td></tr>
<tr><td colspan="3">16. 清洁整理机床电箱内外</td><td>做</td></tr>
<tr><td colspan="3">周点检项目</td><td>方式</td></tr>
<tr><td colspan="3">1. 主轴锥形孔清洁并上黄油</td><td>做</td></tr>
<tr><td colspan="3">2. 检查过滤器滤网并清理灰尘</td><td>做</td></tr>
<tr><td colspan="3">3. 检查工作台主轴端面是否生锈</td><td>看 / 做</td></tr>
<tr><td colspan="3">4. 彻底清扫机床以及冷油机周边</td><td>做</td></tr>
<tr><td colspan="4">A. 点检标志：点检正常打√，点检异常打 ×，停机或放假打△。须认真点检，不得随意打√应付</td></tr>
<tr><td colspan="4">B. 日点检时间为每天早上 9：00 之前，周点检时间为每周六下午 4：30 之前</td></tr>
<tr><td colspan="4">C. 点检发现有异常，做好标识之后立即向车间主任汇报。点检表月底统一上交到金工车间主任处保存</td></tr>
</table>

（四）机床操作工须知

（1）禁止用手接触刀尖和铁屑、转轴、工件或其他运动部位。

（2）禁止加工时测量工件、变速，用棉丝擦拭工件、清扫机床。

（3）检查液压、油压，异常时找有关人员进行检查。

（4）不许打开机床门加工，机床专人使用，他人使用须经过同意。

（5）工件伸出机床外时，须在伸出位置设防护物。

（6）学徒必须在完全清楚操作步骤后再进行操作，有问题问师傅，禁止在不知操作规程的情况下进行尝试性操作，操作中有问题立即向师傅报告。

（7）手动原点回归时，注意机床各轴的位置要距离原点 -100mm 以上，机床原点回归顺序为：首先 +Z 轴，其次 X、Y 轴。

（8）使用手轮或快速移动方式移动各轴的位置时，一定要看清机床 X、Z 轴的各方向“+、-”号标牌后再移动。移动时先慢转手轮观察机床移动方向，无误后方可加快移动速度。

（9）学徒编程完将程序输入机床后，须先进行图形模拟，准确无误后再进行机床试运行，并且刀具应离开工件端面 200mm 以上。

（五）程序运行注意事项

（1）对刀应准确无误，刀具补偿号应与程序调用刀具号符合。

（2）检查机床各功能按键的位置是否正确。

（3）光标要放在主程序开头。

（4）站立位置应合适，启动程序时右手轻触停止按钮，一旦发现紧急情况立即按下停止按钮。

（5）加工中认真观察切削及冷却状况，确保机床、刀具的正常运行及工件的质量。关闭防护门以免铁屑、润滑油飞出。

（6）在程序运行中需测量工件尺寸时，要待机床完全停止、主轴停转后方可进行测量，以免发生人身事故。

（7）关机时，要等三轴停转 3 分钟后方可关机。

（8）未经许可，禁止打开电器箱。

（9）各手动润滑点，必须按说明书要求进行润滑。

（10）程序调整完成后，修改程序钥匙要立即拔出，以免无意改变程序。

（11）机床若数天不使用，则每隔一天应对系统部分通电 2 ～ 3 小时。

（六）“6S”管理规定

（1）整理（扔掉废物）

① 把废铁屑和残留切削液甩干，及时清理。

② 文件填写：加工单、设备点检表应及时整理、上交。

③ 工具架、铁柜子：检查刀具、百分表、铁柜子内的工具摆放是否杂乱。

④ 零件摆放区：加工后的零件摆放整齐、清理干净，吊环、吊带及时送回。

（2）整理（摆放整齐）

① 物品定位：工具架、铁柜子、气枪、刀具等物品放置要规划有序、布局美观，以黄线定位。

② 工具标识：各类工具需要分类标识，定位放置。

③ 设备状态：设备状态牌要准确标示当前设备状态。

④ 搭挂物品：生活物品等不要搭挂、摆放在现场。

（3）清扫（打扫干净）

① 地面：检查地面是否干净，无油污、烟头。

② 垃圾筐废料：机床内铁屑、铜屑必须及时清理，铁屑及生活垃圾要分开存放，清洁工具在指定位置摆放。

③ 设备清洁保养：设备及过滤网上无污秽，及时加油。

④ 墙上：墙面、窗户、柜子顶等无灰尘、蛛网。

（4）清洁（保持整洁，持之以恒）

① 持续清扫：设备和地面每天保持清洁。

② 持续整理：每天下班离开前整理好工具。

③ 工作交接：每天下班离开前交接好工作任务、图纸、技术要求。

（5）素养（保持良好精神面貌）

① 工作服：上班穿工作服，穿戴要整齐干净。

② 工作姿势：姿势端正，操作动作规范。

③ 工作纪律：员工不能串岗、吸烟、玩手机。

（6）安全（消除一切不安全因素）

① 消除隐患：消防设施完好；物品、电路无安全隐患；模板在放置时不能直立。

② 吊环、吊带：吊装工件要选用合适的吊环、吊带，行车不要停在过道上。

管理是门艺术，艺术需要才能。车间管理者需要不断地充实提升自己的管理才能，从而成为管理的“艺术家”、实践中的能手。

第三节　模具企业刀具管理

模具企业普遍应用了数控加工的现代制造模式，机加工车间的全面刀具管理系统，则是企业生产运行体系中的重要管理项目之一。其内容包括刀具物流、刀具信息、刀具现场、刀具库存等管理系统。

自动化技术使得刀具的配给、运输、检测、安装更便捷；信息技术使得制造现场信息能与整个企业的信息系统相联系。

企业为了提高刀具利用率，降低刀具管理成本，需要提升刀具的使用管理水平，因此，必须应用刀具管理软件、切削数据库等管理技术。

一、传统刀具管理存在的问题

（1）容易将信息丢失或忘记。传统的刀具管理是以经验为基础，以操作者的记录为依据进行刀具选型、刀具调配、刀具领用和刀具维护的工作。操作者将刀具的信息记录在纸上或者记在头脑中，这就很容易将信息丢失或忘记。

（2）浪费现象随处可见。现场刀具随意放置，丢失及失管现象突出。操作工为图方便常发生领取超量刀具储备存留在生产现场的行为。

（3）刀具管理无序。刀具领用不规范、统计不完整，导致库存数据不准确，造成刀具短缺而影响正常生产，或刀具采购过量导致库存积压。

（4）刀具相关信息不畅。由于使用者对刀具信息了解程度不同，刀具使用不当，造成资源浪费，生产效率低下。

（5）刀具现场管理不规范。员工在刀具领用登记过程中，因现场闲置刀具较多，操机者肉眼难以区分形状类似的刀具，取错刀具造成工件返工甚至报废；也会因为填写编号出错而领取到不符合要求的刀具。

（6）刀具使用信息收集难。刀具使用信息无法准确收集，造成数据统计及查询上的困难。

生产管理者要掌握刀具的实际使用及管理等信息，依赖刀具使用者的记录或在现场查找，浪费了大量的时间和精力。随着数控设备、数控刀具的种类不断增加，到现场查找刀具的管理方法已经难以适应生产发展的需要。

二、刀具管理的意义

刀具对数控机床的生产率以及加工的产品质量起着决定性的作用。而且，刀具作为较昂贵的消耗性资源，其使用和管理上的优劣直接影响着企业的设备使用率，进而影响企业的投资成本与生产效率。

同时，刀具成本在机加工成本中所占比重在增加，统计显示直接刀具成本大约占制造成本的 4.5%，而刀具的间接成本，如刀具的选择、检测、仓储、购买、修磨、管理等产生的成本是刀具直接成本的近 4 倍。企业引入刀具管理系统，其目的和意义主要归结为以下六点：

（1）实现规范的管理及生产。

（2）准确、动态地了解现场刀具使用情况。

（3）提高刀具库存准确性，节省管理费用。

（4）即时查询产品刀具消耗成本，为降低生产成本提供翔实可靠的信息来源。

（5）减少现场员工找寻刀具的时间，提高了工作效率。

（6）提高生产数据统计的速度和准确性，减轻汇总统计人员的工作难度。

近年来，刀具管理系统应用技术得到了长足的发展。刀具管理模式通过建立刀具信息管理系统和刀具输送系统来满足生产中对刀具的需要。刀具信息管理系统由刀具计划、刀具调度、库存管理、立体库接口、对刀仪接口五部分组成，并通过网络与外系统连接。刀具输送供给系统由刀具立体库、刀具装卸台、对刀仪、刀具进出站、机床刀库、刀具缓存库、换刀机械手等组成，整个过程由刀具工作站进行控制。

三、刀具管理系统解决方案

（1）实现刀具库存查询及控制。

（2）可具体查询每个加工件的刀具消耗量，以实现精确的成本统计。

（3）可查询同一类刀具在不同机床使用的点消耗量及总消耗量。

（4）实现现场实时刀具消耗查询，为改进提高提供数据参考。

（5）可查阅详细的刀具及附件信息，为以后的刀具选型提供参考。

（6）实现生产现场 24 小时刀具发放无人化管理。

四、刀具管理系统简介

刀具管理系统管理的对象主要是机床本身刀具库中的刀具，图 4-3 是一个典型的刀具管理系统硬件组成示意图。

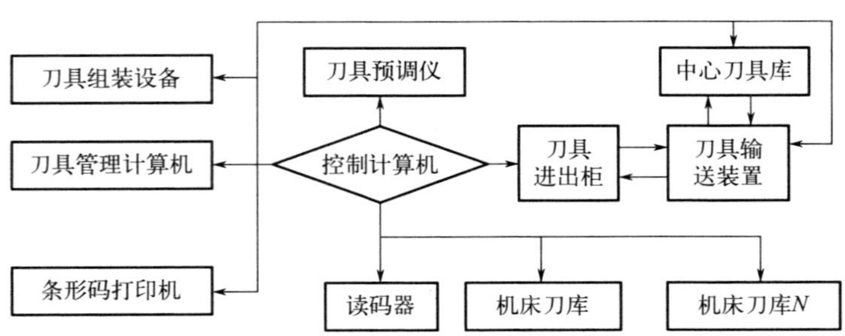

图 4-3　刀具管理系统硬件组成

（1）标准刀具构件元素

用于切削加工的刀具包括刀柄、刀杆、刀片、夹紧元件等多个刀具构件元素，此类刀具统称为标准刀具。

（2）中心刀具库刀具配置

刀具库用于存放加工所需的各种刀具。刀具的配置规格、数量是根据机床的加工零件、加工负荷确定的。机床按被加工件程序单要求，从刀具库中调取所需刀具。

（3）条形码打印机和读码器

进入系统的刀具按编码规则进行编码，并由打印机打印出条形码并贴在刀柄上，通过条形码读码器将条形码转换为计算机可识别的刀具编码。这样，计算机便可通过追踪刀具编码来跟踪每把刀具，进行动态跟踪管理。

（4）刀具预调仪

刀具预调仪对将进入系统的刀具进行对刀预调，以确保刀具按需求准备好参数。

（5）刀具进出柜

刀具进出柜要确保有足够的存放刀具的刀库位，每一个刀库位均设有监控装置，记录显示刀具的进出状态。新刀由此进入系统，磨损、破损的刀具由此出系统。

（6）刀具破损监测系统

若刀具的磨损和破损未能在加工过程中及时被发现，将导致切削过程的中断，造成工件报废、机床损坏。常见的监测刀具破损的方法有声发射法、切削力变化法、激光法等。

（7）刀具管理计算机

计算机是刀具管理系统的核心，一个刀具系统要由计算机来全面调度和控制。

（8）刀具库房

库房是基本刀具元件的存放地点，负责刀具的刃磨、刀具的装配、刀具的接收与发放等工作。

（9）刀具管理编码和数据输入

刀具、辅具由供应部门提供后，根据品种规格按规则进行编码，存放于预调室内的刀具库中，并将刀具、辅具的信息（如规格、型号、尺寸、名称、库存位号等）输入刀具管理数据库。用条形码打印机对给定的编码打印条形码标签，粘贴在刀柄上，用于系统外标识刀具。

（10）库中刀具的准备和应用程序

按程序单进行刀具的选配和分派后，由预调室将刀具和辅具组装。刀具预调仪用来对组装好的刀具进行预调（对刀），所获得的刀具补偿量通过通信接口，在刀具数据库上进行记录，并把相应的补偿量传至机床控制器的位置上。

预调好的刀具由刀具进出站进入系统，由操作者将库中的刀具按在线刀具使用单装入机床刀具库中。刀具的配置是根据目前机床的加工零件、加工计划任务负荷实现的。机床按照被加工工件的要求，通过刀具输送装置从刀具室或其他加工中心的某机床刀具库调取所需的刀具，并在自己的机床刀具库形成一个刀具加工组合。

（11）刀具监测

在切削加工过程中，刀具监测系统负责监测刀具在运行过程中的磨损、破损和位置等情况。

（12）刀具加工完成后的处置程序

下线的刀具由刀具运输装置送回预调室，经检查后拆卸或装入刀具库或送检修磨或报废，并打印相应的刀具返回单、刀具送修磨单、刀具报废单等。至此便完成了刀具管理的全部过程。

刀具管理系统涉及刀具的库存及采购管理，刀具的储存、调度及使用管理，刀具的运输及安装管理，刀具的寿命管理等方面的内容。

五、刀具寿命管理

刀具寿命是指刀具的耐用度，即正常情况下，磨损量达到磨钝标准为止的总切削时间。刀具寿命值一般可以采用在不同工作条件下，统计的实际使用切削时间数值累加的计算方法获得。然后将寿命数值记录在各刀具的文件中。

数控设备可以通过程序设定自动记录刀具使用时间，操作人员可以通过与输入的参考刀具寿命进行比较，监测刀具剩余寿命。在刀具接近预设临界寿命时，操作人员通过加工件表面质量检查来确定刀具的实际磨损状况，最终确定合适的换刀时间，既避免了刀具的过度使用而影响产品质量，也实现了刀具寿命的最大利用，降低了企业的刀具成本。另外，每台数控设备上都安装有刀具激光检测仪，对刀具的异常损耗及破损起到了有效的监测作用。

六、刀具管理系统的信息需求

建立一个刀具管理数据库及一套现场刀具管理控制柜，形成一个适合企业实际需求的刀具管理系统。刀具管理系统所需的信息可分为三类。

（1）刀具基本信息：刀具供应商信息、刀具型号信息、刀具附件信息、刀具参数信息、刀具寿命信息等。

（2）加工信息：加工件工序信息、机床刀库位信息、加工件编号信息等。

（3）刀具库存及使用需求信息：刀具库存量信息、刀具贮存位置信息、刀具领用信息、刀具入库信息等。

七、刀具管理系统功能模块

生产线员工操作模块是整个系统的核心，其主要实现了在刀具数据库中自动检索刀具的功能。仓库员工操作模块是系统的基础，它为生产线员工领用刀具提供了库存信息及领用记录。IC 卡（集成电路卡）身份验证模块为系统操作人员定义角色和操作权限，保证了系统的安全性，实现了刀具管理系统“管理无人化”的理念。

生产线员工操作流程（图 4-4）：生产线员工进入操作界面后，选择工件程序单号、工序代码、刀库位代码。系统自动检索后台数据表，显示刀具类别代码，即完成刀具的选择。在刀具库存足够的情况下领用相应的刀具。领用完成后自动触发启动 PLC（可编程逻辑器件），根据刀具编码 PLC 自动识别刀具存放的抽屉，打开抽屉，完成整个领用过程。

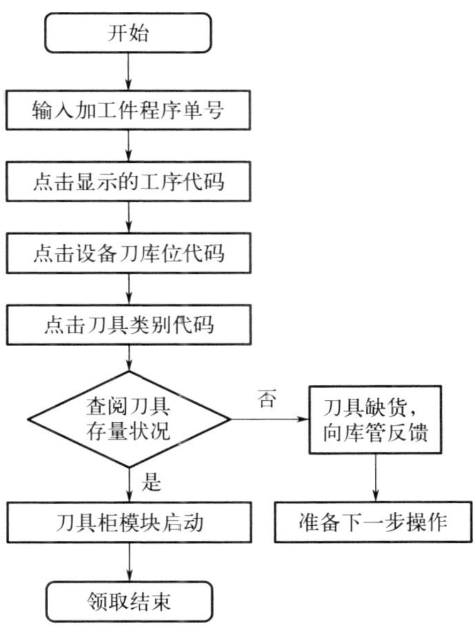

图 4-4　生产线员工操作流程

当前的刀具管理系统商品市场已有各种供应商企业，他们提供企业刀具管理系统整体解决方案的软、硬件供货及服务。有的供应商提出全免费，条件在于得到企业刀具的定点采购资格。刀具管理系统供应商从刀具销售代理中的持续获益，足以补偿前期的投入，同时也促进了企业采用刀具管理系统管理刀具的主动性和积极性。

第四节　钳工车间管理

模具产品生产的特点，决定了模具企业的管理模式不同于一般的企业。特别是对钳工车间的管理更应有缜密的筹划。钳工车间的运行状况，其实是企业整个生产管理体系运行的“晴雨表”。因此，业内就有“管理好钳工车间，基本上就能管理好整个模具生产”的说法。

一、钳工车间的管理特点

（一）与各管理部门关联交织多

从模具生产流程来看，钳工工序阶段处在生产流程的靠后阶段。所以，钳工工序之前各部门的生产管理目标，主要是向钳工车间按时、保质提供所需的各类模具装配件，这是确保钳工模具装配工序按计划完成的前提条件，也是企业生产管理的重点。

因此，各部门模具生产前期管理的结果，最终均会在钳工作业流程中予以显现。前期管理问题少，钳工作业就相对顺利。如果前期管理中存在诸如设计出错、机加工未达标、时间延误等问题，则对钳工作业计划甚至整个模具项目的进度都会带来不同程度的影响。

如何将在钳工作业阶段发现和发生的异常问题信息，及时地在钳工和相关管理部门间快速反馈、沟通、解决，这是企业生产管理、车间管理的重点。

（二）钳工技能作用突出

钳工岗位对个人技能要求比较高。一个技师级别的钳工组长，一般需要至少经过三至五年实践的钳工才能胜任。管理人员在管理工作中对技术师傅的配合依赖性强，且有经验、有水平的师傅个性鲜明，他们对管理人员的个人能力表现会更加在意。

（三）钳工参与项目事务多

在模具生产过程中涉及钳工参与的作业工序较多，钳工需与部门交叉的管理职能也不少。如：从对设计的评审、工艺评审，到模具零件加工时间节点的跟踪监督、零件加工质量的认定；从钳工装配工序的完成到第一次试模验证后的模具整改，包括异常情况出现的应对处理等。因此我们在管理方式上要认真考虑钳工生产的管理特点，尽可能地扩大钳工管理自主权，以发挥钳工在模具生产管理中的重要作用。

二、钳工车间的流程管理

通过梳理钳工车间的工作运行方式，确保流程的各个环节都能达到简洁、高效，从而合理地规范钳工作业，达到缩短流程周期、降低不良损耗、节约运作成本、提升工作效率的目的。

根据模具企业钳工车间的工作内容，在这里提供一份典型的钳工车间管理流程（图 4-5），图中罗列了车间的工作职能和管理流程顺序。企业可以根据自身的管理需要，细化和调整流程内容。

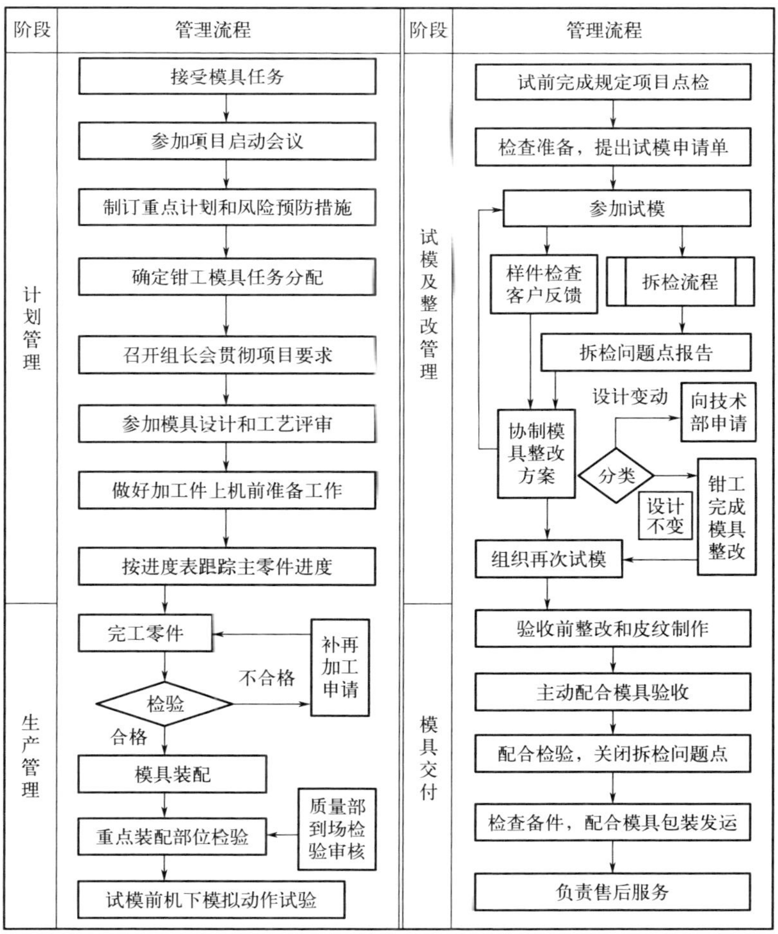

图 4-5　钳工车间管理流程

流程具有生命周期，需要不断地梳理、调试、优化。所以，管理者应该阶段性地对流程进行评估与监控，通过不断完善流程，保证流程的持续适用性。

三、流程管理工作细则

（一）车间主任

（1）任务分配要根据各组的技术和生产能力、目前小组工资和业绩统计，权衡任务优先安排顺序。

（2）关注模具重要节点及隐蔽部位的装配质量，对未达标的指导其达标。

（3）落实工艺联络单，进度滞后时指令组长安排晚班，小组因上道工序机加工滞后将发生待工时提出优先加工建议。

（4）监督钳工按送检计划提请质量部验审，处理送检不合格问题。

（5）督促安排钳工进行模具机下运转试验。

（6）督促组长参加模具首试，协同项目经理制定模具整改单。

（7）监督钳工做好加工件上机前的拆装模、机床压板等准备工作。如因钳工原因导致上机延误，记入钳工月考核扣分。

（8）实践表明，积极跟踪零件机加工进度及质量的小组业绩呈领先状态。主任需督促、跟踪落后的小组。

（9）车间主任对非钳工责任整改的钳工工时费按核算单予以核算。对整改工作量大、工时超过给定预算额的，模具工资结算时应给予补足，并视情况给予适当补贴。

（10）召开生产碰头会，指出存在的问题点，提醒组长注意；提出模具制作要求和安全注意事项，对有问题的模具提出整改要求。

（11）召开周会，讨论一周以来的工作进度和质量，分析异常原因并提出措施，贯彻落实各项管理制度。

（12）参加公司每周“6S”管理检查，督促车间对提出的整改项进行整改。

（13）总结本月工作，准备好需要提交公司月会讨论的资料和发言稿。

（14）利用看板宣传提升员工工作理念和士气，推广先进作业工艺和方法。发布车间管理指令，反映安全、生产、质量动态，更新统计表。

（二）钳工组长

（1）参加项目启动会议。提出相关合理意见，理解并执行会议制定的相关规定。

（2）发挥经验优势，认真评审模具的设计和工艺，如果正确的改进意见不被采纳时可向上一级汇报。

（3）督促组员做好工件上机前的拆模、装模、机床安装压板等准备工作。如有因钳工原因误时上机，月考会扣分。

（4）组长积极跟踪零件机加工进度及质量，是把握模具进度的要点之一。实践表明，跟踪紧密的小组其产能、业绩均能保持领先状态。

（5）关注模具重要节点及隐蔽部位的装配质量，对未达标的督促指导其达标；亲自把关模具重点部位的装配质量。

（6）对列入送检计划的装配项目提请质量部审验。

（7）滑块、顶板推出返回的模具动作反复试验，是试模前必须进行的项目。通过试验验证活动机构连续运转的稳定性，检查模具的油路密封、畅通状况，及时发现并消除油路残留钻屑等隐患。

（8）组长参加试模是缩短试模时间和正确判定模具整改方案，提升整改效率的必要条件。首试组长必须参加，此后可由资深组员参加。

（9）协同项目经理制定出最佳整改方案。对钳工的整改率、及时率进行考核。

（10）每日早会（约 15 分钟）告知组员当天工作任务。检查昨日作业完成状况，对昨天模具保养做得不好的责任人予以教育，要求其改正。检查作业区卫生及零部件的规范摆放，随时保持清洁齐整。发现不良行为及时让员工纠正后再作业。

四、钳工工序分包责任制

20 世纪 80 年代中期，有模具企业开始参照建筑业工程项目分包的模式，对模具生产过程中的钳工任务实行分包生产，称之为“钳工工序分包责任制”管理模式。

随着时代进步和生产手段的不断提高，“钳工工序分包责任制”管理模式也在与时俱进地完善优化，直至今天还在不少企业中持续运行，这充分地印证了它的优越性和生命力。

（一）管理模式

钳工工序分包责任制就是将模具生产中与钳工相关的管理事务与钳工配作任务，一并打包下放到钳工组管理。也就是在企业大体制内，划分成众多钳工组形式的小集体，将数十成百副模具任务带来的压力，细分扩散到每组三五副模具的轻量管理。由于这些分包的管理项目均是与钳工作业过程密切关联的，所以交由钳工组长管理起来就更直接。比如模具生产管理中物料的供货及到位状况、生产进度状况、工件加工状况、质量状况、班组的生产任务负荷状况、如何优化分配任务、如何在交货期内完工、员工工作及员工绩效考核情况等管理需要的相关信息，基本上在钳工组长管理和钳工作业范围内发生，所以也总会在第一时间被钳工组长及时处理。

加之没有了“部门墙”的阻碍，小组管理职责的履行也相对地流畅和顺畅。

在钳工工序分包责任制的质量、交期与报酬挂钩的责任压力和回报激励下，钳工在生产中自觉尽责的主动性得到了最大的发挥。所以企业相关专职的管理人员就可以做到应少尽少。项目经理主要负责模具进度监控和客户对接；生产管理侧重在机加工方面以及做好为钳工生产的服务上；部分质量监管任务分解到生产过程中的各工序责任者身上，下道工序负责验收上道工序。企业在模具成本、模具质量和模具交期等方面做宏观上的管控。

钳工工序分包责任制其实与后来日本实业家稻盛和夫介绍的“阿米巴管理法”相似。其核心方法就是将原由专职部门集中管理的大任务包，拆解成小任务包，交由钳工小组自行管理，让员工的收获与责任挂钩来激发工作热情。任务分包让员工做“小老板”，这就变被动为主动，真正地实现了企业的扁平化管理。

（二）钳工小组管理

（1）在一些企业中，不少钳工组员对组长的管理爱听不听，对规章制度不太在乎。究其原因虽然存在管理层执行力的问题，但主要还是收入没有与绩效挂钩，做多做少一样，做好做坏一样。工资制度的落伍，也让他们失去了“组长是小老板”的概念。加之偏高的底薪使得一些组员没有了多做多赚钱的欲望，对接受管理、执行制度也就滋生了消极甚至抵触情绪。小组管理是生产管理的基础，企业要授予钳工组长相应的管理权，充分树立钳工组长的管理权威。

（2）建立小组内组员个人绩效考核制度，必须坚持业绩与收入挂钩的原则。我们要做到让能者多赚钱、勤者多赚钱。虽说惰性是人的本性，但在适宜的竞争氛围下，人都有不甘居人后、积极向上的进取心。

（三）组长管理职责

（1）参与模具设计方案和设计评审，参与加工工艺审查。

（2）负责模具零件加工的工序间流转、计划完成时间的跟催和加工质量验收。

（3）负责小组内的钳工装配工序计划的落实，完成模具配模、总装、养护、水电油测试、模具自检、模具整改等钳工作业工序。配合模具出厂交付前的检验。

（4）参加模具试模，并及时解决试模过程中模具产生的问题。试模后协同生产部门制定模具整改方案。

（5）保证按任务单给定的日期交付合格样品和合格模具。

（6）做好小组的承包作业管理，教育组员遵守企业规章制度。

钳工组长对于小组成员的管理，主要是将所有钳工工序任务分解至每个人，按每人完成定额量的实际绩效计酬结算，体现多劳多得。

（四）钳工组成员的职责

（1）服从组长的指挥，规范作业，按时保质完成组长分配的生产任务，并按业绩获得相应报酬。

（2）组员之间团结友爱，有困难要相互帮助。

（3）树立良好的工作习惯，要做到安全用电、安全吊装、安全使用设备。

（4）要保持一个良好的工作场所，做好现场清洁整理，自觉配合 6S 现场管理检查。

（5）工序任务完成后及时在 MES 生产管理系统中刷卡输入，以免漏记业绩。

（6）工作中发现有质量问题，不论是什么原因、责任是谁，都应及时报告组长处理，决不许擅自处理。

（五）钳工作业工序的分类

模具制造全程与钳工相关的工序，一般来讲有 3 类 20 项左右就可全覆盖，分得太细会增加不必要的管理工作量。

（1）模具零件装配工序类。如定模芯与定模框的装配，动模芯与动模框的装配，镶块的装配，直顶块及顶杆装配，斜顶块及顶杆装配，耐磨块、平行块、锁紧块装配，芯杆、推管、推杆装配，潜伏式浇口配作，方导柱配合等。

（2）模具组装工序类。如热流道系统组装配，油缸油路系统组装配，冷却水路系统（翻水孔、隔水片、堵头、紫铜、铜螺钉堵头、外接水嘴、水管连接）组装配，直顶出、斜顶出机构组装配及调准，滑块研配及组装，定、动模总装。

（3）模具测试检查工序类。拆模检查验收水压密封、流量试验、机下动态模拟试验、在机试模交验。

在钳工作业工序分类中，外协件跟踪、钻孔攻丝、合模的钳工作业工序，通常不包括在钳工分包任务中，而是另由专职小组负责。这样做可以让钳工腾出精力在必要工序上发挥更大作用。

（六）工序定额核算及其实际运行

做好钳工工序定额核算是实施钳工工序分包责任制的前提条件。企业可根据自己的管理情况编制核算标准。在此推荐一种经过实践验证的方法供参考。

（1）模具的钳工工序包干工资，包括组长管理工资和模具装配工序工资两部分。组长管理工资系组长的管理报酬。钳工工序包干工资归完成任务者所有，其中也包括组长。

（2）在制定模具装配工序工资定额标准时要做到利益兼顾、相对合理。原则上可在员工平均效率的水平上再加 20% ～ 30% 的宽裕量作为工序工时，然后在此基础上再给予一定的待工工时补贴，作为整体定额核算标准。

（3）组长根据分配给组员的工序、工时任务，在组员完成并认可合格后，统计业绩、结算组员报酬。

（4）钳工工时的核算。计价工资，组长、组员宜采用一致的工时计价标准，比如说30元/工时。能力和责任差别等因素可在工时核算标准取值时考虑。

（5）制定好核算标准后，相关管理人员还需在试运行磨合阶段（先对钳工业绩只记录不考核的阶段），视实际情况再做适当调整以使制定的标准更为合理。在正式运行后，为了不影响员工情绪，一般来说定额指标需调整时宜松不宜紧，尽量保持平稳。

按照此薪酬管理模式，我们就能比较顺利地将按劳分配的责任制落实到小组每个人身上。钳工完成工序作业就在管理系统上刷卡记录，多劳多得，生产管理部门凭此也能更为精准地掌握和监控模具完成的整体进度。

（七）实施钳工责任制的必要性

企业为了营造对外部市场的竞争优势，对企业内部则必须有激发竞争的管理制度。管理者要懂得如何在员工中创造竞争，让他们为业绩而奋斗。如果公司的氛围变得你好我好、互相客套时，这就意味着员工正在逐渐失去争先恐后的竞争意识。员工积极性的下降，势必导致企业的整体效率下降，企业的市场竞争力也就必然衰退。企业推行有竞争效果的制度才是有效的管理制度。管理者必须依靠良性的竞争文化，建立完善的竞争机制，让大家在主动和被动中适应竞争，这是管理者应该掌握的管理技能。

（1）钳工工序分包责任制就是为钳工营造一个合理的竞争环境，激发员工活力的管理模式。通过员工在绩效、质量、交期等各方面的竞争，让优秀者享受竞争红利，让落后者不甘居人后、努力上进。只有在充分的竞争氛围下，才能持续激发员工的活力和潜力，从而也带来企业的活力和潜力。

（2）钳工工序分包责任制的落实并不复杂。对于员工来说，他们别无选择，要么遵守规则与企业共享红利，要么就退出离开。失去了活力和干劲的人员，自然会被毫不留情地淘汰。

（八）钳工工序分包责任制对钳工的益处

（1）钳工自主管理权扩大，在规则内可以按自己的想法进行工作，可以依自己的意愿安排非业务时间，更有一种可掌控自己命运的感觉。

（2）具有因工作表现优良而得到实质性薪酬回报和获得同事、公司尊敬的荣誉感。

（3）有不断提升工作绩效表现所需要的压力，成功地完成工作后获得的成就感。

（4）在工作中不断增强和充分体现对自我价值的信心，发现自己的优点。

（5）产生“既是在为公司大老板干，更是在为作为小老板的自己干”的感受，提升工作动力。

（九）钳工工序分包责任制的落实

理顺了钳工车间的管理，整个企业生产管理工作就会更顺畅。对钳工小组的管理，在质量符合要求的前提下，必须紧紧抓住钳工最关键的定额与报酬挂钩、报酬与交期挂钩的考核。这是钳工管理的关键点，抓不住关键，钳工小组自觉履责的主动性就会“滑坡”。在有些模具企业中，原本是钳工抬手之劳的分内事，却要管理人员三番五次说着好话催着去做。钳工的消极配合，致使项目经理、生产管理员不得不去处理一般事务，生产管理效率直线下降，严重地影响了模具生产节点计划甚至整个项目计划的如期完成，这种管理状态势必会给企业带来生存危机。

管理者必须从思想上认识和重视钳工在模具生产过程中的重要作用，强化落实钳工职责。激发员工积极性，做好服务，为钳工的顺畅履责开辟绿色通道。

钳工作业的工序管理是车间的主要管理任务之一。以往从一副模具开始到完工结束，钳工作业的所有工序要求每个钳工都得做，都要会做。现在钳工人力资源紧缺，而且钳工的技能和综合能力与之前的变化较大，我们已无法完全按入职条件招聘员工，只能通过细分工序和专人专业来提升团队绩效。根据每个人对工序的熟练程度和工作特长来安排具体工作。

组长在平衡好工作量的前提下，可根据钳工的个人优势和特长，安排组员专做若干工序。专职做会做得越来越熟练，钳工作业的专职分工将大幅提升工作效率。

五、钳工车间信息化管理

在已引入信息化管理系统的企业，要将钳工工序分包责任制管理模块融合到MES 管理系统中，建立起更为优越的钳工车间管理模式。

（1）将生产的相关数据输入系统。模具生产各级相关管理者要将模具制造的设计数模、模具制造规格书（标准）、节点日程生产计划、工序定额工时、工序完成进度状态、员工绩效薪酬等与钳工任务密切相关的信息，输入显示在 MES 管理系统的相关页面上，以供钳工作业的相关任务人随时登录查看。

（2）生产部将标明工序完成时间要求和工序工时定额的任务书输入 MES 管理系统并下达至小组。组长根据组员能力，分配工序任务到个人。钳工完成了工序任务，输入 MES 系统，经组长确认，据此自动统计结算钳工业绩与薪酬。钳工如不输入完成工序任务信息，就等于没有了收入。这也改变了以前一些钳工懒于输入的现象。

（3）为便于钳工操作，系统可针对性地设计一份类似工艺单的钳工作业任务书。工序完成后，钳工只要打开系统对应的站点页面，点击“完成”即可。

（4）钳工工序完成信息的自觉输入，理顺了模具进度信息项目管理、生产管理的通道。

在还没建立和应用MES系统的企业，应该设法编制个性化的钳工生产管理系统，以减轻和简化钳工管理工作量和流程。

任务书模板见图4-6。

模具钳工组				模具号				模具名称			
类别	工序名称	考核指标			工序任务完成人姓名						
		定额	数量	交期	娄*	王*	陈*	李*	丁*	肖*	陈*
模具件与件配装工序	定模框芯装配										
	动模框芯装配										
	镶块装配										
	配直顶块										
	配斜顶块										
	耐磨块、平衡块、锁紧块										
	芯杆、推管、推杆装配										
	潜伏浇口配作										
	方导柱配作										
模具结构组装工序	热流道系统装配										
	油缸油路系统装配										
	翻水孔、隔水片、堵头										
	紫铜、铜螺钉堵头										
	外接水嘴(水管连接)										
	真顶、斜顶机构装配										
	配滑块及组装										
	配抽芯及组装										
	定模、动模总装										
测试检查	拆模检查验收										
	水压密封、流量试验										
	动态模拟试验										
	客户地试模交验										
组长管理费、工具费											
改模											
业绩合计	工时										
	工资										

图4-6 任务书模板

综上所述，钳工车间管理要点归纳如下：

（1）钳工管理是生产管理的重点：要将钳工工序分包责任制融入 MES 管理系统，要坚守模具质量、计划完成时间与收入挂钩的业绩考核制度。着重于将报酬与责任挂钩，让钳工都成为小老板，让他们感觉既为企业干也为自己干。企业要充分下放管理权，让员工自己来管理自己。

（2）必须推行钳工组及其个人的业绩考核：按钳工作业工序的不同技术要求实行专职分组作业，以提升工作效率、降低入职门槛，提高组员的工作积极性。

（3）推行责任制要充分做好准备：企业在落实钳工工序分包责任制管理时，要事先充分做好计划实施准备，如管理模式宣传工作、员工思想工作、工序工时核算标准审定、管理表单配置等。我们要用好各种管理工具，稳步循序推进。

（4）实行责任制要以点带面推进：我们应该筛选若干个钳工小组小范围先行试点，即便有所调整，协调起来也比较容易，要有个时间不长的过渡期，然后再全面推进。其他各工种小组如合模、抛光、钻孔、攻丝亦可参照钳工模式推行。

（5）落实钳工工序分包责任制，紧抓模具质量、计划完成时间与收入挂钩的业绩考核制度。抓准管理环节的“七寸”，工作效率就能“四两拨千斤”。理顺了钳工车间的管理流程，整个企业的生产管理工作就会更顺畅。

第五章

模具企业关键环节的管控

第一节 模具整改及试模管理

模具的整改试模阶段是模具制造、项目管理的重要节点，目标是达到尽可能少的试模次数。不能因为模具上整改点的工作疏漏或者整改方案的不当，而导致反复修改、反复无效试模的现象发生。一副 5 吨左右重的模具，修改模、试模的一次费用就在 5000 元至 10000 元。修改试模反复多次就没有了利润，甚至可能发生亏损。

一、模具整改管理

模具整改管理流程如图 5-1 所示。

（一）模具整改内容

（1）与模具结构相关的达标整改。比如：顶块、镶件及滑块等的配作，顶杆长度精度调整，合模面配合优化，热流道与冷却系统调试，开合模和顶出顺畅、无异响等。

（2）与产品外观要求相关的整改。如对顶白、流痕、熔接痕、收缩痕、银光纹、接口段差、毛边、气泡等的处理。

（3）与产品几何尺寸相关的整改。如浇口位置和浇口大小的调整等。

（二）模具整改依据采集

（1）试模验证现场。模具需要整改的各种问题，绝大部分会在试模验证时暴露。因此，项目经理为了能够掌握现场第一手资料，必须自始至终地在现场参与协调试模，收集记录试模中发生的现场能解决和不能解决的所有情况，然后梳理出试模发现的所有整改点。

（2）征求钳工意见，补充整改点。钳工最清楚模具的制造情况，特别是钳工装配工序存在的问题和解决办法。

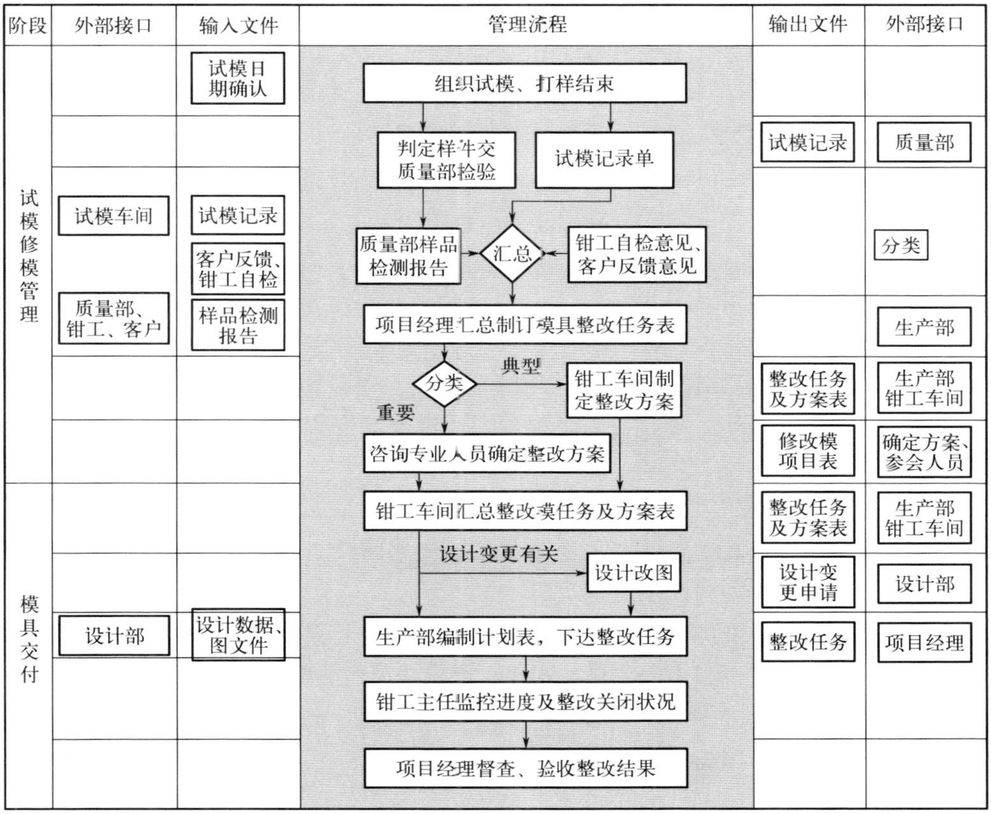

图 5-1 模具整改管理流程

（3）注塑成品检测。目测产品注塑缺陷、产品变形程度，检测产品几何尺寸，并依此收集模具整改问题点。

（4）客户反馈。样品送交客户后，项目经理要跟进沟通，争取尽早取得客户的反馈意见，以确保尽快完善模具整改单的所有整改项目。

模具整改方案的制定，最能体现项目经理的技术水平。好的整改方案应该是既省时省钱，又能让整改目的一步达标不再反复的方案。对于整改中的一些疑难问题，我们要启用团队的智慧，即项目经理间相互磋商沟通，制定整改方案，这是大幅降低反复整改试模率的重要环节，但在实际的管理中必须硬性规定、切实履行。

（三）模具整改管理要求

（1）项目经理参与试模。项目经理能在首试时，根据模具流道分析报告制定合理的注塑工艺指导现场调试，以使注塑的产品满足要求。

（2）掌握试模状况信息。收集试模过程中模具生产状况及存在问题的现场资料，是制定精准整改方案的先决条件。

（3）强调模具组长参与现场试模。一是及时处置模具原因导致的试模中出现的问题；二是及时掌握试模状况及问题整改的现场资料，以利于后续顺利地整改。

（4）项目经理的相关决定权。负责判定试样的合格状态，负责判定模具首试是否合格，负责确定样件发送的数量和包装方式。

（5）设计变更落实。模具整改或客户反馈涉及设计变更的，由项目经理向设计部提出，设计部落实更改。对于一些简单的如进浇口大小调整、位置调整等更改，项目经理可直接与模具设计员交接。

（6）钳工工序整改项目落实。项目经理可向生产部备案，直接向钳工组交代整改任务，传达客户要求。要认真关注此前整改没改到位的修改项。进度及整改结果也由项目经理监督认可。

（7）重要修改需得到相关方面的同意。凡影响制品外观和尺寸、非客户原因的修改必须征得客户同意。改变原模具设计和补焊等修改，需要会同相关部门审核同意后，会签决定。

（8）客户更改。对客户提出的变更，要评估变更对交期、质量的影响和变更的成本，与客户沟通变更方案的优化，要提示客户变更的风险。

（9）整改需有书面依据。所有整改都要有书面指令，对整改要求可以结合样品进行描述，并向钳工组交代清楚。

整改后试模前，项目经理要在钳工自检后，再次确认没有整改遗漏及整改不到位现象，以杜绝整改遗漏及整改不到位导致的无效试模。

（10）模具变更情况的应对处置。项目经理要跟踪、记录项目生产过程中发现的变更情况（内容、原因、成本等），保留必要的客户原因证据。设计阶段的工程变更由技术部负责。

（11）整改模的信息共享。项目部编制“修改模任务汇总表”和“修改模达成率统计表”。“修改模任务汇总表”以流水账形式登记修改模具的任务信息，包括模具名称、整改时间、试模次数、钳工组长、项目经理等信息，用颜色区分完成状态，在网上共享，供模具车间管控模具作业进度、平衡钳工组生产、避免模具整改工作非正常停滞。

（12）拆检模具的计划安排。需要拆检的模具一般安排在T0或T1之后。项目经理根据模具整改周期及时合理安排拆检计划，通知模具车间落实具体拆模时间。

发生生产延期，项目经理首先要确认对交期的影响，一方面向客户做出合理解释以获得谅解和配合，另一方面自身则积极参与制订生产应急计划，并负责相关部门协调执行。

（四）模具的验收、交付

整改任务完毕，经质检部门确认，关闭所有的问题点后，项目经理要整理好模具交付所需的设计数据、注塑工艺参数表、CAE 模拟分析图、模具使用说明书、装箱单等所有资料。有提供备件约定的，整理好备件，做好发模准备。

二、试模制件常见问题整改分析

（一）浇口附近有银丝气纹

（1）原因分析。由于浇口截面积小，注塑时造成高剪切摩擦热，导致熔料再度迅速升温，分解产生的气体来不及排出，在浇口附近产生放射状银丝气纹。

（2）解决方案

① 调整注塑工艺，运用多级注塑。第一段用中等速度注塑使熔料充填至流道及浇口；第二段用慢速注塑至浇口附近；第三段快速充至型腔的 90%；第四段慢速充满模腔。

② 如果采用以上方法不能完全解决问题或者工艺范围较窄，则采取以下办法解决：改善浇口，加大浇口截面积。

③ 适当升高模具温度。

（二）顶白、顶鼓

（1）原因分析。由于制件顶杆附近的筋槽、柱脚等在模具中的包紧力大于顶杆顶出力，导致制件产生顶白、顶鼓现象。

（2）解决方案

① 检查加强筋及槽表面和柱脚孔壁抛光是否到位，与脱模方向是否呈直线，出模斜度是否足够。如果没达标，需要整改到符合要求。修整时注意筋槽尺寸控制在公差范围内，口部避免出现圆角，以防止产生收缩痕。

② 如果允许可在顶出部位适当增加壁厚。

③ 加粗单根顶杆以增加顶出面积或在合适位置增加顶杆数量。

（三）顶出块的色差痕

（1）原因分析

① 顶出板轻微不平或垃圾钉的高度不一致，导致注料受力时有回弹现象。

② 顶块底部装配不平，有间隙。

③ 顶块杆配合长度过长（超差）。

（2）解决方案。针对原因，给予重新研配校正。

（四）飞边毛刺

（1）原因分析。在排除合模原因的前提下，主要还是在注塑工艺参数调整上来寻求解决方案。然后进一步对各进胶点的流程比（流道流程长度与流道直径之比）进行分析。

（2）解决方案

① 如果不是合模原因，制件产生飞边通常是注塑压力过大所致，适当降低注塑压力及保压压力即可。

② 当模具注塑工艺范围较窄时，降低注塑压力会导致注料不足或出现收缩痕。这时就要加大相关进胶点的进胶量，如有必要可调整进胶口位置，以改善流程比的平衡。

（五）蛇形纹

（1）原因分析。平行制件壁厚方向的侧向浇口进胶时，熔料在通过浇口后进入模具空腔时，注料前端没有阻力致使熔料压力骤降而产生蛇形纹。

（2）解决方案

① 提高注射速度、加宽进胶口、减少浇口厚度。

② 减薄进胶口附近的制品厚度，以增加料流阻力。

③ 采用潜伏浇口，进胶方向垂直于制品厚度。

（六）困气、碳化

（1）原因分析。塑料干燥不足、排气不良及温度过高，导致塑料分解，产生气体。进胶口太少或者注射速度过快，导致剪切速率过高，塑料分解气化。

（2）解决方案

① 适当增加进胶口、降低注射速度，干燥处理。

② 困气、碳化位置如在制品边缘，可在分型面开深度不超过 0.02mm 的排气槽；如困气、碳化位置不在制品边缘，则在模芯的对应位置用排气钢加装排气通道。

（七）产品缺料

（1）原因分析

① 设备选型不匹配。在选用注塑机时，注塑机的最大注射量一般须大于塑件重量（包括模具料道重量）的 20% 以上。

② 注塑机塑化量过少或加热不足，导致供料不足。

③ 螺杆与料筒及止逆环因磨损间隙过大，导致回流缺料、充填不足。

④ 注塑工艺不合理，注塑压力太小、速度太慢、时间太短、温度太低。

⑤ 浇注系统设计不合理。设计浇注系统时，要注意浇口平衡，浇口位置要选择在壁厚部位，也可采用分流道平衡布置的设计方案。如果浇口或流道小、薄、长，则流动受阻，熔体的压力在流动过程中损失较大，产生充填不良的现象。

⑥ 模具局部或整体的温度过低。

（2）解决方案

① 应合理设置流道位，扩大流道截面和进胶口面积，必要时增加进料点。

② 对于模具排气不良的问题，应在缺料部位增设排气沟道或排气孔，在必要的分型面上可开设排气槽。为不影响制品外观，排气孔一般应设置在缺料对应的动模型芯部位或产品制件的最后充填处。

③ 可通过提高模具温度、加快注射速度、减小浇注系统流动阻力，以及减小合模力、加大模具间隙等辅助措施改善排气不良。

④ 提高料筒温度、增加计量行程、增加注射时间或延迟切换保压，加大浇口、流道等的截面积尺寸。同时，可在原料配方中增加适量润滑剂以改善塑料的流动性。

（八）制品的收缩痕、收缩孔

（1）原因分析

① 制品收缩痕、收缩孔，一般都出现在注塑件的壁厚区域，如加强筋或支柱与注塑件表面的相交处。这是因为塑件熔体在冷却收缩时未能得到充分的熔料补充而产生的。当注塑件由熔体转变为固体时，壁厚区相对于壁薄区收缩慢，形成拉应力，此时制品表面尚未完全冷却硬化，如果无熔料及时补充，制品容易产生收缩痕及内部收缩孔。

② 注塑件产生收缩孔的原因与产生收缩痕的原因相同，主要区别是在表面凹陷与内部缩孔上。收缩痕和收缩孔通常产生在制品壁厚部位，这与模具冷却效果关联较大。注塑件出现收缩痕会影响表观质量，有时还影响制件的强度，这与使用的塑料种类、注塑工艺、塑件和模具结构等均有关系。

③ 通常容易产生收缩痕的原料大都是尼龙、聚丙烯等结晶型塑料，此类塑料收缩率较大，流动性较好。在注塑过程中，结晶性塑料受热变成流动状态时，分子呈无规则排列。当被射入较冷的模腔时，塑料分子会逐步整齐排列而形成结晶。

④ 收缩痕产生的根本原因在于塑料制品的壁厚不均。

（2）解决方案

① 提高注射速度、提高保压压力和延长保压时间，提高料温、模温（使用模具

温度控制机）可确保制件有充足的时间补充熔料。

② 需加大进胶口或改变进胶口位置至壁厚处。

③ 提高料温或增加料量。

④ 适当提高背压。

（九）熔接痕

在塑料熔体充填模具型腔时，如果两股或多股熔体相遇时前面部分熔体的温度不完全相同，则这些熔体无法完全融合，在汇合处会产生凹槽，从而形成熔接痕。

（1）原因分析

① 低温熔体的分流汇合性能较差，容易形成熔接痕。

② 模具排气不良：首先应检查模具排气孔是否被熔体的固化物或其他物体阻塞、浇口处有无异物，如果阻塞物清除后仍出现碳化点，应该在模具流道的料流交汇处增加排气孔，也可通过重新定位浇口或适当降低合模力、增大排气间隙来加速熔料汇合。

③ 脱模剂使用不当：在注塑成型中，一般只在螺纹等不易脱模的部位均匀地涂用少量脱模剂，原则上尽量减少脱模剂的用量。

④ 塑件结构设计不合理：塑件壁厚设计得太薄、厚薄悬殊或嵌件太多，都会引起熔体熔接不良，在设计塑件形状和结构时，应确保塑件的最薄部位必须大于成型时允许的最少壁厚。

⑤ 其他原因：如使用的塑料原料中水分或易挥发物含量太高、模具中的油渍未清除干净、模腔中有冷料或熔体内的纤维填料分布不均、模具冷却系统设计不合理、熔体冷却太快、嵌件温度太低、喷嘴孔太小、注射机塑化能力不够、柱塞或注射机料筒中压力损失大等，都可能导致不同程度的熔体汇合不良而出现熔接痕。

（2）解决方案

① 在生产过程中应针对不同情况，有针对性地采取原料干燥、定期清理模具、改变模具冷却水道的大小和位置、控制冷却水的流量、提高嵌件温度、换用较大孔径的喷嘴、改用较大规格的注射机等措施予以解决。

② 针对模具温度过低、注射速度太慢、注射压力太低、脱模剂太多等问题，可相应提高模具温度或调整顺序阀时间和工艺，调高注射压力和加快一段注射速度，加粗主、分流道尺寸。

③ 尽量少用或不用脱模剂。

④ 增大流道及进胶口尺寸或调整进胶口位置。

⑤ 改善模腔内排气不良状况，在产生熔接痕的位置开设排气槽及气孔。

⑥ 对于料流经过模具孔位碰穿面分流汇合所致的熔接痕，可以根据碰穿孔面积

大小，适当留出一定厚度的不碰穿过料面。此过料面厚度应在试模中逐步加厚到熔接痕消除。

（十）银纹及料花

（1）原因分析

① 塑件上产生的银纹现象一般是由于注射时螺杆启动过快，熔体及模腔中的空气无法排出，空气窜混在熔体内，致使塑件表面产生了银色丝状纹路。银纹不但影响塑件外观，而且会降低制件的强度。

② 塑料本身含有水分或油剂，受高温而变成气体，导致银纹。

③ 如果注塑机料筒温度、螺杆背压太高或成型周期太长，则塑料容易因高温受热分解而产生气体；注射速度过快也会产生原料剪切分解，导致银纹。

（2）解决方法

① 塑料颗粒间含有空气，如果料筒在进料斗处的温度调得很高，使塑料颗粒的表面在未压缩前便熔化而粘在一起，则塑料颗粒之间的脱气不良。应降低其温度，并检查下料口处冷却水状况。

② 熔体塑化不良，对此，适当提高料筒温度和延长成型周期，尽量采用内加热式注料口或加长流道。

③ 注塑前先根据原料商提供的数据干燥原料。

④ 使用的助剂要求稳定性好、不易分解。

⑤ 料筒每次注射后不可留量过多，熔料停留时间过长易产生分解。

⑥ 增大主流道、分流道和进胶口。

（十一）虎皮状波浪纹

（1）原因分析

① 虎皮状波浪纹容易出现在诸如门板、保险杠、仪表板和流程较长、面积较大的塑件上。

② 注塑成型时，当塑料熔体通过较小的进胶口时，会在进胶口处遇到较大的阻力而使塑料在流道中发生体积收缩，一旦通过进胶口就会瞬间体积膨胀，从而导致熔料流动的前端产生阵发性膨胀充填模腔现象，这就导致在制件外观形成虎皮状波浪纹。

③ 熔料在流动过程中，如果制件厚度偏薄、模具温度过低且流动过程中还因为制件结构原因，造成流程过长而流动困难，就会产生熔料前端阻力增大，熔料流动明显减速或出现停滞，其制品外观会出现光泽差的现象。但由于较热的熔料不断地从浇口注入，熔料开始急速膨胀并出现节律性阵发推进，此时新充填的区域，其外观光泽则会较好。这就产生了产品外观面光泽差异的虎皮状波浪纹现象。韧性差的

材料很少会出现虎皮状波浪纹，而 HIPS、ABS 材料以及添加了橡胶成分的 PP 材料，则常出现虎皮状波浪纹缺陷。

（2）解决方法

消除或降低虎皮状波浪纹现象，主要从成型工艺上解决，方法有加大进胶口面积、提高料温、提高模温、降低注射速率等。

（十二）制件粘定模

（1）原因分析

① 开模时整个制件粘在定模型腔的现象，在排除模具设计产品动、定模方向选择错误原因的前提下，大概率是制件对模具定模型腔的包紧力大于动模所致。

② 进胶口尺寸太大或型腔脱模斜度过小。

③ 模具内壁光洁度不够，甚至有毛糙凹痕。

④ 料温过高或注射压力过大。

⑤ 注射时间设置太长、冷却时间设置太短。

⑥ 模内制品表面未完全冷却硬化、模具温度太高。

（2）解决方法

① 保证定模模温高于动模模温。

② 调节注射和保压的各工艺参数，稳定熔料在模腔内的流动，成型周期要保持稳定，不能有过大的波动。

③ 料筒射胶量、存胶量要稳定。

④ 在确保制品质量的条件下，尽可能降低注射压力和保压压力、缩短保压时间。提高定模型腔的脱模斜度和光洁度。

⑤ 对表面纹理制件，在定模型腔纹理加工后产生粘定模现象的，可以在脱模方向适度降低纹理深度，然后用合适的砂粒喷砂修饰。

（十三）制件尺寸不稳定

（1）原因分析

① 制品的密度直接受注射压力影响，注射压力大制品密度就越大，收缩率就越少，得到的制品就越长。如汽车亮条等装配类长制件，通常就依靠调整注射压力来控制制品长度。所以要求确保设备的注射压力和保压压力可稳定调节。

② 注射压力不稳。

③ 料筒背压过低导致进入料筒的原料忽多忽少，每次料量不一致。

④ 注射后料筒中留存量不足，导致注射失压现象。

（2）解决方法

① 调整注射压力和保压压力、保压时间，至制品达合格长度。

② 生产现场测得的制品长度与放置 24h后测得的长度会不一致，检验产品应以放置 24h 后测得的尺寸为准。

③ 将长度合格制品样件称重，批量生产时控制重量就可达到控制长度的目的，这就使检验工作变得简便可靠。

（十四）气泡

（1）原因分析

在塑料熔料注入充填型腔时，由于多股熔料的前端包裹挤压形成空穴，或者熔料充填至型腔末端时由于气体无法排出而被熔料包裹，在制件上形成了气泡穴。

气泡与真空缩孔是不同的概念，气泡是指制件内存在的细小气泡，而真空缩孔是指排空了气体的空穴，它是在熔料冷却定型时，收缩不均而产生的，空穴内并没有气体。在注塑成型过程中，如果材料干燥不足、注射速度过快、熔料中夹有空气、模具排气不良、塑料的热稳定性差，塑件内部就可能出现细小的气泡。特别是对于 PMMA、PC 等材质的透明件来说，塑件内部有细小气泡时，会影响外观质量，同时，一定程度上也会降低塑件的强度。

（2）解决方法

① 加粗流道尺寸，加快一段速度，在产生气泡的部位增开溢料排气槽。

② 调整背压，降低料温。

③ 充分干燥原料，降低螺杆转速或注射速度。

④ 改善模具排气不良。

⑤ 每次注射后料筒留存量不能过多，避免熔料在料筒内停留时间过长而产生分解气体；减小进胶口尺寸或改变浇口形状，让气体滞留在流道中。

⑥ 由浇口位置和塑件结构造成的缺陷，解决措施是利用顺序阀控制熔体的充填顺序。

（十五）制件纹理表面有折光色差

（1）原因分析

这是在化学蚀刻纹理过程中，蚀刻液的浓度随蚀刻进度在纹理面呈不一致地降低，正常工艺中应当适时刷除纹理表面的蚀渣并搅动蚀刻液，以保持蚀刻液浓度一致。

（2）解决方案

如果出现制件纹理表面折光色差的情况，选择与纹理标号对应粒度的砂粒，对表面进行轻度喷砂处理。

（十六）模具顶板进退动作异响

（1）原因分析

① 顶出速度过快，由于油路中油嘴口径不匹配，液压油的压力能量在管路内呈

积聚、释放的律动现象推动顶板，此时就产生断续节律的异响。

② 在模具油路中有铁末残留物，导致油阀故障。

③ 在油路、油缸中有空气。

④ 顶板、导柱间隙过小，斜顶块与滑脚配合不良。

（2）解决方案

① 降低顶出速度至不发出异响。

② 彻底清洁模具油路管道，排尽油路管道中的空气。

③ 适当加大顶板导柱与导套的配合间隙。检查斜顶块滑脚装配状况，注意加注适量润滑脂，调整改善至轻松滑动无阻碍。

（十七）制件翘曲变形

（1）原因分析

① 动模侧与定模侧模温差过大，注射压力过高、速度太快，保压时间太长，产生内应力变形。

② 模具表面温度差大，冷却不均匀。塑件在成型过程中由于冷却不当极易产生变形现象。

③ 模具浇注系统设计不合理，多浇口进料量不均。在确定浇口位置时，要注意避免熔料直冲型芯。

④ 工艺参数设置不当。如模具及料筒温度太高，或冷却时间太短。应针对制件变形的具体情况，分别调整对应的工艺参数。

⑤ 塑件产品结构不合理，制件设计厚度不一致，几何形状落差大、不对称，没有加强筋结构来约束变形。尽可能与客户沟通并采取补救措施，在产品结构上做些改善以减少变形现象。

（2）解决方法

① 降低料温和模具温度是首选的有效方法。在模具脱模操作上，应适当减慢顶出速度。

② 塑件在模具内必须保持足够的冷却定型时间。对于模具冷却系统的设计，应增强模具中温度容易升高、热量比较集中部位的冷却设计，比如镶嵌热导率高的合金。对于那些比较容易冷却的部位，应尽量减缓冷却速度，以便使注塑件各部分得到均匀的冷却效果。

③ 应使型芯两侧受力均匀。对于面积较大的矩形或扁平塑件，当使用收缩率大的塑料原料时，应采用薄膜式浇口或多点式浇口，尽量不采用侧向浇口。对于环形塑件，一般不采用侧向浇口或点浇口。

④ 在模具设计方面，应该合理设计脱模斜度、顶杆位置和数量，提高模具的强

变和定位精度，避免因模具顶出脱模及排气系统设计不合理导致的变形。对于有些符合条件的模具，可根据翘曲规律来设计和制造预变形量模具，目的是让取出的制件变形到产品设计的要求。

⑤ 有一些产品，塑件脱模后即将其固定于专用定型工装夹具中，在适当的温度下保持一定时间再缓慢冷却至室温，即可消除塑件内的取向应力，确保塑件的几何形状达到设计要求。

以上介绍了十七类在试模中常见的制件问题点及模具整改判断方法。只要项目经理及模具整改相关人员在实践中认真灵活应用，日积月累，就会成为制定正确整改方案的行家。

三、模具试模管理

（一）试模管理流程

试模管理流程详见图 5-2。

（二）上机试模准备工作

（1）机床操作人员必须穿戴工作服、安全帽、安全鞋等劳动防护用品上岗。

（2）在开机前先检查各种电气开关是否完好正常，油箱、油位是否符合要求，验证模具编号是否与拟试样件一致。检查原料牌号、烘料温度与干燥时间是否符合试模工艺单要求。检查模具的冷却系统是否良好、油路是否畅通。对热流道模具要待热流道温度达到设定要求后才能操作。要注意注射时必须关闭安全门，以免高温熔料外溢伤人。先开机空运行，观察注塑机的模具开、合、顶出等动作是否顺畅，有无异响。将注塑机料贮料筒烘干温度，按照工艺单给定的温度设定，待料温达到设定的温度 15min 后，开始下一步的工作；根据成型工艺单要求，设定好注塑机的料温、压力、速度、冷却时间、位置等工艺参数。

（3）往复式螺杆注塑机一般有 4 种动作模式：全自动、半自动、手动和点动。试模多采用点动模式，即按下某一动作按钮后，注塑机的动作将根据按下的时间长短分步运行。这种模式只在更换模具、调整注塑机、协调各个动作之间的配合、料筒排料时使用，正常生产时不得采用。

（4）为了保护注塑机螺杆，应确保注塑机料筒各段温度达到设定的温度后 15 ～ 30min，再开始操作螺杆。在无料空转的情况下，应以 60r/min 以下的转速进行试运转。

（5）模具的安装须在注塑工作操作前完成。操作人员的手和脸部不可靠近注射喷嘴的前端。

（6）注塑机液压油的工作油温，一般在45℃左右，如果油温低于40℃，油的黏性会过高，而油温高于55℃，则黏性会过低。为使注塑机处于最佳工作状态，当油温低于40℃时，应先启动油泵电动机进行空运转，以使液压油得到预热。

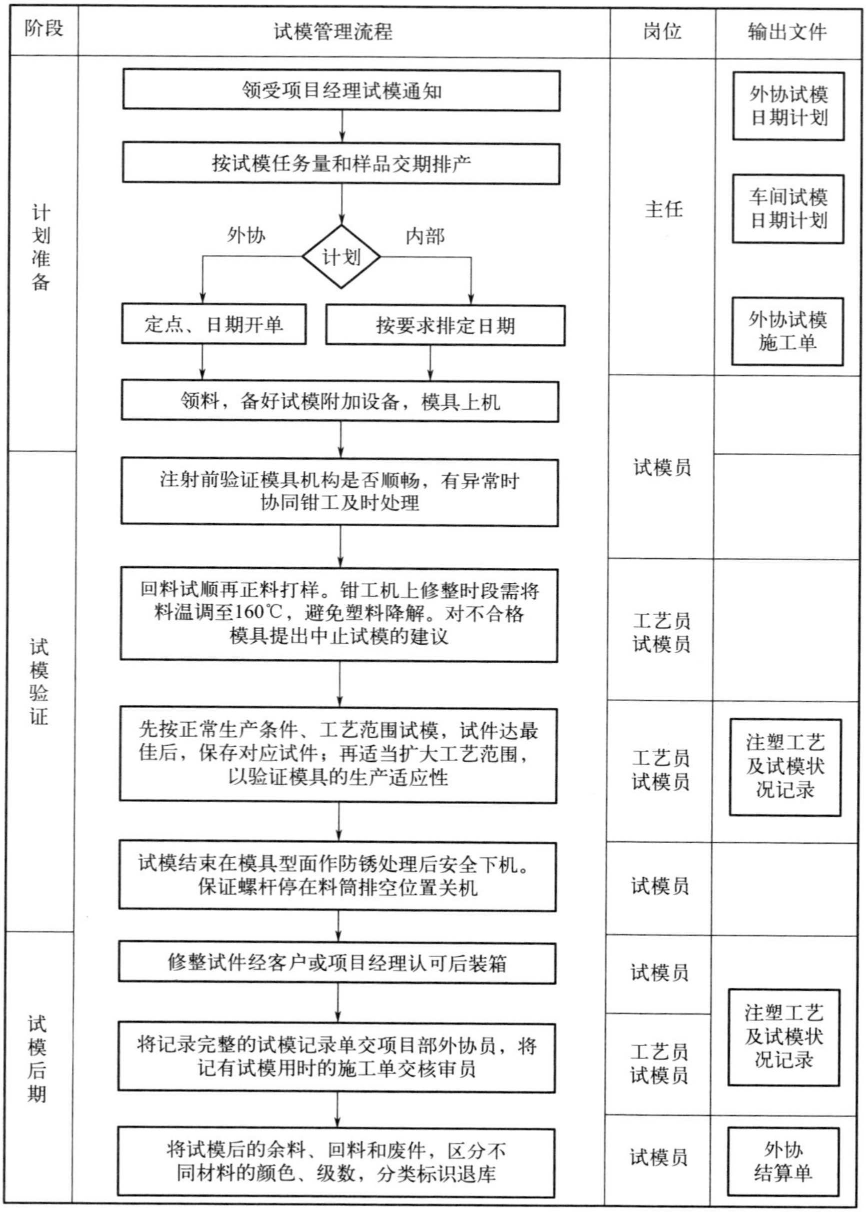

图5-2 试模管理流程

（三）注塑机试模运行中的操作规程

（1）注塑机在合模前，操作人员要仔细观察顶杆、顶块、滑块、抽芯等机构有无复位，模具型腔内是否有产品或异物，检查一切正常后才能开机。

（2）料筒排出的熔料凝块，要趁热划开或压扁成 15mm 左右厚的料块，以利于打碎回收。生产过程中排出的浇口料或废品应放入对应废料箱，严禁将不同品种、颜色的废料及其他杂物混装在同一废料箱中。高光镜面模具的成型零件，不得用手触摸，若有油污必须擦拭时，只能用软绒布或脱脂棉。

（3）注意在料筒排料时，操作人员应远离喷嘴，以防喷溅烫伤事故的发生。

（4）当工人需要进入设备或在模具动、定模间检修时，务必要关闭油泵马达，避免机器误动作导致事故发生。

（5）模具或设备出现故障需要检修或本次任务完成等都会需要停机，停机需要遵循一定的程序，在做好相应的工作后，才能关闭机器。

① 注塑机在停机前，务必确保料筒处于注射排空状态，螺杆停留在料筒前端位置，注射座后退接近底部。严禁在预塑状态下停机。

② 停机前模具应处于合拢状态，动模与定模分型面之间留有 2 ～ 5mm 的间隙；不允许高压将模具锁紧，一旦注塑机持续处在强大的锁模力下停机，将会使拉杆承受巨大拉力而产生变形。

③ 停机后应关闭全部电源。如果待机时间在 2h 以内，为缩短重新开机生产时料筒的加热时间，可以不关闭加热电源。但务必将料筒温度、热流道温度都调至 160℃以下，以避免余料因停机而产生热分解。如果长时间停机，则切断全部电源。

④ 将机械手、上料机、模温控制机、干燥机等辅助设备的电源关闭，然后切断注塑机总电源。

⑤ 关闭压缩空气及冷却水的阀门，关闭车间电控柜内该注塑机的电源。

⑥ 停机后应做到机台内外无油污、灰尘，无杂物堆置，设备周边干净，工装设备擦洗干净，摆放整齐。

（6）做好注塑机的维护保养工作，特别是格林柱、导轨等机台活动部位的维护，做好“5S”工作。要及时涂覆润滑油，易生锈部位应清洗干净后涂覆防锈油等。

（7）做好各项记录，如生产记录、设备停机原因记录、设备点检记录、维护保养记录等，以备下一次生产时参考。

（四）注塑机上模具的拆除

在拆下模具前，须将注塑机调至手动模式，才能进行拆模工作，并按照以下步骤进行。

（1）启动油泵马达，将动模与定模的分型面完全闭合，然后关停油泵马达。

（2）打开安全门，将动模与定模用锁模器连接固定在一起。然后，将钢丝绳连接环套装入模具吊环内，插入横销，旋紧螺母，点动控制吊车起吊按钮，以适度地胀紧吊装钢丝绳。

（3）拆除模具安装压板，如注塑机是磁性板的则按退磁按钮，使磁性完全释放。

（4）启动油泵马达，点动开模按钮，观察模具是否脱离注塑机安装板。如果没脱离，则是退磁不足，重新退磁开模。当开模操作完成时，关停油泵马达，然后把模具从注塑机上谨慎吊出并放在指定的位置。

（五）试模车间岗位职责

（1）主任负责车间生产管理体系的安全有效运行；负责车间人员的调度安排、技能培训和作业指导；考核员工绩效；保证“6S”管理持续推进，监督设备和试模配套设施的保养维护。

（2）主任根据项目部的试模计划和试模申请，制订车间的试模、外协试模的日计划，并派专人跟踪外协试模过程，通知钳工组长和项目经理到现场参加试模。

（3）主任最终验收模具的试模状态，有权拒绝和中止不符合试模条件的模具试模。按管理系统规定，及时输入岗位的相关信息。

（4）工艺员负责试模工艺指导；分析处理试件的质量问题，尽量使试模制品样件质量达到最优；检查试模记录的完整有效性。

（5）工艺员按试模通知记录单中的项目，记录好试模用时、用料量、样品数、模具现场验证、制品检查、首次试模验证和最终注塑工艺参数等。

（6）试模人员按照试模计划，完成模具吊装、固定、通水、通电、通气工作；按照工艺员的要求及时烘料、添料、换料；承担试样的去浇口、修飞边、按要求分类包装等工作。

（7）试模人员做好车间生产设备的日常保养和水管、压板及压板螺钉、供水供气设施、模具温控机、温控箱、烘箱等配套用品的维护、管理工作，随时清扫、整理工作现场，保持责任区的卫生。

（六）安全使用吊装设备

（1）开动行车前必须认真检查设备各部位，确保处在安全状态方可开动，严禁设备带病作业。

（2）使用行车时必须先点动控制按钮，以确定行驶方向；吊钩接近工件前和起吊初始时，必须点动缓行；吊钩空运行高度必须离地面 2m 以上。严禁用倒车代替制动。

（3）起吊前必须确认被吊物件的重量，严禁超负荷作业，确保机械制动性能及起吊物件稳妥可靠。

（4）使用的吊索必须牢固可靠，且必须按照吊装部位吊装，严禁用螺钉、铁棒等其他物件代替吊环吊装物件。

（5）在磁性板注塑机上起吊模具前，特别注意检查确认磁性板已经退磁释放，然后点动试吊确认安全后继续吊装模具下机。

（6）严禁将起吊物件歪拉、斜吊翻转，起吊物件在运行时，离地面高度不得超过 10cm。

（7）行车起吊时，工件上下严禁站人，工件上不能有其他物品；不得在重物吊挂悬空时进行加工作业；严禁将手直接置于工件下方操作。

（8）当起吊带有棱角、快口（锋利边缘）的物件时，必须用木块或纱布垫好。

（9）严禁起吊氧气瓶、乙炔瓶等具有爆炸性的物品。

（10）使用完毕后，严禁将操纵控制按钮盒随意脱手，以避免晃荡、碰撞。吊装作业完毕后，必须将行车停放在车间规定位置，并关闭控制按钮盒上的电源开关。

（11）行车操作者不得背向运行中的行车，人一定要随行车走，紧盯行车，以免发生碰撞等意外事故。

第二节　模具企业应收账款管理

模具制造具有制作周期长、技术要求高、受客户主导制约等特点，企业应做好应收款项的管理，保证足额及时地收回应收账款，降低和避免坏账风险；做到有效控制在履行合同的全过程中可能发生的应收账款风险；避免因模具货款不能及时收回而出现坏账，避免企业陷入财务危机。因此，应收款项的全过程管理应该是企业管理的重中之重。

一、模具企业应收账款存在的风险

（一）应收账款回收期较长

模具企业一般采取“客户定制，以销定产”的经营模式，即遵照客户的订单及客户的标准要求及模具的数量、品种、规格、品质等要求来安排制作模具。在生产完成出货前，须对模具的各项技术指标进行检测验收；发货到达客户指定地点并安装调试好，合格产品达到批量生产要求后，客户对模具出具最终验收报告。不同客户的项目合同以及与客户所签订的收款条件有所不同，一般依照合同的约定，依据交易条件分阶段开具发票收款。而在客户出具最终验收报告后才能确认营业收入、应收账款及结转营业成本，并冲抵预收货款与存货金额。待模具保质期到期后，再依交易条件收回质保金。这些行业特点导致项目从开始到收款完成的期限长、阶段多，受客户制约影响大。

（二）设计变更多，收款完成期限长

模具主要分为设计、数控加工、装配调试和验收四个主要阶段。模具的差异化特征明显，在制造过程中不可避免会有各种原因的设计变更、模具整改，导致完成期限延长，回款期也相应延长。

（三）收款节点对应的验收环节多

出货时进行预验收，在主机厂投产时针对设备安装调试到量产进行终验收。每道工序、每套模具的验收又涉及采购、设计、项目、制造、资产管理、财务等多部门环节，验收所需时间较长，导致应收款项收取所需的时间就更长。

（四）未达到正常收款条件就出货

近年来由于模具行业整体处于供大于求、价格呈下降趋势的市场形势，销售部门为了订单不得已向客户做出让步，致使客户付款条件越来越苛刻，应收账款周期变得越来越长。另外，营销人员往往因为客户催促工期，在客户预验收后，尽管客户的回款承诺尚未兑现，就将模具发到了客户指定的地方。之后，模具到手后的客户，因为没有了模具需求的压力，拖欠账款也就成了常态。由此，企业的资金被长期占用，经营成本增加，影响了企业的持续经营能力。

（五）客户的经营问题

模具需求受经济周期波动影响大。在目前全球经济环境形势下，行业竞争加剧，有部分客户企业出现经营不善且融资困难，致使短期内难以支付欠款，因此，对模具验收节点确认和验收工作无法按期进行，订单执行进度不及预期，模具发货及终验收都后延，导致应收账款难以按期收回。

二、模具企业如何加强应收账款管理

（一）针对不同的客户进行授信管理

根据公司的经营战略把客户分为不同授信等级，对战略客户、核心客户、重要客户、一般客户、新客户区分不同的信用期与信用金额，并定期、不定期地进行调整、评估、更新客户的授信管理指标。巩固现有的优质客户，积极开拓新客户，控制坏账风险。

对每个模具业务项目要从投标环节开始就建立项目的授信管理，从客户资信调查、历史信用状况、经营状态、项目的成本利润情况等方面确认每个项目的基本授信，并严格执行对每个客户的授信政策，从而减少坏账发生的概率，起到提前控制风险的作用。

（二）严格控制合同审批流程，明确设计变更费用的条款

在模具生产过程中存在客户产品设计变更的特殊性，因此，在与客户订立合同时，必须明确因客户原因的模具整改需由客户承担费用的条款。或者在合同执行过程中以补充协议或会议纪要的形式进行，履行由双方负责人员签字或单位盖章等书面有效确认手续。合同签订必须严格执行内控制度的规定，财务和法务严格把关，提前把关管控应收账款风险。

（三）专人负责，定期稽核

每个项目销售责任人，全面负责对接客户项目应收款项的催收，财务部门与业务部门定期核对，起到相互稽核的作用。销售部门于周例会由各责任人汇报检讨项目，各客户收款情形与最新的沟通结果；每月提交业务回款计划跟踪表和预计下月收款计划报送给相关部门；销售部主管每月应定期汇总周例会会议纪要，将各项目收款情况呈报给总经理、财务等高层主管，以便针对账款回款情况，采取应对措施，加强账款回收管理。人力管理部门通过回款考核，将回款结果与责任人绩效考核结合，落实业务人员催收款项责任。财务部对客户项目收款情况以周报及月报形式进行统计及通报，对逾期未能收回的款项进行分析并通报给管理层，并评估因此产生的坏账风险及亏损情况。

财务部门定期给客户发询证函，针对项目的合同金额及变更情况、开票及回款金额、未收款项进行确认，保障企业应收款项的真实性与准确性，也为及时催收货款提供了保证。

（四）严格模具出货出厂审批

模具出货是企业销售流程中的重要环节，没有达到收款条件的模具出货，财务部门有一票否决权。模具项目在达到客户验收标准后，由项目销售部发起出货申请，制造部门接到出货申请后，履行模具入库出库程序，经部门主管审核后提交财务核准。财务部门在接到出货申请时，核对合同中出货条款，达到出货条件的项目给予核准并签字放行，未达到出货条件的申请予以否决，特殊个例则需提交总经理决定。公司门卫在核准有财务部授权人员签发的出货单的情况下，才能放行出货模具。

（五）公司绩效与应收款项的完成率要挂钩

企业应收款的合理及时回收，是确保企业生产正常运转的重要支撑。营销业务部门是应收款项催收的主要责任部门，而模具的出货质量、交付客户日期、客户满意度、企业利润收益，则涉及设计、采购、制造、质量、移交等各环节。各部门的工作成效直接影响到模具制造过程各节点的货款回收结果。应收账款指标完成率不仅与销售部门有关，而且与企业的其他部门也直接相关。企业应提高交付的准时性、有效性及售后服务的及时性，加强服务客户意识的培训和宣传。各部门应以营销为龙头，全面围绕客户服务，提高客户满意度。客户满意了，才能加快应收账款的回收，保证企业生产的正常运行。

在当今面临越来越大的市场竞争压力的情况下，对于模具制造企业来说，做好应收账款的管理关系到企业的生存和发展。企业应认真做好客户信用管理，严格合同审批制度、出货管理制度，提升企业技术与制造能力，多部门、多方位涉入应收账款管理，同时还要加强考核监督与绩效管理，使应收账款管理工作扎实开展。

第三节　模具企业绩效管理

模具企业绩效管理体系，应根据企业规模的不同特点设计构建。规模小的企业大多采用直线制管理模式，指挥系统一竿子插到底，管理结构简单，中层管理人员少，职权、职责分解到一线，决策贯彻快速，管理成本支出相对较低。所以该类企业的绩效管理内容主要还是对应生产一线员工的定额工时考核、按绩效计酬的方式。小企业的管理必须简单，绩效管理也是如此。

规模以上建立科层制组织的企业，管理职能分工较细，有战略管理、资源管理、成本管理、市场开发（询价、审核、合同）、任务下发、项目策划（启动、计划）、模具设计（过程、输出）、物料采购、工艺与计划管理（规划、编制、生产计划、外协管理）、生产与过程检验、异常管理、试模与模具整改、模具验收交付、售后管理等业务内容。因此需要构建绩效考核体系来进行企业的绩效管理。

一、绩效管理的概念和目的

绩效管理是指各级管理者和员工为了实现企业发展战略和目标，共同参与绩效计划制订、绩效辅导沟通、绩效考核评价、绩效结果应用、绩效目标提升的持续循环过程。绩效管理的目的是持续提升个人、部门和组织的绩效。

绩效管理能够提高决策层工作的规范性和计划性，促进改善管理层次的逻辑关系，提高组织运行效率。绩效管理的长期推进可以构建和谐的企业文化，使企业在一种目标明确、奖勤罚懒、优胜劣汰的氛围中良性发展。

绩效管理是企业全体员工的共同责任，企业的高层领导是绩效管理的第一推动者。除了依靠绩效管理部门推行绩效管理体系，还要有各部门的支持和配合，只有这样，才能增加企业推行绩效管理的成功率。

二、绩效管理的导入与实施

企业实施绩效管理的步骤包括：需求评估策划、配备管理组织、建立管理制度和管理计划、过程监督辅导、管理目标与指标、绩效管理实施、绩效考核评估、绩效管理改进、绩效成果应用、绩效沟通。

（一）绩效管理需求评估策划

企业推行绩效管理，首先对绩效需求进行识别和分析，根据企业实际全面策划绩效管理体系。绩效管理体系策划，必须与企业的其他管理体系融为一体，相互关联。这是因为绩效管理需要其他业务流程和制度的保障，才能得以运行。所以，要求在推行绩效管理之初，将企业现有的业务流程和制度对接绩效管理体系，予以完善和优化，以确保绩效管理体系的正常运行。

对于已具备一定绩效管理基础的企业，虽然绩效策划必须是全面整体的，但重点落在对绩效指标的策划、配备绩效管理组织等内容上，负责绩效管理体系的推行。对于重新开始推行绩效管理体系的企业，绩效管理策划中应考虑到，绩效管理实施的覆盖面不宜一下全面推开，宜选择以定量考核为主的销售、机加工、设计和钳工等部门和平时表现较好的部分机台、小组、个人开始。要有个时间不长的、只统计不考核的适应试行期，视情况再予以实际考核，有了效果和经验后，再以点带面逐步展开。

（二）配备绩效管理组织

推行绩效管理是一项系统性的管理工程，需要组建绩效管理组织、配备绩效管理人员，并赋予其职能和权力。由于绩效管理专业性强，绩效管理负责人要求具备以下基本条件：拥有全面的绩效管理知识、较强的沟通协调能力、在企业中有管理威望、可随时解决绩效管理执行中出现的问题。

绩效管理专职人员需要满足的基本条件：有绩效管理专业知识，具备人力资源专业、统计专业相关技能，具有数据收集、处理的能力，对公司内部业务流程较熟悉，具备提供改善建议的能力。

（三）建立绩效管理制度和管理计划

绩效管理制度是根据绩效管理的所有环节、内容，以规范、标准的方式相应建立起来的制度，能够让员工在绩效管理制度的指引下进行工作。

在企业的各种管理制度中，绩效管理制度是企业管理中最重要、最关键的制度。绩效管理制度中还包括其他绩效管理工具，如对企业中各不同岗位、工作职责、项目目标、工作技能分别制定的指标核定标准、考核评估标准、绩效结果应用标准等。

制度虽然会约束一些不自觉的员工，但对大多数员工来讲，制度是引导和激励员工行动的方法和规则，体现了公平、公正。所以真正的制度要能保障大多数人的利益，能被大多数人所接受。制度必须根据企业的实际、员工的实际来制定，要从人性化的角度尊重员工的权利，能够对员工进行全流程行为指引。制度在实施的过程中，应该做到简便易行，监督成本、维护成本较低。

企业的成功往往离不开一个科学而富有活力的绩效管理制度。这个制度不仅仅是评估员工表现的工具，更是激发团队潜力、推动组织发展的引擎。在构建这一关键制度时，以下几个关键之处需认真把握。

（1）确立目标和期望。无论是组织绩效还是员工个人绩效，绩效管理制度的核心都在于明确目标和期望。这些期望应与企业战略相一致，能够激励员工努力朝着共同的方向前进。

（2）做到公平和公正。一个健康的绩效管理制度必须建立在公平和公正的基础之上。评估标准和指标应明确，内容要具体、具有客观性，确保评估过程透明且可比较，能让员工了解自己的表现并不断改进，以确保员工对绩效评估的公正性有信心。

（3）确保指标的可操作性。这不仅意味着能够通过数据和信息评估指标，还要确保员工通过具体的行动和改进能够实现这些指标。这需要指标的设定与员工的工作范围和职责相匹配。

（4）激励机制要明确清晰。包括提供晋升机会、奖金、奖励和其他形式的认可和回报。激励机制应与绩效目标相关。

（5）定期评估和及时反馈。制度中应当明确评估和反馈的机制。确保定期对员工的绩效进行评估，并提供及时和准确的反馈。

（6）持续改进的机制。制度应该具备持续改进的机制。定期评估绩效管理制度的有效性和适用性，根据实际情况进行调整和优化。

（7）沟通和员工参与。在制定和实施绩效管理制度时，积极良好的沟通和员工参与可以增强员工对制度的接受度和参与度。

（8）合理和合法的一致。在制定绩效管理制度时，务必确保遵守适用的法律和劳动法规定，保证符合法律制度的要求。

（9）编制绩效管理计划。就是管理者将绩效目标转化为工作目标以及为推动目标达成的管理活动。管理者要就实现目标的时间、方法和过程制订绩效计划，确定需要哪些资源、人员配合等。管理者要与员工共同讨论，让员工知道如何行动才能实现绩效目标，与员工一起制订计划。融合员工的意愿，员工就会认真遵守执行。管理者不能只是下任务、定目标，而是要通过绩效管理过程，确保任务和目标的达成。

推行绩效管理有了推行计划，还需要企业匹配绩效管理所需的各项资源，只有配备充分的资源，才能保障企业管理体系的顺利实施。

（四）过程监督辅导

制订好绩效管理计划，接着就需要进行管理过程中的绩效辅导和绩效监控。绩效管理者辅导的主体对象有两个：一是对执行者的工作进行指导和监督，跟踪绩效推行环节的情况，帮助执行者排除实施过程中遇到的各种难以解决的问题，包括资源支持、能力提升和技能培训等；二是对各个职能部门负责人，根据管理需求，辅导和支援所辖部门绩效管理的各项任务。包括绩效培训、绩效实施过程的支援、绩效管理体系推行过程中问题的反馈与改善的执行等。

绩效辅导有两个目的。一是通过绩效辅导，帮助各个部门不断改进、提升绩效管理方法和技能，从而顺利地完成绩效推行计划的各个任务事项。二是通过绩效辅导，帮助员工不断改进工作方法和技能。绩效辅导环节贯穿于绩效管理的整个过程，可以通过周会、月会的方式进行总结和指导，也可以在工作现场进行指导。

（五）绩效管理目标与指标

绩效目标是指企业在一定时间内期望达到的成果和指标。这些目标是企业战略的具体体现，是团队和个人努力的方向。绩效目标要让团队成员明确自己的任务和责任。要充分考虑团队成员的能力和资源状况。确保目标的设定与团队成员的实际能力相匹配。绩效目标的设定还应该征求团队成员的意见和建议，确保目标得到认可和支持。通过广泛参与和讨论，可以增强团队成员对目标的认同感和责任感。

绩效指标要围绕企业战略目标及期望，层层分解成为各职能部门团队和个人的绩效指标，然后按各部门的职责，定义员工的岗位职责，制订具体的业绩指标。对各部门及人员实行目标业绩考核。指标是对绩效管理过程有效性的衡量依据，没有考核指标就无法进行绩效考核。绩效指标管理的重要性在于对绩效指标的制订。避免设计过于复杂的考核体系，要简化指标和目标，突出重点。绩效指标制订不可过紧、过高，特别是在绩效考核实施初始，应制订合适的绩效指标。让员工有通过努力可以实现指标的空间，然后在实践过程中再逐步优化。这是因为管理的改善、员工的适应需要时间，这就叫管理过程成本。制订的所有指标要量化，不可测量的绩效指标绩效管理就不可持续。

管理部门承担着企业赋予的管理目标和管理任务，管理部门的负责人需要通过自己的团队来实现部门管理目标。因此，部门管理者在制订绩效目标时，需要将上级下发的部门目标分解，对应分配到团队中的每个成员，绩效目标的制订要遵循公正、平等原则。

设定定量目标一般会有下值、中值和上值三个指标，下值是根据以往业绩给出的必须完成的指标，中值是要通过努力才能完成的目标，上值是须拼力争取的指标。

对于钳工、操作工等生产一线的基层员工，一般主要指标是采取关键任务法，即按完成工时定额进行考核，内容相对比较聚焦。任务业绩的考核权重基本上在85%以上，其他辅助考核指标，如纪律、出勤、质量、安全、物料消耗、计划按时完成等权重占比在15%以内。

对管理部门及其成员的考核，也是以容易量化的任务绩效定量指标为重点。根据部门的工作性质特点，结合行为指标、态度指标和能力指标等定性指标，分别确定合适的权重率。

以销售部门为例：模具销售额显然是重点绩效指标，是业绩的标尺，结合成本、利润、利润率标准来体现销售人员的业绩水平；客户数量也是重要指标之一，与业绩潜在资源相关，根据客户数量与目标完成情况，可评估销售人员的业务能力；控制销售成本费用绩效指标，如差旅费、招待费、佣金等；模具应收账款及时回笼、杜绝坏账指标，在财务上体现的是资金周转率，这是销售的关键绩效指标；客户满意度是获取客户信任的关键因素，通过客户反馈和调研，评估销售人员的客户服务能力；团队业绩是衡量团队协作和个体贡献的指标。在销售绩效管理中，有团队的组织绩效和个人绩效两类。

总之，设定目标时要根据企业及部门的特点考虑标准的合理性、实现的可行性及考核的可评估性，定制个性化方案。要与员工协商，并争取获得员工对目标的认可，让他们通过共同参与，进而激发员工积极性，激发团队创造力。

（六）绩效管理的实施

实施绩效管理是让绩效管理策划的结果，一步步成为现实的过程。从开始的绩效计划的制订、中间的绩效实施与辅导，到期末的绩效评估与绩效改进，这些活动都是相互紧密关联的。因此，在施行绩效管理体系的过程中，要注重绩效的策划、绩效的实施效果和绩效的改善。确保绩效管理体系符合企业绩效管理目标的价值追求。

绩效管理体系施行计划，由绩效管理负责人根据绩效管理工具的应用过程，与各个职能部门共同讨论确定。绩效推行计划，确定了各个职能部门在各个环节中的具体任务事项后，再细分为实施计划及分工操作的任务事项，确定对应职能部门及负责人，规定各项任务完成的时限。

绩效的实施环节主要包括：宣讲动员、内容培训、绩效辅导和绩效过程的信息记录。

（1）绩效项目宣讲动员。明确企业的战略，把它确立为以绩效为导向的企业文化和企业战略。绩效管理组织首先要进行绩效管理的规划，制订项目推行的日程计划，同时组织中高层的经理、管理者进行必需的宣讲辅导和管理训练。绩效管理正式推行前，绩效管理部门最高负责人，应召开全员动员会，让全员进行学习、讨论、思考，领会绩效管理的目标和价值需求，了解绩效管理推行环节和过程，明白在绩效管理中各自的职责和任务目标。只有经理和员工都认识到正确的绩效管理理念，企业才能顺利地推行绩效管理。

（2）绩效管理内容学习培训。正式确定的绩效管理指标和制度，应分层级、多场次进行培训，内容包含企业绩效管理制度的宣讲、企业绩效考核方法的应用和说明。只有经理和员工对绩效管理有了全面正确的认识，才能确保各个职能部门的绩效管理人员胜任分内的绩效管理工作，确保绩效执行者清楚绩效指标的实施路径和方法。在执行过程中，发现方案与现实无法保持一致时，应及时采取纠偏措施。

（3）绩效辅导。绩效辅导可以通过周会、月会的方式进行总结和指导，也可以在工作现场进行相互交流，始终贯穿于绩效管理的整个过程。绩效辅导有两个目的：一是通过绩效辅导，可以帮助各个部门不断改进和提升绩效管理方法和技能，从而顺利地完成绩效推行计划的各个任务事项；二是通过绩效辅导，可以帮助员工不断改进和提升工作方法和技能，从而完成岗位绩效目标。

（4）绩效过程的记录。要确保对绩效指标实施的关键过程有定期的指标结果记录，将绩效指标实施过程中所产生的信息和记录，作为绩效评估和考核的数据来源和依据。许多企业在推行绩效管理时，对信息或数据记录不到位，在绩效考核时缺乏依据，导致考评无法进行或失真。

（七）绩效考核评估

没有绩效考核就没有绩效管理。绩效考核的目的是保证完成公司、部门、个人考核目标，挑战业绩的上限，提高员工胜任能力。

绩效考核是对绩效结果的考评，而绩效管理工具是绩效管理过程中采用的衡量标尺。一个绩效周期结束后，对绩效推行过程各个指标的达成情况进行绩效考评，这属于对绩效周期结果的考核。绩效考核是管理者衡量、引导、评价员工工作成果和工作表现的管理活动。绩效考核的过程要透明，结果需要公开，考核对象对考核结果有疑问或需要调整的，调查核实处理，并将最终结果公布。

绩效考核通常按照事先确定的一系列标准和指标，采取评分或者评价的方式来对员工个人绩效进行量化评估，例如销售额、生产率、累计工时、质量或其他具体的工作成果。评估内容主要包括两个方面：一是定性的，例如对员工进行技能、能力和行为的评估；二是定量的，例如对员工完成的任务数量、销售额或利润进行量化评估。

绩效考核以人力资源部为纽带，考核的主体一般是上级考核下级。具体来说，绩效考核主要是通过量化的方法，运用一系列公正、合理的测量工具和方法，来对员工或者部门的工作业绩进行评估，并在此基础上制定出相应的激励或惩罚措施，以达到提高员工或部门绩效水平的目的。绩效考核注重结果，在评估周期中完成工作任务是关键指标之一。

绩效评估需要各个执行部门的通力配合，评估的时机可以按照计划环节和任务事项进行评估，也可以定期进行整体评估，例如 1 个月、3 个月、6 个月、12 个月。

绩效管理每一个环节推行完毕后或整体上试运行一段时间后，需要对推行成果进行评估和确认，对不达标之处及时改善，例如调整推行计划或改善执行过程。各个职能部门针对绩效考核结果与员工进行面谈，让考核对象知悉自己的优势和不足，帮助员工不断提升和发展。

绩效管理部门需对绩效评估结果形成评估报告，对绩效成果进行综合评价，总结绩效管理体系运行状态，分析绩效管理体系的不足之处，提出绩效管理改善意见，为下一个周期的绩效管理循环提供方案。

（八）绩效管理改进

绩效管理改进是基于绩效成果的输出，分析绩效管理体系的运行状态是否与企业绩效管理预定目标存在偏差而采取的行动，是通过分析绩效差距、找出差距原因、设计改进策略、实施改进行动、评估改进效果来支撑绩效目标达成的管理环节。绩效反馈重视员工能力与素质的提高，把工作过程中做得好的事、需要改进的事都及时地传递给员工，让被评价员工认识自己，努力改进和提升自己的工作。

对绩效指标的改进主要包括：对绩效工具、指标体系实施方案的调整和优化，对考核制度、绩效组织及人员的优化和提升，对绩效指标达成所需资源的优化和调整，以及对绩效指标类型和结构的调整。企业根据绩效管理推行效果，在企业发展的不同阶段不断优化和调整指标体系。

考核制度在开始实际应用时，很难做到考评标准的统一性和面面俱到，会影响到考核标准、考评规则的精确性。这就需要不断根据实际执行结果，调整和优化考核制度，确保绩效考核与指标的设定协调一致，减少它们之间的偏差，不断提升绩效考评的公平性。

（九）绩效成果应用

绩效考核结果对于表现出色的员工来说，他们除了多得的业绩报酬，还可能会得到加薪、奖金、晋升或其他形式的奖励。对于表现不佳的员工，他们会面临警告或其他惩罚。考核结果和奖惩措施，让他们明白自己的工作表现对职业发展和公司业绩的影响。此外，组织还应该鼓励员工积极参与奖惩决策过程。

绩效考核可以发现员工的优点和不足，更好地了解员工的培训和发展需求，增强他们的技能和能力，帮助他们实现职业目标。根据绩效考核结果，组织可以重新评估员工的工作角色，采取包括重新分配工作任务、调整工作职责等措施，以帮助员工在合适的岗位上发挥潜力。

绩效管理人员通过收集、分析和解读绩效数据，对管理过程中的一些细节，如指标、方案、流程、制度等进行分析，用于评估绩效管理的有效性和对企业决策的支持性。

（十）绩效管理过程的沟通

绩效沟通是指管理者与员工之间就绩效管理过程反映出的问题展开沟通，寻求应对之策，使员工绩效达成目标。绩效沟通是绩效管理发挥作用的关键，但在实际中，沟通又往往最容易被忽视。

围绕绩效目标展开的沟通活动，贯穿于绩效管理的全过程。在计划阶段，上下级通过沟通达成目标共识，增进员工对目标的理解和完成目标的信心；在辅导阶段，上下级通过沟通与反馈，了解实际结果与预期目标之间的差距，分析其中原因，为员工的能力发展提供指导；在评价阶段，上下级通过沟通达成结果共识；在绩效反馈阶段，就评估结果、目标完成情况、存在的问题予以分析，通过上下级反馈沟通发现和改进绩效管理中的不合适事项，完善和优化绩效管理体系。

绩效沟通，能够让员工了解自己的考核结果及得到这样考核结果的原因，发现自身存在的不足，并思考如何去加以改进或提高。

对管理者来说，通过沟通活动可以帮助员工提升能力，还有助于全面了解员工的工作情况、工作进展信息，以便有针对性地提供相应的辅导资源；管理者能够掌握评价的依据，做到客观公正地评价员工的工作绩效；沟通活动有助于提高考核工作的有效性，提高员工对绩效考核及相关激励机制的满意度。

管理者通过沟通，帮助员工及时了解组织的目标调整、工作内容和工作重要性发生的变化，便于适时变更工作目标和工作任务等；能够使员工及时得到上司相应的资源和帮助，以便更好地实现目标。

上述所有绩效管理推行活动，构成一个绩效管理的循环过程。初期进行绩效需求评估策划，制定绩效管理制度的工具和流程；中期进行绩效实施与辅导，通过绩效考核目标、绩效计划和激励标准，增进员工对绩效目标的达成意愿；后期阶段根据绩效结果，公平公正地对绩效好的员工进行奖励，如晋升、加薪、表彰等。在这一循环过程中，管理者为员工设定绩效目标，又通过任务管理把绩效目标转化为员工实现目标的具体行动；在绩效管理过程中通过宣传督导做到有问题及时辅导，帮助员工消除达成绩效目标的障碍；对绩效不好的员工指出需要改进的地方，期待其在下一周期得到提升；分析绩效数据，评估绩效管理的有效性；让优秀者成为榜样，让贡献者分享绩效红利，让弱者不甘居人后，使绩效管理过程呈现良性循环。

三、绩效管理的意义与原则

（一）企业和员工的共同愿望

绩效管理在于确保企业绩效管理体系的正常运行，企业没有绩效管理就等于没有管理。员工在绩效管理中是被考核者，从人性本能来说，员工不喜欢被考核管控，从消极面来看，考核对他们来说是一件有压力的事情，客观上常会与不愉快的情感联系在一起。但是对企业来讲，如果不考核不管控，企业就没有办法经营发展。从积极面来看，当你理解了员工对工作的内在需求后，就会发现绩效考核对员工来说也是他们成长过程中所必需的。实际上，每个员工都希望能够了解自己的绩效，了解自己的工作做得怎样，希望知道别人对自己的评价，也希望自己的工作绩效能够得到他人的认可与尊重。因此，员工也需要通过绩效管理来了解和提高自己的绩效，提高自己的技能，增强自己的竞争力，以提高自己的胜任能力。

（二）营造积极的文化氛围

绩效管理通过战略的层层分解，可以确保公司的战略聚焦，构建高绩效的企业文化，提升企业的管理水平，营造出任何工作都要以结果为导向的企业文化氛围。

企业为了取得对外部市场的竞争优势，内部则必须有激发竞争的绩效管理体系。管理者要懂得如何在员工中创造竞争，让他们为业绩而奋斗，让优秀者享受竞争红利，让落后者不甘居人后、努力上进。只有在充分的竞争氛围下，才能持续激发起企业的活力和潜力。一个管理者如果没有掌握绩效管理本领，那么他对于企业的管理，欠缺的是最重要、最核心的管理能力。各个部门的负责人是绩效管理能不能落地、能不能实现部门目标的第一责任人，因此，企业要将绩效管理的责任定位到各个部门具体的负责人身上。

（三）体现公平公正

企业在价值创造的时候，绩效管理起的作用是辅导员工用正确的方法做正确的事，通过绩效考评来对员工的贡献、组织的贡献给出正确的评价和公正的回报。

员工会因工作表现优良得到实质性薪酬回报和受同事、公司尊敬的荣誉感。绩效管理可以激励员工通过提升个人绩效和工作效率，享受多劳者多得、能者多得的分配制度，彻底改变干多干少、干好干坏一个样的消极现象。

企业通过绩效管理活动，对做得好的员工给予奖励，对达不到要求的员工施以惩罚，对表现突出的员工予以晋升，还可以通过考核辨别、选拔有价值的优秀人才，使其成为企业人才梯队培养的内部资源之一。

（四）工作目标明确

绩效管理能使员工清晰地认识到工作重点的要求，加深对工作目标的理解。这意味着员工能够自发地改进工作行为，并采取主动措施以达到自己满意的结果。绩效评估机制，能够让管理层及时发现企业绩效问题，并采取应对措施，提高企业绩效。

（五）促使行为不断改进

绩效管理注重过程中的定期与不定期的检查与跟踪。及时辅导和督促员工，而不是等到实际考核的时候才采取行动。总结以往考核中存在不足的工作，将其纳入当前的考绩计划中，使其得以改善和提高。通过组织的评价，让员工认识和改进自身的不足，行为的不断改进使员工得到持续进步。

（六）扩大了自主管理权

员工在规则内可以按自己的想法进行工作，可以依自己的意愿安排非业务时间，更有一种可掌控自己命运的感觉。员工在承担提升工作绩效所需要的压力的同时，通过工作不断增强和体现自我价值，并在成功完成工作后获得成就感，发掘自己的优秀之处。

四、绩效与薪酬挂钩

绩效必须与薪酬挂钩才能让绩效管理真正落到实处，不然就前功尽弃。绩效与薪酬挂钩的激励方式，可以帮助企业激发员工的工作动力，提高员工的工作效率和质量，从而实现企业目标。

（一）绩效与薪酬挂钩的重要作用

（1）激发员工的工作动力，使其主动寻求更好的工作方法，更加注重自我管理和自我约束，自觉制订工作计划和目标，提高工作效率和业绩，以获得更好的工作表现、绩效评价和更高的薪酬。

（2）营造合作与竞争氛围，促进员工之间的合作与竞争。在合作上，员工之间可以相互支持、交流经验，共同提高工作能力和绩效水平；在竞争方面，员工之间可以相互攀比、学习、超越，形成争先恐后的工作氛围。

（3）提高员工的满意度和忠诚度。薪酬与绩效的挂钩，使员工感到自己的工作得到了认可和回报，从而提高了员工工作满意度和忠诚度，增强了员工对企业的信任和归属感，从而稳定了企业员工队伍。

（4）增强企业竞争力。薪酬与绩效挂钩，企业可以吸引和留住更多的优秀人才，提高企业的整体素质和创新能力。

薪酬与绩效挂钩，可以将员工的目标和企业的目标统一起来，激励员工积极参与组织的优化和改进，协同企业实现战略目标，提升企业的经营效益和市场竞争力。

（二）绩效与薪酬挂钩的几个注意事项

（1）制定合理的考核标准。考核标准应该合理、具体、公平、公正、可衡量，能够客观地评估员工的工作表现和绩效。而且，考核标准应该与企业的战略和目标相一致，在实现企业战略目标的同时实现团队和个人目标。在制定考核标准时，企业应确立考核的目标和目的，以确保考核标准的相关性和有效性。企业应该根据战略目标，制订合理的工作计划和具体目标，让员工充分理解自己的工作任务和要求，并根据员工能力差异，安排适宜难度和工作量的任务。

（2）考核标准应该能够反映员工的关键职责和关键绩效指标。不同岗位的工作职责、能力和绩效水平存在差异，在制定考核标准时要考虑这些差异。

（3）考核标准应该在员工参与和讨论的基础上制定，以确保标准得到员工的认可和接受。这有助于提高员工的积极性和主动性。考核标准应该适时评估和更新，以适应企业战略和目标的变化以及员工能力和绩效的提高。

（4）企业提供必要的培训和支持，以提高员工的工作技能和能力，帮助员工更好地适应工作环境和岗位要求。企业应为帮助员工更好地完成工作任务、提高工作效率和质量，提供物力、财力等方面的支持。

总之，制定合理的考核标准需要考虑考核目标、具体可衡量的标准、不同岗位的差异、行业标准和最佳实践、员工参与以及定期评估和更新等方面，以确保考核标准的科学性、公平性和可行性。

（三）确定合适的挂钩方式

绩效与薪酬挂钩的方式应该合理、公正、透明，易于操作和理解。绩效与薪酬的挂钩应根据企业的岗位差异采用不同的方式。

（1）将员工的薪酬直接与绩效挂钩，即员工的薪酬只与绩效有关。这种挂钩方式简单明了，易于操作和理解。

（2）将员工的薪酬与绩效间接挂钩，即员工的薪酬不仅与绩效有关，还与其他因素如岗位、能力、资历等有关。

（3）将员工的薪酬与绩效加权挂钩，即根据绩效的不同方面和不同程度，赋予不同的权重，最终根据权重计算薪酬。这种挂钩方式，需要合理确定各个权重的比例和计算方法。

我们可以根据不同的岗位和工作性质，采用合适的挂钩方式。例如，对于生产一线员工、销售岗位可以采用直接挂钩方式，对于管理岗位可以采用间接挂钩方式，对于技术岗位可以采用加权挂钩方式。

同时也要考虑员工的差异。在制定绩效与薪酬挂钩机制时需要考虑员工的差异，包括岗位差异、级别差异、能力差异和个人差异等方面，以确保机制的公平性和有效性。同时，也需要根据实际情况和员工反馈进行调整和完善。

（四）保持制度的灵活性

这是制定和实施绩效与薪酬挂钩机制的重要原则之一。需要制定可优化的考核标准，能根据企业的实际情况和战略目标进行调整。此外，还要鼓励员工自我管理和自我约束，及时调整和更新机制，建立沟通和反馈机制，并考虑员工的个人发展等方面的需求。只有这样，才能使绩效与薪酬挂钩机制更好地适应企业的需求和员工的期望。

（五）注重制度的可持续性

要考虑企业的长期发展目标和战略，平衡短期和长期利益。采用定期评估机制可以及时发现问题并采取相应的措施进行改进，确保制度与目标的一致性、稳定性和可持续性。

企业为了更好地推行绩效管理，加强联动性和数据化，可以根据绩效工具的类型，结合企业规模大小和业务繁简程度，从外部引进和配置绩效管理软件系统，以便提高绩效管理效率和精确度。

第四节　模具企业降本增效管理

降本增效是决定企业能否长期保持竞争力的重要因素，企业可以通过对成本的控制与管理来实现降本增效。由于成本控制内容涉及方方面面，因此实现成本控制的方法也多种多样。企业应根据自身的实际情况拟定出合理、有效的成本控制措施。

一、成本控制对企业的重要性

当今的模具产业中，模具价格成为市场中最大的核心竞争要素，在模具销售价格主要由市场竞争来决定的情况下，谁能将模具成本做到最低，谁就是行业的强者。基于此，越来越多的企业不得不积极反思，将经营管理的重心聚焦到内部以“降低成本为目标”的各项管理改革上，努力激活内生动力，竭力将模具成本做到最低，以应对买方市场的苛刻商务模式和外部经济环境给企业带来的影响。

要实现降低成本的目标，就必须讲求经济核算，加强管理、改进技术、杜绝浪费，提高劳动生产效率。还要制定有利于企业资源合理配置的策略，采取有利于将产品成本做到最低的方法措施，从而实现企业整体经济效益的稳步提升。

在产品的整个生命周期中，制造成本是最高的，约占全部成本的 70% 以上。生产成本和费用是由企业内部的各种成本和费用组成的，所以企业首先就必须控制好企业的经营管理成本、制造成本、非生产成本、社会及环境成本等，以求实现企业的利润最大化。

能否实现降本增效是决定企业能否长期保持竞争力的重要因素，企业可以通过对成本的控制与管理来实现降本增效。由于控制与管理内容涉及方方面面，因此实现控制的方法也多种多样。企业应根据自身的实际情况拟定出合理、有效的成本控制措施。

二、企业管理过程的降本增效

（一）组织结构与管理流程优化

组织结构是企业资源和权力分配的载体，系根据企业管理构成要素设计而定的，它是企业内部各有机构成要素相互作用的联系方式和关联形式，又代表了企业各部门层级间决策权的划分及分工协作体系的构建，是企业流程运转、部门设置及职能规划等最基本的结构依据。组织结构不同，要素组合的方式不同，就会造成要素配合或协同关系的差异。

实践告诉我们，决定一个企业是否优秀，企业生命力能否持久，最重要的还是看企业组织结构机制下的管理体系效果。一个结合企业特色合理制定的组织结构体系，能够形成团队力量的汇聚和放大效应，从而释放出企业资源的最大能量。

我们应该通过组织结构的设计，在人力资源管理上优化企业组织结构和岗位设置，明确各岗位职能要求和职责范围，理顺和落实流程管理，提高对人力资源的使用效率。这是通过对组织结构的科学设置，在宏观上实现降本增效的重要行动。

通过优化流程、提高效率，帮助企业实现更高的盈利能力，这是降本增效管理的核心内容。通过对企业各个环节、部门和人员的职责和协作关系进行分析和改进，找出存在的问题并提出解决方案。具体包括对企业流程进行全面的识别、了解，然后再对每个流程进行详细的分析，找出存在的瓶颈和问题，提出简化流程、优化资源配置等相应的改进措施。

（二）培植企业降本增效文化

虽然我们应该通过制度、规则等约束对人进行管控，但更要着重于从精神层面进行引领，软性管理更具有长期性和持续性。对于企业来讲，企业文化就是企业的根基，引领企业员工在思想意识层面统一共识，对于凝心聚力、提振精神发挥着至关重要的作用。因此，进行与企业发展相适应的文化建设工作必不可少。员工是企业效益的创造者，所有降本增效的成本控制行为，如“节约一度电、一匙油、一张纸”之类的具体行动均需要员工具体去履行。所以，加强员工的成本和效益观念教育，让员工在生产过程中自觉地实行成本控制的每个细节就显得尤为重要。企业通过对员工进行成本控制的宣传教育，让员工对成本控制都能自觉管控把关，使企业的员工都具备成本管理控制的监管意识和习惯，从而形成企业良好的降本增效文化氛围。

（三）提高企业资源利用率和效益

通过合理规划和管理企业的人力、物力和财力资源，可以提高资源利用率和效益。具体的人力资源管理包括招聘、培训、绩效评估和激励等，做好人力资源管理以确保企业拥有合适的人才并发挥其最大潜力。物力资源管理包括对设备、设施和原材料的管理，通过优化采购、存储和使用等环节，提高资源利用率并降低成本。

（四）推进绩效管理与薪酬制度建设

绩效管理是指各级管理者和员工为了实现企业发展战略和目标，共同参与的绩效计划制订、绩效辅导沟通、绩效考核评价、绩效结果应用、绩效目标提升的持续循环过程。绩效管理提高了决策层工作的规范化和计划性，促进改善管理层次的逻辑关系，提高组织运行效率。绩效管理的长期推进可以构建和谐的企业文化，使企业在一种目标明确、奖勤罚懒、优胜劣汰的良性氛围中发展。绩效管理的目的是持续提升个人、部门和组织的绩效，这是企业降本增效管理的一大重要部署。企业没有绩效管理就等于没有管理，对企业来讲，如果不考核不管控，企业就没有办法经营发展。全面推行企业绩效考核管理，是提升生产效率、降低生产成本的关键举措。

（五）实现企业、员工目标利益的一致

企业经营者抓经营、抓业绩，为的是将企业做大；抓管理、抓利润，为的是把企业做强。降本就是通过努力降低成本的关键点，如组织、管理、流程、预算、设计、采购、计划、效率、资源等，让企业在当前成本的基础上做到最大限度节流。与此同时，配套建立科学的激励机制，让企业最关心的价值事项与员工个人的利益形成强关联，让企业和员工成为真正的利益共同体，让员工为了企业利益，同时也为自身利益主动且积极地降本增效。只有实现利益共享，才能确保企业开源节流、降本增效的细节得到持续执行，从而逐步实现企业利润、员工收入同步倍增的目标。

（六）创新和应用先进技术

企业的发展离不开先进的科学技术，因此，企业应在各方面采用先进技术、先进工艺，让模具产品在行业中具备相当的优势：要充分运用互联网、管理和生产软件实现企业的标准化、智能化进程，提升自身的经济效益；企业在发展过程中通过先进的技术管理模式，对成本进行有效的控制与管理，实现降本增效；重视、加强与相关科研单位、院校的合作，为企业提供专业的技术人才。

（七）重视人才发展战略

人才是企业发展的第一资源。充分激发人的主观能动性，挖掘人创造价值的能力，能够为企业带来倍增的效益。实现挖潜的重要手段之一就是员工的培训教育，通过与业务相匹配的培训课程设置与计划制订，有助于满足员工对实现自我价值的需要，进而激励员工在岗位上做出贡献。尤其是随着人才队伍的年轻化，企业需要推出更加现代化、更能为年轻人所接受的方式方法，来全面激励人才为企业创造出更大的价值。此外，企业也应通过对企业管理人员的培养，结合企业已有的人才资源，制定相应的技术创新奖励政策，进行科技创新项目的研究。

（八）发挥财务的重要核心作用

企业组织结构管理体系，包括企业的计划、营销、设计、生产、技术、工艺、质量、财务等众多子系统。其中，财务管理是联系企业各组成部分的重要桥梁和纽带，是企业管理中最具综合性的管理活动，它关系到企业的生存和可持续发展，是企业管理工作的中心环节。财务管理体系着重于企业内部资源配置的优化，是基于资产展开的一种精细化的管理。现代财务管理体系能够及时对企业各个方面的资源配置发挥指导、评估和预警的作用。

（1）推进财务预算管理。由财务预算管理切入，结合推进财务控制、监督核查、风险管理。建立相应的预算管理制度，在保证经营资金合理运转的前提下，加强对各个阶段的资金预算管理，维护企业资金的正常运行。预算管理很重要，可以说，一个企业的预算管理水平，集中代表了企业的管理水平。

（2）控制企业固定费用。这也是企业管理降本增效的一个宏观把控项目。有些企业固定费用中的管理费用非常高，主要反映在管理人员工资开支占比过大。为解决此问题，应该分析公司是否冗员过多，或者分析各管理岗位的实际工作量，结合分析结果科学地设定一人多岗、一岗多职，实行部门压缩调整，充分发挥人力资源优势，努力将管理工资指数下降到正常水平。

（3）加强账务管理。一是加强对账务的收款管理，监督应收账款的及时收回，以减少资金的占用并避免坏账风险。二是根据需求变化，尽量缩短模具产品的存货期，以提升企业的产品周转率。三是强化企业资金的周转性能，尽可能地减少内部运营资金的占用，使企业的资金成本有所降低。

（4）资金运筹管理。企业可以通过对内部资金管理体系的完善，发挥对资金的监管效力，减少企业不必要的资金开支，实现对成本的有效控制。

（5）做好成本分析。我们可以利用信息化手段实现采购、生产、销售等环节的协同和数据共享。我们可以对采购、生产、销售等环节进行成本分析，看哪些环节成本控制力度不够，然后采取措施进行改进。通过对成本的分析，可以帮助企业找到问题根源，并且制定相关措施来解决问题。企业成本分析与管理是一项系统工作，要通过数据分析与挖掘来实现管理方式的优化、管理方法的创新以及管理体系的完善。

（6）做好税务筹划。依法纳税是任何企业不可忽视的法律责任。所以专业合规的税务筹划是所有企业财务管理的必需之举。通过周密的纳税筹划，确保应纳税额一分不少地依法缴纳，可以享受的国家税收优惠政策也要充分争取，应享尽享。这在客观上也就降低了企业税收成本。

（九）降低会议成本

会议是企业管理一个重要的沟通方式，会议效率的高低直接影响企业管理的效果。有研究认为，60% 的会议是无效会议，有 60% 的会议时间是无效时间。会议有成本，其公式为：

$$会议成本=每小时平均工资\times3\times2\times开会人数\times会议时间（小时）$$

由于劳动产值高于平均工资，所以平均工资要乘以 3；开会中断经常性工作，损失以 2 倍来计算。

设员工每小时平均工资为 30 元，开会人数为 15 人，会议时间为 2 小时，那么会议成本就是：

$$30\times3\times2\times15\times2=5400（元）$$

可见会议的成本并不低。因此，企业对于各类会议的召集，要掌控其必要性，特别是参会人数多的会议要尽量压缩时间，可视频的尽量采用视频方式。通过明确主题、合适的时间和地点、充分的准备、发言时间限制、有效的主持、技术工具的应用、积极参与和群策群力等措施，减少会议时间，推动会中决策和会后行动，从而实现提高会议效率、降低会议成本的效果。

（十）应用数字化、信息化提升管理效率

模具生产的信息化管理已开始被越来越多的企业所接受。“模具生产管理 MIS”是以现代网络、数据库技术为基础，将所管理范围的各要素汇总至数据库，为管理者及员工提高工作效率、持续改进、辅助决策而提供相关信息的一种技术，它为我们提供了一个改变传统思维和习惯，使用系统数据来做管理决策的平台。

企业在发展的过程中，适时使用该技术，可以极大地提高各种管理行为的效率，为推动企业管理提供强大的技术支撑。规模以上企业应该尽早应用数字化管理技术来管理企业，以达到降低管理成本的目的。中小模具企业应以是否能降低成本来判断引进“模具生产管理 MIS”的时机。

三、模具制造过程的降本增效

（一）设计部门降本增效管理目标

（1）解决组织管理的一些问题。例如，没有设计管理流程或不按设计管理流程进行管理，定岗、定员、定责不明确。没有按设计人员能力定岗，设计任务分配没能做到量才安排使用。一方面，优秀的设计师忙于一般的事务，导致人才浪费；另一方面还不具备相应能力的人单独去做力不从心的设计任务，又没有帮带指导，导致有错误的设计流转至生产环节，造成返工或重做。

（2）提高成本意识。模具设计必须有目标成本和目标利润预算控制。设计人员需要根据预算目标，精打细算地进行模具设计。在企业中往往由于模具设计师的设计理念差异、成本意识不足或能力局限等原因，导致模具结构设计不合理，造成模具成本大幅增加。如：模架规格超大超厚、模具选材不当、标准件超高标准配置、可用标准件的设计成定制件。再比如：在非产品面与机加工工艺相关的模具结构设计上，将可用大直径刀过渡的转角设计成小刀多次加工；冷却水孔等角度可设计成 0° 的却设计成斜的。这些不合理设计不仅导致加工成本增加，也延长了模具整体的加工周期。

（3）要把好模具设计评审关。听取有经验的模具资深人员对设计的评审，既是优化设计、防止出错、降低模具制造成本的重要环节，也是设计人员借助团队经验，提升设计水平的最佳机会。因此设计人员必须认真倾听、记录，对于评审决定的所有改正优化项，必须认真履行更改，杜绝由于未改、漏改在生产中造成损失的现象发生。有的企业模具结构设计输出评审流程不规范，流于形式，且由于设计人员的能力水平原因，设计的模具存在诸多问题。假如在模具设计评审时没发现问题，在模具投入生产后再返工纠错，这造成的损失就大了。不成熟的模具设计方案，会成为企业赢利的绊脚石。可见，正确合理的模具设计对降低模具企业成本至关重要。

（4）降低设计周期成本。这里主要是指设计周期影响交货周期的成本。除了设计周期长增加的人工成本，主要的问题还是设计时间挤占了模具制造的时间，拖了公司模具产能的后腿，导致公司整体产能减少。设计效率低的原因主要表现在：一是没有绩效考核或者薪酬没有与绩效挂钩，造成做多做少、做好做坏一个样，影响了能力强的员工积极性，导致模具设计效率低下；二是员工上进心不足，对于先进设计工具的学习缺乏积极性，对于提高设计效率、缩短设计周期的智能化设计软件、标准数据库的应用态度消极。应该通过引入和应用先进的技术和工具，达到大幅提高工作效率和设计质量、降低人力成本和出错率的目标。

（5）注重内、外的设计沟通。设计部门最重要的降本环节，在于做好设计前期的产品数据分析以及模具结构的工艺可行性分析，务必做到与客户的充分沟通。比如对于一些不影响产品质量，改动一下产品设计会使模具结构简化的建议，应该努力得到客户认可，尽量让所设计的模具结构制造成本降到最低。另外，设计评审过程也是评审者与设计师双方沟通的过程，我们既要确保得到最佳的模具设计结果，又要尽量做到让设计师充分领会理解，避免将设计错误流转到生产阶段，导致更改、修模、试模等返工浪费。

有些企业设计的数模反复得不到客户认可，其原因就是沟通环节出了问题，做不到一次就将客户要求搞明白。由于反复来往造成时间消耗，设计拖延。另一方面就是客户经常的设计变更，给模具企业增加了很多成本。但既然这个问题绕不过，那就要想办法将损失降到最小。模具设计师应会同项目工程师，在项目的初期就要与客户的产品设计师做好沟通，特别是在满足产品使用和外观要求的前提下，尽可能简化产品设计。客户产品设计师一般对模具的结构和制造并不太熟悉，一不小心就会在产品中给模具设计出个难题。这就需要主管工程师的全力沟通，主动为客户的产品设计师出谋划策，争取产品设计尽量兼顾模具制造的工艺性。这个问题处理好了，模具的成本就会大大降低。

（6）认清质量与成本的关系。模具质量体现的就是满足客户的要求，所以质量的含义就是必须符合要求，不需要超出要求。就如模架的设计，原则上只要能满足强度规格，设计得越小越合适。但实际上很多企业存在过度设计现象，通过超大尺寸和超高配置造成成本浪费，这不仅浪费了企业的钱，还得到了客户的抱怨。设计不合理除了有经验不足的原因，还有缺乏审查把关的原因，再有就是企业对于质量的概念模糊，思想上认为模架越大越好，定标准越高越好，其结果是成了不当设计的成本浪费大户。

（二）加强物料采购成本管理

模具企业的生产物料采购主要有模具、模架、钢材、热流道系统、标准件、非标准件及外协加工件、刀具、夹具、工具等，还有一些其他的非生产性物料。为了在市场中保持竞争优势，企业寻求在采购战略管理方面的创新与提升，以实现降低成本、增加盈利。模具企业的采购成本是经营成本中最大的一部分，占据模具制造成本的 50% 以上。因此，控制采购成本对企业来说是降本增效管理的重点，意义重大。企业可以通过对市场信息的全方位比较与分析，来实现对企业采购成本的控制。其具体措施为制定物资的招投标管理制度，采用多种采购方式实现对采购价格的控制。在实际操作过程中，企业要加强对非招标物资的审批管理，通过对采购点的严格控制，并制定相应的产品供货制度，实现对物资价格的控制。此外，企业可以通过对多家供应商反馈的市场信息进行比较分析，营造产品竞争态势，利用丰富的网络资源并采用谈判、竞争等方式，实现对产品价格的横向控制。具体办法可参阅“模具企业采购管理”的相关内容。

（三）项目管理成本控制

模具企业要有一支过硬的项目工程师队伍，能紧盯模具设计和加工过程的每一个环节。只要哪个环节没有按计划完成，项目工程师就要进行监督和推进，直到项目完成为止。对于每批模具项目经理都要详细做好节点计划。有不少模具企业的经济效益不太好，并不是不努力，而是没有排好计划或者没有执行好计划，经常前松后紧，到交付模具的时候搞通宵，人员累得精疲力尽，无形中增加了成本。

项目经理最需要有经验的人员去担任。客户项目沟通交流、项目进度节点计划、实际进度跟踪监控、试模注塑工艺调整、样品缺陷分析、模具整改方案制定等，这些与生产成本息息相关的职能，无不需要项目经理的精准把握。然而在现实中企业最缺的正是能力全面的人。因此，企业必须根据项目经理的能力与水准相应做出职责范围的调整，可以将需要实践经验决定的部分如注塑工艺调整、样品缺陷分析、模具整改方案制定等项目经理把握不了的任务交由经验丰富的专职人员集中办理。项目部门应该是一个能够做到取长补短、发挥好团队合作的部门。

（四）工艺规划的成本把握

计划工艺部编制的工艺规程，作为指导生产制造的工艺文件，决定了生产制造的成本。因此，为了尽可能地降低制造成本，工艺规程的编制就必须坚持“模具制造的适宜原则”。在保证模具加工质量的前提下，三轴数控机床可完成的加工工序，就不用五轴机床加工；中速机床可以满足的加工工序，就不用高速机床去加工；一般电火花机床可以满足的就不用镜面电火花机床；对于线切割快走丝、中走丝、慢走丝等加工机床的选择也应该是可选低的就不选高的。工艺规程编制环节的加工手段、加工工艺选择对加工成本影响较大。模具制造工艺规程技术文件的编制要实现标准化，要将企业沉淀的历史工艺资料进行梳理、筛选、优化，建立标准工艺数据库。这为提高计划工艺部门工艺编制的工作效率和降低模具制造成本提供保障。

认真做好模具制造过程中各零件各工序的工时定额指标，是工艺部门的又一项重要工作内容。有了工艺部门给定的定额生产指标，才会有接续的生产过程管理。所以确保做好各工序的工时定额指标工作，并依此考核，是企业降本管理工作的重要环节。

（五）提高机床加工效率

机加工部门在车间管理方面应该用好管理软件，切实做好加工计划排程及加工进度的精细化管理，实现员工定额指标的任务分配、考核、统计及薪酬结算的高效管理。在生产技术方面应该通过应用自动化技术、自动化设备和各类智能化软件，提高编程效率、优化加工程序和工艺参数，以提高生产效率。具体有以下几个重点。

（1）业绩必须与报酬挂钩。对操作工实行定额工时，按实绩考核支付薪酬的管理，这是车间管理的第一要务。如果缺乏有效的绩效考核管理，车间管理就形同虚设，生产效率必然低下。有的企业内部加工成本远高于委外加工成本，很大程度上就是没有建立合理的业绩考核制度。

（2）工序、工艺、机床匹配与成本。不同加工机床的加工价格会导致成本差异较大，需严格控制舍低求高的工艺配置现象，避免浪费加工成本。

（3）编程技能要与时俱进。这体现在三个方面：一是合理的加工程序会大幅节约加工工时；二是编程效率的提升，过去是一个编程员负责二至三台机床的编程任务，现在已进步到一个人管五六台机床；三是采用自动编程技术，有企业应用国产二次开发编程软件，已实现一个人配个助手可负责十多台机床的编程。

（4）降低刀具成本。刀具成本在机加工成本中所占比重在逐步增大，统计显示刀具的直接成本大约占制造成本的4.5%，而刀具的间接成本，如刀具选择、检测、仓储、购买、修理、修磨、管理等产生的成本，则远高于直接成本。企业为了提高刀具利用率，降低刀具管理成本，需要改进刀具的使用管理方式。根据车间实际应该先引入自动刀具领用柜。该方式投入成本低，可实现自动领用、自动记录统计，这就合理控制了刀具消耗。还有就是对进口与国产的各种刀具品牌要验证性价比，从而实现刀具成本的降低。

（六）落实钳工责任制管理模式

钳工模具装配是模具制造过程中的核心环节，可以说，企业中的各生产部门，都是围着这个核心目标来工作的。模具装配计划进行顺畅，就说明管理有成效，生产成本就可以降低。生产中由于钳工原因如配模不到位、整改项漏改、改不到位等，经常出现反复返工整改、反复试模打样，这是一个非常突出的模具成本浪费问题。究其原因主要是钳工责任心的问题，其次也有技能方面的问题。所以，钳工车间降本管理的关键在于落实钳工工序分包责任制，唯有薪酬与职责、业绩挂钩，才能强化钳工的职业责任心。钳工工作主动了，组织的培训才能产生事半功倍的效果，从而使钳工的技术和管理能力得到提升，存在的问题也就迎刃而解。

（七）解决模具合模效率低下的问题

在不少模具企业中一副模具至少会有三轮的合模，即试模前一轮，试模后一轮，出货前一轮。每轮还有许多次，既消耗大量工时成本，又拖延模具工期。现在的数控机床加工精度已能够满足模具分型面配合的免打磨要求。分型面机加工精度可由在机检测或测量仪检测来确定。大型模具分型面贴合达标依靠人工打磨是不可取的，所以模具分型面必须禁止人工打磨，只允许在擦碰面和小面积碰触面上略作人工修整。

改变合模工序的低效现象，首先要强化责任及效益与薪酬挂钩制度。其次，如果社会招聘的合模钳工操作不规范，技能达不到要求，主管部门就应加强技能培训，让钳工遵照“合模作业指导书”及标准流程规范操作，从而提升模具合模研配效率和合模质量。

（八）避免反复整改、试模

反复整改、试模是模具企业最大的成本浪费所在，此现象大多发生在第一次试模以后。就汽车模具而言，不将客户原因的修改统计在内，单就企业内部各种原因导致的模具整改工作量，就约占模具制造总工作量的30%。也就是说，假设公司一年产值1亿元，那么约有3000万元的产能时间被模具整改工作挤占掉。

挤占产能减少年利润收入：3000万元 ×15%（利润率）=450万元 。整改增加年成本支出约占产值的5%：1亿元 ×5%=500万元。

而且，反复整改、试模干扰了生产计划的正常节奏，冲击了正常的生产计划安排，新制模具任务常被拖累。项目经理工作被整改事务所占据，弱化了对新模制造过程的节点监控，导致项目管理日常工作偏离。

（1）反复整改、试模原因分析

① 模具合模研配质量不达标，试模前未做配模合格检查，甚至以看试模样件有无毛边的方式来验证配模状况，导致反复配模试模，浪费了试模成本。

② 设计出错的纠正和设计不合理的调整，机加工等各种原因导致的不合格返工以及钳工整改不到位或整改点漏改。

③ 相关人员缺乏试模注塑工艺经验，甚至不负责任。对一些试件外观缺陷，本可以通过调整注塑工艺解决，他们却轻率地认为是模具的原因，导致反复无效整改。

④ 相关人员实践经验不足。对模具缺陷问题产生的原因判断错误，导致整改方案错误而致反复整改。

⑤ 整改单下发不及时。整改问题点没做到一次性发现并下发，模具试了多次后，还有此前没发现的新增问题点。

⑥ 客户由于各种原因的不满意，对一些本可以放宽的问题点从严处置。

分析以上模具整改率居高的主要原因，多是属于管理或职责的问题。因此，相关职能部门应该根据职责解决上述问题，加强管理，将降低模具整改试模率的目标作为抑制成本浪费的重点任务。

（2）纠正途径

① 做出正确的模具整改方案。在项目管理者对试模制品缺陷原因认知不足的情况下，项目负责人要协调生产部、专家组介入解决。这是改变无效整改试模很重要的流程管控环节。我们必须从源头杜绝错误的整改方案进入整改流程，特别要管控整改决定中报废零件、更改设计的必要性。要制止不清楚原因、反复瞎琢磨的整改试模行为。要对明知方案不当，却固执己见浪费成本的行为人限制其决定权。

② 严控钳工整改不到位及漏改的情况。整改项目漏改和修改不到位是钳工缺乏责任心的问题，这需要通过制度制约和教育相结合的方式去解决。纠正办法就是要对试模前的钳工自检、监督部门的复检等环节把好关，有问题的要在试模前就检查出来，而不是等到试模后，杜绝无效整改、漏改现象流转至试模阶段。考虑到模具整改工作的延续性，一般情况下对模具整改状况的试模前合格检查，由对应的项目经理负责，有问题时，由生产部负责配合落实纠正。

③ 提升试模人员、项目经理工艺参数调试能力。参加试模的人员经验不足，辨别不出是模具原因还是注塑工艺原因导致的制品缺陷，致使许多本可以在现场通过调整注塑工艺参数来解决的产品缺陷问题被当作模具问题，导致乱改模的现象频发。这需要联系专家组做最后的判定，同时也必须提升相关人员的技术能力。

④ 把好设计质量关。设计出错的纠正和设计不合理的调整，是导致模具重复整改试模的原因之一。要培养设计师仔细谨慎的工作作风，努力做到不出错、少出错。设计评审关注的往往是图面上已设计的内容，设计师疏忽掉的产品形状特征如钩、槽、筋、柱、孔的缺失或者顶块、滑块遗漏，产品的镜像错误，产品收缩率错误，斜顶干涉，水道干涉等错误除了设计师本人，一般不易被旁人审查出来。

（九）总结

要改变模具整改试模工作量高的现状，主要做好以下四个方面的工作：

（1）设计部门着力降低设计出错率。

（2）项目部门狠抓整改方案精准率。杜绝经验不足者的错误整改方案进入整改流程。公司要组建有实践经验、技术全面的专家组进行占总整改点约 15% 的疑难整改方案的审定。

（3）生产部要抓好钳工的责任制。要在钳工管理体制源头上降低懒改、漏改、改不到位所致的无效试模现象的发生率。

（4）试模要建立责任制，关键是要提高试模人员的责任心，对节约试模原料和试模时间、规范操作、提高技能方面要有考核。

降低模具整改试模率是公司治理浪费、大幅降低制造成本、提升企业竞争力的一项重要措施，可以作为企业降本增效管理的切入点来进行。

综上所述，企业为了适应当前市场经济的发展变化而对企业成本进行控制，是实现企业经济效益提升的重要措施。因此，企业在对自身成本的控制过程中，要注意对企业成本的控制方法及控制内容进行系统、科学的分析，同时还要制定针对控制成本的管理制度，并切实保证其发挥作用。

降本增效是企业实现可持续发展的动力支持，在企业不断发展过程中，降本增效管理必然成为提高企业经济效益与行业竞争力的最有效措施。

第六章 管理人员的职责与企业发展

第一节 管理者的实践与成长

能够赋予企业价值创造能力和生命力的是管理，当然也包括管理领导层及其管理体系。

管理领导层根据组织结构设置岗位，调配各级管理人员进入企业的管理体系中。管理者应遵循相关的管理流程，分别进行职责范围内的管理工作。

一、管理者的自我认识

上至总经理，下至专业组长，凡是带领、指挥团队成员和下属工作的即企业的管理者。企业的管理体系依靠管理者的正确、规范管理进行运转，以使企业在实现战略目标的轨道上健康发展。

在企业的组织结构中，管理者发挥着至关重要的作用。特别是中层管理人员，他们如同桥梁和纽带，连接着高层管理者和基层员工，在企业中承上启下，确保企业决策能够高效传达和执行。

中层管理者，主要职责是贯彻执行高层管理人员所制定的重大决策，监督和协调基层管理人员的工作。中层管理人员的具体定义取决于公司对其岗位管理职能的划分，他们可以是分公司经理、事业部经理、部门负责人、项目负责人或车间主任。

由于工作性质的差别，岗位人员的构成也会不同。在一线工作的员工，我们称之为非管理人员，在组织当中更多的是承接上级的安排做好工作，注重的是专业技能和工作态度，一般来说更多的是只做自己分内的事情。

处在管理岗位的人员，更多的价值在于组织、协调，在于计划、管控，在于如何让整个管理任务有效推进。其着重点是如何进行全面管理工作以及如何组织和调动团队、相关协作部门。只有科学地做好计划，才能保证团队有效地开展工作。以上是对管理人员身份与职能的一个基本认识。

二、管理岗位工作重点

（一）部门流程管理

管理者要熟悉企业的运营模式和业务管理流程，了解管理部门之间的运营关系，能够理解和认真执行相应的管理制度和管理流程。

（1）计划制订。接受了上级任务后，管理者首先要根据任务要求制订好具体的实施计划。为了尽可能地将计划做得更周到，需要召集团队成员一起参与计划的分析制订，至少要做到征求团队成员及其他相关人员的意见，经过团队成员参与制订的计划，可以让成员执行起来更具自觉性。如果作为一个管理者做不了计划，或者做不好计划，那就不太可能会管理组织好他的团队，也就无法胜任其岗位工作。

（2）组织实施。有了计划、目标，接着就需要组织团队及相关人员去完成。在这个阶段要做的重点是要将目标任务计划进行分解，并落实到相关的人。

（3）指挥。管理者要指挥下属如何跟有关人员去配合完成计划任务。要带领、指导、鼓励他们努力工作，不可采用简单粗糙的工作方式随意命令、批评他们。一旦他们产生抵触情绪，也就不太会愿意配合管理，这样工作肯定就不容易做好。

（4）协调。团队成员之间、部门协作之间难免会有不同的利益和立场，在工作中会对一些具体的事项持有不同的意见和做法，也会有发生矛盾的可能。对此，管理者应思考如何去协调，怎么沟通说服他们达到认识统一。

首先，应在坚持原则的前提下，倾听各方的意见，明辨是非，然后进行晓之以理、动之以情的协调沟通。在协调工作中耐心倾听非常关键。

（5）管控。在任务计划实施中，要对计划执行的进度、质量和可能发生的相关问题进行有效的管控，以保证最终目标结果的达成。要着重保证相关信息的及时准确掌握，一旦出现异常情况，就能快速精准地采取应对措施。

（二）团队组织管理

管理者在组织当中是要去创造价值的，只有管理和带领好一个强有力的工作团队，才能确保不负组织期望，完成组织交办的目标任务。管理者管理团队要着重注意：

（1）明确目标。为了更好地去完成工作任务，管理者一定要清楚工作的目标和方向，这是决策的准绳。管理者要理解哪些是企业的目标，要掌握企业在不同时节、不同阶段中，或者在一年中的重点工作、目标方向。只有在这个大方向下，才能确定自己团队的组织目标。与此同时，还要有团队成员的个人目标。在实现组织目标的情况下，带领团队创造更大的价值。

（2）建设团队。在明确目标后，如何实现目标非常关键，团队齐心协力非常重要，唯有营建好一个强有力的团队，才能更好地去实现一个管理者的价值。

围绕工作目标，管理者要清楚需要什么样的角色人员，需要具备什么样的技能和知识结构。只有当这个团队中的不同成员、具备的不同技能、知识结构和不同个性，达到一个相对理想的组合时，才能高效地去完成工作目标。

（3）制定部门管理规则。没有规矩，不成方圆。公司有公司的制度，部门有部门的规章。管理者要带领团队更好地完成工作，需要一系列部门规则来保证。

带领团队，要清楚团队的价值导向。不同性质的团队，价值导向就会不一样，管理者的倾向和性格特点也不一样。比如说一个销售团队，它的核心价值导向是如何更好地服务客户，争取更大的销售业绩。这就是衡量团队行为结果的出发点，管理者只有清楚核心的价值导向，才能带领团队成员找到自主工作的方式方法。

带团队时要清楚地告诉下属遵守准则。告诉他承诺的必须做到，做不到的，不要去轻易承诺。当团队人员有了价值导向、行为准则的时候，团队就有了方向，就会在方向既定的轨道上主动去做好工作，管理者就不必机械地管理和约束团队成员的行为。

（4）抓好管理任务全过程。流程管理的核心要素是计划、组织、指挥、协调和管控。有计划地去做事，围绕目标和计划制定相应的策略和方式去实现，这是团队管理中一项非常重要的工作。作为管理团队的管理者必须积极主动地去计划、去指挥，因为下属、团队在等待着计划安排，有了计划安排，他们才能更好地开展工作。

管理者努力做好管理是为企业创造价值，以实现最终的目标成果。这也是考核管理人管理绩效的主要标准。对一个管理部门来说，个人工作的结果会影响到团队的成果。因此管理者考评的业绩不但包括整个团队完成的目标成果，还包括团队不同成员的目标结果。

管理者要熟知组织状况，搞清楚企业不同人员之间的关系，把握不同需求，坚持行事原则。认准目标、建设团队、制定规则、抓好过程、获取成果，这是一个管理者最核心的内容。

（5）管理者和团队的共同成长。管理者如何在实际工作中持续地提升管理能力，更好地去胜任岗位，这就需要不断地学习。如果完全靠摸索、体验，那么成长需经历更长的时间、遇到更多的困难，你就难以及时地进步，称职地做好管理者的角色。管理者务必要结合实践，学习人们总结的经验，在岗位角色中快速得到提升，才能履行好企业赋予我们的工作职责。管理者的又一个重要工作就是要识别不同员工的个性、能力，及时给予团队员工各种方式的辅导，通过工作培养人。这就需要管理者花费一定的时间和精力来实现团队的成长和管理。

三、管理者职业须知

作为管理人员，其核心工作已经转变到团队的组织协同上，做得更多的是判断、决策和行动。管理者为了能够做出准确判断和更好地决策，需要系统了解公司、领导、部门的各种相关信息，需要清楚认识所在的环境、所在的状况，做足够的信息储备。在此基础上才能更好地去承担管理工作，才能保证管理团队的行动方向和公司的战略大方向保持一致。

（一）深入了解公司

要深刻理解公司的战略目标和方向，遵循公司的企业文化、价值导向、管理风格及公司宣扬倡导的宗旨、警戒的红线及雷区。只有全面了解公司的状况，更好地理解公司的战略，才能更好地作出判断和决策，更好地去胜任自己的工作。

（二）融入部门团队

充分了解自己所在的部门，明白在部门组织中自己承担的职能、职责、价值体现的方式和取向。只有清楚理解部门在企业组织中的作用和定位，才能更好地把握自己的工作方向，创造出企业所需的价值。

（三）知己知彼，树立威望

下属是所有管理工作的基石，亦是管理者带领团队做好管理的关键。建立融洽的下属、同事、不同部门之间的人际关系，是需要管理者认真争取和践行的。管理者要从不同的维度去分析关系。先从表面上看，基本了解人的性别、年龄、学历，然后继续有更深层的了解，包括个性、特点，掌握的知识、技能以及可能的缺点。有了对人深层次的了解，才能确保对人作出正确的判断，才能处理好组织关系中的人际关系，才能保证工作顺利推行。

（四）了解和关心

尽量满足上、中、下级工作者的合理需求是维系好融洽工作关系的又一要素。特别是在作承诺的时候，必须坚守信用，说到就要做到。如果不能够兑现承诺，失去信用，今后的工作就会难以开展。管理者对下级要了解他们在情感方面、物质方面所需要的支持、信任和关怀。把握好这些关系和需求，就能顺利组织好管理工作。

（五）原则与组织纪律

管理人员在日常工作中难免会有与上级对某件事情的意见不一致的时候，是先听从上级领导的意见，还是坚持自己专业的观点？

作为管理者，我们的出发点和坚持的原则就是要有利于企业创造价值。因为创造价值是企业存在的根本，每一个人和每一个管理者，在面临任何情况的时候，正确的方向就是不能与这个原则相违背。

在不同环境和场合中，尤其是在和上司的沟通中，有不同观点是正常的。如何有理有节地去坚持？如果你认为自己的这个观点非常正确，那在关键时刻的坚持才能相应贡献价值，让上司真正觉得你是值得信任的，是值得去依靠的，这也是核心价值的一个体现。

（六）管理把握自己的情绪

要求管理者必须是个相对理性的人，遇事不会太情绪化。

有的管理人员，当有人夸赞时，就喜不自禁，洋洋得意；但当有人说不中听的话时，就可能会产生反感。如果这种情绪都反映在脸上，会导致同事关系紧张，那你在管理岗位上的威望就会大打折扣。

假如下属接受不了上司的批评，而且抵触情绪很强，甚至还表现出不满，那么你的上司很难有信心将工作继续交给你去做。本来是工作沟通上的正常事，却控制不住自己的情绪，这可是职场中最需避免的。

在工作中总会碰到一些困难甚至挫折，管理者不能因为工作有压力，就控制不住情绪发牢骚，这是一种非常不理性的行为。某些话在传播过程中，因为有些人不了解具体情况，或者观点不同，会导致以讹传讹，甚至掺杂一些不实内容，最终导致损人害己的后果。管理者要管理好自己的情绪，切忌不分场合发表负面言论。

（七）工作须有充分准备

比如说你要去参加一个会议，事先必定要知道时间、地点、会议主题、具体内容、参会对象及需要解决的核心事项等。作为管理者应该为参加会议做好周全的事前准备，针对会议重点要讨论的内容方向，搜索资料，做出深度的思考，设计好自己责任范围内的相应策略和预案。

经过事先充分准备的人，在会议上才能获得更多的认可，也更能体现出自己的贡献和价值。对涉及管理事项的充分重视和认真准备是非常重要的工作方式，但在职场中却常被人忽略。做任何事情只有准备得越充分、越到位，才能够把握更多机会，才能做得更好。

（八）谦虚谨慎，不可自大

必须知道人都是互相平等的，只不过岗位分工不同。要得到人们的尊重，首先就得尊重别人。如果你在组织中建立了威信，那么你的管理工作就会十分得心应手。

（九）公正处理不同矛盾

在工作中不可避免地会碰到各种矛盾。如果处理不好，就很难组织协调好团队的运行。处理矛盾要把握好不同冲突的处理方式。

（1）冷处理方式。对那些不是特别急迫的事情，或者在你还没有完全考虑成熟的时候，应该采取放一放、冷一冷的方式，不急于马上去处理，这叫作“事缓则圆”。

（2）适度容忍方式。团队和下属可能工作一时做得并不是太好，没有达到目标要求。如果说这个人从潜在的能力、价值等方面均无问题，仅仅是经验不足，这时候我们就要给他一定的成长时间，容忍迁就他。更不能一下就发火批评，造成关系紧张。下属一紧张，手脚放不开，工作就更难做好。

（3）对不配合之人的处理方式。工作中有时会发生管理对象不配合的矛盾，他们强烈地坚持个人的观点。对于这种冲突对象，首先我们要耐心倾听，尽量让他把话说完，然后在坚持原则的基础上耐心地去说服他。

所以，管理人员在工作过程中要针对不同的冲突表现，积极地配合协调，有时甚至稍作妥协，尽管内心不是特别地愿意，但也不能用不适当的方式去硬顶，这是需要管理者去把握的。

四、管理岗位胜任能力

管理者须根据企业任务需求制订目标、计划，并带领团队按任务过程分阶段进行管理。其重点在于计划、执行、监督及纠正。管理是一个大课题，管理者的核心职责就是对组织目标的领会和拆解、对部门目标的规划和实现。管理层每个管理者的岗位综合能力表现，决定了企业的经营管理状态。一个管理者要称职地做好管理，如果没有一套过硬的本领，就无法驾驭团队。因此管理者具有扎实的岗位能力，这是做好管理的一项基本条件。

（一）责任心和使命感

管理者作为企业的中坚力量，需要具备坚定的信念和较强的使命感。需要关注企业利益，在面对困难时，敢于担当、精于思考、善于解决，确保目标任务的顺利完成。要明确自己在企业管理层中的定位，要了解所在部门岗位所要求的职责、技能和知识，个人条件要与之匹配。只有在清楚岗位要求和工作方向的状态下，才能做出正确的决策和行动，才能正常地进行岗位管理。管理者要能抓住管理中的价值点，并且清楚这个价值点的价值是需要通过工作结果来体现的。这是做好所有管理工作的基础。

（二）岗位的专业能力

任何一个管理者都是先从普通专业岗位上逐步提升的，比如一线员工、专业组长、部门经理、生产总监。先成为专业技术人员，然后才成长为管理人员。如果我们不懂本行专业，不精通本行业务，就很难做好管理，所以要有扎实的本行专业基础能力。

（三）目标分解与计划管理能力

管理者根据公司战略规划及项目任务，进行本部门的目标拆解，制订具体的、可执行的部门计划目标，编制半年度、季度、月度目标以及详细的工作计划和步骤，甚至细化到周、日的工作目标，并具备对其进行分配和管理的能力。

目标制订好后，管理者需要对计划的合理性及可执行性做进一步的确认。根据下属员工的能力、特点进行落实，让员工更自觉主动地配合任务安排。计划是目标实现的关键一环，计划做不好，目标就难以实现。

作为管理者，既要做好自己的工作，更要组织、协调、安排好团队和其他相应人员的工作。这是基础能力，即目标分解与计划管理能力。

（四）督察执行能力

任务计划安排分配过后，在过程中可能会遇到各种各样的问题，特别是在团队配合时，身为管理者要具有前瞻性，要在可能发生失误和失败的重要节点及环节做好监督检查。这也是对执行分配的进一步监督，监督检查的方式除了接受下属员工的汇报，还需要深入项目业务当中去关注计划目标的完成进度，及时总结工作成果，分析问题和不足，做出改进和调整。

（五）引领团队合作的能力

一个具备领导力的管理者，决定其是否成功的关键已变成是否能够有效组织、驱动和帮助其他人完成任务。你必须培养和支持所带领的团队成员建立自信，让那些为团队工作的人变得更聪明、更能干。你所做的任何事都不再是一个人的事，作为领导者，你的成功并不取决于做了什么，而是和整个团队所取得的成绩息息相关。

具备领导力的管理者，能够营造良好的团队氛围，善于调动团队成员的积极性，发挥每个人的特长优势，形成合力。

作为管理者最基本的一个原则就是要做到通过别人来完成任务。让下属做事是企业高效管理的要点所在，要授权更多的工作让员工来做。管理者的工作重点是：调动内、外部的资源，组织、安排、协调好相关岗位的下属，有序地按计划做好工作。管理者要对整个任务的管理过程负责，更多在于计划、分配、职责划分、监控及听取汇报，带领团队的人共同完成工作目标。

有些管理者很难通过别人来完成工作，总是什么事都要亲力亲为，其结果是员工反倒不认可你，觉得你不信任他。于是尽管你身心劳累，任务目标却往往得不到很好推进。这就需要管理者忽略细枝末节，把思想和时间解放出来，用于关注更高级别的事务。

集体的成功来源于团队的每一个人。管理者必须融入团队和组织。在团队合作中，管理者不只是发号施令，更要倾听团队成员的需求和感受，发现问题，及时给予支持和帮助，促进团队的共同成长和发展。团结合作是事业成功的基础，只有依靠团队的力量，才能把个人的愿望和团队的目标结合起来，朝着共同目标前进。

我们知道企业管理者的工作，代表着企业的目标及发展理念的实现过程。如果团队成员无法认同企业的目标和发展方向，那么在日常管理的执行和工作运营当中，就没有办法同步公司的目标，结果就是无法完成目标。

（六）沟通表达能力

通过与人交流信息、思想和情感，处理人际关系，在工作的各方面达到和谐平衡，这是管理者自我管理的基本能力和素养。

管理者作为企业的桥梁和纽带，不但要与上层领导进行有效沟通，充分领会和理解目标任务，而且，还要就确保战略方向的正确实施达成共识。与此同时，管理者也要与相关部门、团队保持沟通，争取得到工作中的积极配合。此外，管理者还要与下属随时保持沟通，根据员工的能力和特长，合理分配任务，确保每个人都能够胜任自己的工作。并且要及时地了解员工的工作进展和困难，以便提供必要的支持和帮助。良好的沟通与协调能力能够让管理者准确传达信息和获取信息，及时解决矛盾，促进企业内部和谐。

如果你有很好的想法，却不能把这种想法很好地和你的上级、同事、客户、下级沟通，那他们就不能很好地理解你的想法和思想意识，于是也难以精准地去支持、配合你的工作，你的好想法也就兑现不了。

（七）管理下属的能力

管理下属的能力包括组织协同能力、问题分析解决能力和指导培养下属的能力、关心激励员工的能力。

管理者重要的是通过组织的形式去完成和实现目标。所以管理者的一个重要工作就是要识别不同员工的个性、能力，及时给予不同方式的辅导。通过工作培养人。这也意味着管理者要花一定的时间和精力来实现团队的成长和管理。

团队成员个人的工作能力，直接影响到整个团队的工作成果。培养下属的工作能力，一方面是提升团队协同工作的必需手段，另一方面也是自己以后发展的必要条件。有的管理者在一个岗位上干了很多年，一直没能得到提拔，其原因并不是个人能力问题，而是这个部门如果没有了他，所有的运转就会受到影响。试想，在你的部门没有人能接班替代你的情况下，即便组织上想要调你到更高更重要的管理岗位上工作，也会下不了决心。所以说培养下属既是为了团队也是为了自己。

所以，管理者在做好日常管理工作的同时，应该拿出部分精力来培养员工。员工成长了，你的工作才能变得更加轻松，你也才会有更多的机会去迎接更重要的工作和挑战。

对下属的管理过程中还有一个非常重要的方法是倾听。这是我们做好沟通、做好管理非常重要的法宝。想要对人对事做出判断和决策，前提是你要清楚了解对方的所思所想，这样你才能做出正确的反应。

（八）自我价值体现的能力

在讲管理的时候，大部分人想到的是对外部和下属的管理。我们应该知道理顺与上司的关系也是做好管理非常重要的一环。

首先你要知道你的上司有什么样的性格、风格。你要准确知道他面对事情时的真正想法，洞察他的需求，这样才能更好地配合他的工作。

在不同环境和场合，尤其是在和上司的沟通中，有不同观点是正常的。如果你的专业知识让你认为你的观点确实是正确的，如何有理有据地去坚持？如果直接去对抗可能会发生冲突，作为下级，为了组织利益你要学会绕个圈，找个更合适的时间去表达。只有在关键点上坚持，你才能体现相应价值，让上司觉得你是真正值得信任的，是可以依靠的。当然，这需要对正确观点的判断能力，要有扎实的专业本领做支撑。

一个管理人员的价值塑造非常重要，在组织当中你存在的价值是什么？这是你的根本。很多时候，我们作为管理者，觉得自己很辛苦，做了很多事情，但最后没有获得领导或者公司的认可。问题出在哪里？原因之一可能是你干了很多事，但没有相应的价值体现。要将创造的结果价值适度地表现出来让人评价，让你的上司和其他相关人员了解到你的工作、你的不足、你的贡献。

（九）做事预先有准备的能力

假如通知你去参加一个会议，除了需要了解具体的时间、地点、会议主题内容、参会对象等经常性的问题，还要针对会议重点、要讨论的内容方向，做出深度思考，搜集资料、研究理解，针对不同参会对象、不同部门、不同人员，设计好相应方案和策略，并做出自己的反应预案。经过深刻思考和充分准备的人才能在会议上获得更多的认可，并且更能够体现出自己的贡献和价值。反之，如果没有做好准备，那么当在会议上涉及你的部门岗位和责任范围内容的时候，你支支吾吾说不明白就会很被动。事先对工作的重视和准备是非常重要的，但在职场中却常被人所疏忽。做任何事情永远没有准备太足的，你只有准备得越充分、越到位，才能够把握更多机会，才能做得更好。

（十）自知之明的能力

人贵有自知之明，要能够看到自己的不足。随着市场经济形势的不断变化，管理者需要与时俱进地更新自己的知识和技能，以应对面临的挑战和机遇。管理者需要通过参加各种职业培训、学习专业书籍、外部考察、与专家交流等方式来提升自己的能力。

第二节　模具企业的持续发展

当前的经济形势“危”“机”并存，模具企业仍将面临跨越发展的市场机会，关键是我们需要缜密审视发展战略，及时调整企业结构，转变企业管理模式，尽快从制造一般常规模具的现状，提升转型到制造专、精、特、新的中高档模具的层面上来。

一、模具企业的现状与问题

随着数控加工设备的普及，模具工业摆脱了手工技能的限制，降低了行业进入的门槛，使得模具企业数量在近十年持续增加，模具企业的市场环境也发生了迅速的变化。与此同时，国内多数中小模具企业起点低，又受制于落后的经营理念，企业的进一步发展面临技术、人才和管理的瓶颈。模具市场争夺激烈，产品同质化严重，近几年模具市场价格竞争已到了恶性程度。

中小模具企业大多是以民营企业的形式存在。随着我国经济市场化程度的提高，模具生产企业开始受到诸多的挑战。一是模具市场竞争和市场化交易完全挤压了正常的利润空间。二是顾客对模具企业在模具质量、成本、交货期、售后服务方面的要求不断提高，尤其是国外客户的业务模式对模具企业原有的经营模式冲击很大，企业的技术、管理瓶颈显现。三是滞后的生产管理模式，在企业实际运行中出现的职责不清、信息不畅、生产过程控制薄弱、质量失控、顾客满意度下降等问题，明显影响到企业在市场竞争中的地位。四是我国模具市场一般模具生产能力过剩，模具生产效率低于发达国家。据有关资料，我国多数企业模具制造周期要比国际先进水平长 25% 左右，员工创造的平均产值远不及发达国家模具企业。

应该看到，国内模具企业出口国外市场的仍是以中档模具为主，靠的是价格优势，这是因为我们的模具企业同国外先进同行相比还有着不少的差距，从管理到技术，从模具设计到工艺装备，我们的模具产业发展面临很多制约因素。先进的加工设备和设计软件还在依赖进口，模具企业的发展对投资的依赖度大，这就使得企业投资的风险加剧。模具属于典型的高投入产业，没有高精度、质量好的加工设备也就无法生产高水平的模具。国外高质量、高精度的数控加工中心以及电火花、线切割等加工模具的设备价格动辄几百万元，甚至上千万元，而现在信息技术发展迅猛，设备、软件更新很快，折旧率高，很多企业为此所累，加之模具企业规模小、信用受限，其追加投资的资金很难筹集，所以模具企业的改造升级就尤为艰难。

模具行业有其一定的特殊性，固定资产投入大（投入产出比约为 1 : 1），增值税可抵扣成本率低（为销售额的 45% ～ 50%），不可抵扣成本高（工资成本为销售额的 20% ～ 25%、固定资产折旧成本为销售额的 6% ～ 8%）。所以，模具业比一般制造业还是高出 4% ～ 5% 的税负率。

中国模具业的转型升级虽然面临着上述的诸多困难，但世界经济发展的趋势会倒逼企业必须快速进步，企业不在抓住机遇中发展，就会在失去机遇时被淘汰。

二、解决措施及对策

（一）开拓国外市场

中国模具业的快速发展以及最具竞争力的性价比，已经打开了世界模具的出口市场。国外模具需求企业为降低制造成本，转而向中国模具企业寻求模具供应商的趋势已日渐明显。模具行业面临着持续开拓国际市场的重要战略机遇期。参加国际模具展是展示企业、接触客户、开拓国际市场的最好平台。近年来各地企业在政府的支持下逆势出击，抱团参加国外模具展，取得了较好的效果。今后我们应把参加国外的相应模具展作为开拓国际市场的重要方式之一，让更多的企业走出去。

（二）加快企业转型步伐

开拓市场需要企业制造水平的实力支撑，不然“有米也煮不成饭”。中国规模以上的模具企业虽然已经基本上实现了模具数字化制造，但从对先进国家模具业的考察和国外客户对中国模具业的评审来看，模具企业落后的管理模式，已经成为企业提升转型到中高档模具制造国际市场的最大瓶颈。中国模具业必须继续深化数字化制造技术，尽快普及数字化管理，实现零件化生产，这是模具业实现转型升级，从而进入国际中高档模具市场的核心目标。

（1）现代企业管理要建立在过程方法和系统管理的基础上：模具企业要在管理体制、工作流程上与上下游企业对接，管理职能要细化，生产过程要受控，做到生产信息完整畅通、质量记录可以追溯。

（2）改变粗放的经营管理方式：建立以计划工艺管理为中心的科学管理体制。计划工艺管理在模具企业中处于十分重要的地位，计划工艺管理体制的建立是模具生产过程文件化、信息化管理的中心环节，是提高模具生产效率、提高模具质量水平的关键。

（3）优化模具生产过程的价值链，促进企业生产模式的转变：现代模具生产是建立在CAD/CAM/CAE集成应用基础上的，设计、加工环节的技术含量大幅度提高，要在建立科学管理体制的基础上主动适时调整生产过程的价值分配格局，重视生产链前端（设计）、中端（加工）的能力开发，重视工序质量的控制，重视设备管理，重视企业技术团队建设，重视员工的技术培训。

（4）增强模具成本的控制力：优化生产调度，准确掌握工艺消耗、物料投放、员工工作绩效等方面信息，积累定额管理和工时统计基础数据，建立扁平的信息管理平台，实现管理信息共享，实现在模具设计生产过程中监测、反馈、控制各个环节的成本。

对于多数的模具企业来说，总体上与国际水平的差距主要体现在生产和管理模式上。尽管模具企业的提升客观上受到人才、资金等因素的制约，但基本的方向还是转变生产和管理模式，实现信息化管理和信息化制造，与国际高端客户的管理模式对接。

（三）树立正确的人才观

企业的转型不是一次战术行动，而是企业的长期战略行为。一定要依靠人才，科学使用人才。要有正确的人才观，要努力创造并不断完善企业的用人环境，培养开放包容的企业文化，保持稳定透明的激励政策，兑现人才价值。

提升企业员工队伍的整体素质，一是要加强对员工各方面的持续培训，二是要招聘高学历人才充实员工队伍，以适应企业发展的人才需求。

有条件的企业应努力加强与院校、科研院所的合作，以提升企业模具前沿技术的研发能力。聘用海外工程师，设立海外办事处，借助社会资源提升企业的人才结构。

三、提升企业经营理念的格局

（一）提高质量是企业创造价值的途径

提高质量首先是企业要付出额外的成本为客户创造价值，目的是企业可以得到高端市场的回馈，最终给企业创造超额的价值（即质量的溢价、技术的溢价和信誉的溢价）。对于增加的管理成本，企业一定要有先付出的理念，只要目标需要、风险可控，就必须先付出。在市场竞争已经形成并越来越激烈的态势下，模具企业一定要以质取胜，从而进入高投入—高品质—高附加值—高产出—高待遇—高凝聚力的良性循环中，这是我们真正的目标。目标客户的定位、制造能力的提升、付出成本的承受力决定着目标实现的进度，企业经营的愿望是实现利润最大化，底线是企业能够生存。

（二）优化企业升级目标

优化公司的产品结构，提高客户群的层次，利用市场的倒逼机制，推动企业组织结构、管理模式和生产技术的优化升级，摆脱与大多数企业同质化的竞争局面，使企业进入制造业的广阔蓝海。

（三）企业转型共赢方式

企业转型指向的目标非常诱人，但实施过程中企业领导可能会感到对人才的依赖，感到自己对企业的控制力不断削弱，这些都需要企业领导转变观念。究竟是企业养活工人，还是工人养活企业，这个问题已经是硬币的正反两面。企业家要突破“私有”的观念，建立起互赢的管理和经营理念，真正的企业组织就是在这种互利互赢的理念下形成的。在现代企业管理中，以人为本不是出于企业家的觉悟，而是因为人的价值已经超出资产的价值。现代模具企业依靠人才、设备和管理的结合，使得模具的质量和边际价值巨大。不重视技术质量，不利用信息化生产和管理技术，按照旧的经营模式，靠增加工作强度和变相提高定额等方式是不可持续的。今后的发展要靠企业提供平台给每个人去创造价值——每个人都应该有价值，怎样使这种价值在市场兑现是企业的责任，也是企业的价值。我们提出的转型需要共赢的管理和经营理念作为支撑。

四、模具企业的核心竞争力

要把培植企业核心竞争力作为奋斗目标，确立企业转型发展的战略。什么是企业的核心竞争力，需要有正确和明确的认识。

（一）核心竞争力的表现

真正属于企业的竞争力是一种别人“偷不走”、难以模仿的竞争优势。过去模具制造的设备能力有限，某些型腔形状的制造和修配精度需要高超的手工技能，如果你有这个技术，你在这一方面就有别人无法获得的竞争优势；如果你本身是企业家，那么你的企业就有这方面核心的竞争力；如果一个企业要靠你获得竞争能力，那么这个企业有没有捕获你的绝对能力才是这个企业的真正竞争力。

现代模具的制造模式早已摆脱了手工技能的束缚，进入以数字化设计制造为核心的时代。现代模具企业是人才、设备和管理的结合，企业不仅需要有捕获人才的能力，还需要有组织人才和发挥人才作用去创造企业价值的战略，现代企业的核心竞争力最终都表现在这些方面。

（二）如何构筑企业核心竞争力

按照以上对企业核心竞争力的分析，企业应该怎样去赢得核心竞争力呢？很显然这不会一蹴而就，需要通过规划企业目标、制定人才战略、创造用人环境和保持人才激励等步骤去实现，每一步都要求以企业发展为背景、以企业与人才共享发展成果为基础，最大的困难是企业主不能摆脱急功近利、排斥现代企业的管理思想，最大的风险在于企业制定的发展战略与市场需求脱节、企业发展得不到市场的正反馈。

（三）培植企业核心竞争力的现实途径

（1）建立系统化和流程化的管理模式，配合专业化的人才使用策略。现代企业管理一定要遵循 ISO9000 的管理原则，要建立持续稳定的质量管理体系，必须建立流程合理和闭环运行的管理模式，在管理上不要投机取巧。建立这样一种管理模式，其中暗含着对专业化人才的要求，要在建立完善管理体系的过程中提拔、培养专业化的岗位人才，让他在整个管理链的某个点上专心致志，发挥其知识和经验的最大价值，一旦他离开这个环境和岗位，他就失去发挥能力的最佳条件，他的个人价值就会缩水，这就是形成一个良好用人环境的充分条件，另外的必要条件是企业要尊重和兑现人才的市场价值。如果对企业管理没有发展规划，在用人上短视地追求精简，通过兼职混用去扩大管理职能，则会产生消极影响。人才流动直接影响企业管理的稳定性，往往会危及企业安全，因此企业需要考虑企业安全的战略价值，并为之投入。过分依靠“万金油”式的人才，很容易使企业墨守成规、缺乏创新。我们的用人标准就是专业化和学习型。

（2）重视基层管理，在转型过程中提拔、培养人才。发展总是从脚下起步，最大的问题是选择正确的方向。企业转型需要什么样的人才，需要根据企业转型过程的需要来确定。不要把目光总是盯在所谓高端人才身上，人才可遇难求，识别人才需要过程，盲目追求高端人才往往是一种急功近利的心态。组长、操机工、检验工、试模工、模具设计人员等都是企业需要发现和培养的实实在在的人才，非常值得企业重视。企业管理基础薄弱、员工素质较低，这不是员工的落后，而是企业的落后。在基层需要有人去引导、发现和培训岗位人才，这是最需要的，提高模具质量最终要落实在他们身上，在转型的道路上，能否顺利达到目标取决于他们素质的提升。最长的“工艺路线”在于基层工作质量的提高，在这个问题上需要领导层保持清晰的思路。在管理层要形成提倡学习、鼓励创新的氛围，强调所有的管理工作和管理理念要在基层开花结果，管理者要担负起指导和辅导的义务。每个管理者都不是万能的，所以要提倡学习、善于学习。所有这些工作都是打造企业核心竞争力的过程，没有企业可以轻轻松松做到，也没有企业可以绕过这一过程。

（3）要扬长避短，可以利用信息化管理技术创造管理的后发优势。我们既要树立忧患意识，也不必妄自菲薄。观察周边在转型上先行的企业，虽然我们无法感知它们转型的每一步付出的勇气和艰辛，但自己一定要有足够的思想准备。工业化与信息化的融合是大势所趋，认识并发挥信息化管理的平台作用，可以引领企业基础管理的改善，优化企业管理的流程，提升企业管理的科学化水平。

（4）要把内部管理顺向推动和客户市场倒逼机制结合起来。企业的进步（包括设计理念、质量意识、管理要求等），很多来自市场的倒逼，市场的倒逼使我们不得不改变传统的观念。与此同时，我们不能完全被动地适应市场，尤其在明确企业转型目标、战略之后，必须自觉、主动地去学习现代企业管理思想，按照系统管理和过程控制的原则去整理、规划各部门管理职能，通过 PDCA 循环[1]提升内部管理水平，引向以管理实现降本增效的方向。

[1] 指计划、执行、检查、处理循环。

（5）坚决遵循“先做强再做大”的发展战略。企业生存取决于企业满足市场的能力，同质化竞争、议价能力下降，这是企业持续发展的长期威胁。要把企业引向以质取胜的方向。今后模具企业必定是强则恒强，大小两极分化，企业如果大而不强，处于中间，则如逆水行舟，不进则退。为什么模具企业会强则恒强？因为这些企业已经完成人才、设备、管理、市场的整合，形成了人才价值的高地。

当前是企业转型的关键期，而企业转型是一个系统工程，我们必须根据企业自身的实际状况确立转型目标，清楚转型路线，突破企业经营理念。在一段时间（以年为单位）内制定企业的最大目标并不懈努力，从而实现企业的提升。